Op. Rosedust 中●contents

Op.（オペレーション） ローズダスト 中

Phase III
（承前）

※

「まだ止まらんのか!?」

リビングに飛び込んできたSITの主任が、開口いちばん怒鳴る。「電源を切ってもダメなんですよ!」と怒鳴り返した木下の背後で、「業者に連絡したらどうです」「元栓ですよ。元栓をしめればいい」と次々声を張り上げるのは、それまでほとんど口を開かなかった私服の警官たちだ。

閉めきったカーテンの向こう、水浸しになった庭の方からも殺気立った声が聞こえてくる。協力の申し出は言下に却下され、ソファから動かぬよう厳命された服部(はっとり)は、じりじりした思いでそれらの声を耳にしていた。声だけではない。芝生を踏みにじる足音、無神経に灌木(かんぼく)をかき分け、枝を揺さぶり折る音のすべてが、いちいち神経を逆撫でする音になって鼓膜を震わせ続けた。

「元栓だ。元栓しめろ。庭の南側の隅」

主任が袖口のマイクに吹き込むと、その音はいっそう激しく、遠慮のないものになった。踏み荒らす、という表現通りの暴力的な音。たかが庭造りに人生の安寧(あんねい)を見出した男がいるとは知らず——いや、知っていたとしても、その心情は想像できない者たちの足音。過敏になった神経にひとつひとつの音が突き刺さり、服部は何度も腰を浮かしそうになった。

「見つからないわけないだろう。よく探せ」

「植え込みの陰にあるんですよ。警備車から投光器あてさせますか」

主任の焦れた声に、木下（きのした）が押し殺した声を被せる。彼らにとって庭は庭でしかなく、必要なら芝生を掘り返し、木を引っこ抜くのにも躊躇（ちゅうちょ）はない。もし服部が抗議をすれば、木下は言うだろう。こんなことで犯人に付け入る隙を見せるわけにはいかない。自分の命と庭と、どちらが大事なのか、と。

以前、妻にも同じ質問をぶつけられた。本家の事業がつまずき、この家を手放さなければならなくなった時、初めて抵抗の素振りを見せた服部に妻は言ったものだ。服部の家とこの庭と、あなたはどちらが大事なの、と。服部は答えられなかった。

こういう時になにも言えない窮屈さを含めて、服部の家名が醸し出す息苦しさが自分を追い詰め、庭造りを唯一の自由にする心性を育てたのだったが、言葉にはならなかった。自分はいつでもそうやって耐えてきたのだ、と服部は不意に思いついた。妻に対しても、服部の家に対しても。国政不在の国家の主権を守ると言い、人道に悖（もと）る数々の行為を強要しながら、精神的にも物質的にも報いようとしなかった市ヶ谷に対しても。

「ライトあてろ、ライト！」「警戒怠るな」と鋭い声が雨戸の向こうで飛び交い、服部は物思いから立ち返った。乱雑に押し退けられた灌木が悲鳴をあげ、塀に梯子でもかけたのか、がたんと硬い物がぶつかりあう大きな音が発する。「こっち照らせ！」という怒声に重なり、枝の折れる音が連続するに至って、服部は堪（こら）えきれずに立ち上がった。ぎょっと振り返った警官たちをよそに、「主任さん！」と外の音に負けない声で怒鳴る。

「わたしがやりましょう。元栓は寒椿の下に隠れてる。知っている者でなきゃ時間がかかる一方だ」

棒立ちになったのも一瞬、主任はすぐに「我々で対処できます。もう少しご辛抱を」と硬い声を返してきた。そのままリビングから立ち去ろうとする背中を、服部は「主任！」と再度呼び止めた。

「もう五分以上経つ。こんなことに全員が気を取られて、それこそ犯人の思う壺だろう」

つい市ヶ谷時代の声が出てしまい、主任のみならず、木下たちも絶句する気配が伝わった。低空を飛ぶヘリのローター音が間の悪い空気をかき回す中、最初に木下が我を取り戻し、「現本に確認とりますか？」と小声で主任に話しかける。立ち尽くすばかりの主任の顔色を窺い、返事を待つしかない木下に目を戻した服部は、ふと全身の力が抜けるのを感じた。

警察は服部の警護にメンツを賭けている。たとえ庭先であっても、警護対象者（マルタイ）を屋外に出すなどという判断が主任の一存、現地対策本部の一存で下される道理はない。最低でも警視庁総合指揮所にいる警備部長、もしくは警察庁総合対策室に控える警備局長の判断を仰ぐ必要があるが、彼らがノーの判定を下すまでもなく、上まで連絡が届くことはないと服部は予測した。

警備の成功を一義とする一方で、アクトグループとの関係もこじらせたくない警察上層部にとって、服部の申し出を無下（むげ）にしたという事実はそれだけで禍根になる。必然、誰が、どの時点で無下にしたのかが問題になり、責任という名の爆弾がたらい回しにされた挙句、最終的には現場に落ちて爆発する。そんな問題を引き起こしたこと自体、現場に不手際があった証拠ではないか、と。つまり服部の申し出は、主任たちにとっては上から睨まれる結果を引き当てる最悪のババであり、ここで揉み潰されることがあらかじめ確定している。どこにも届かない、無力な言葉でしかない——。

黒々とした感情が渦を巻き、服部は主任の返答を待つ木下の横顔を見た。まだ組織の機微を理解しきっていない若手係員の顔には、押し黙った主任を訝る率直な色しか見つけられない。対して主任は、泥沼の一歩手前で踏みとどまった苦渋に満ちた顔で——その隠微な動揺、わずかに生じた空白が、服部に次の行動を決意させた。

小さく息を吸い、腹に力を入れる。主任が口を開きかけた瞬間、服部は床を蹴って警官たちの背中をすり抜けた。

あっと木下が叫び、警官たちがあわてて追いすがろうとした時には、服部は主任を突き飛ばして廊下に飛び出していた。市ヶ谷時代の余禄で、最低限の体術は心得ている。「捕まえろ！　庭に出すな」と主任の声が発し、廊下にいた警官が即座に腕をのばしてきたが、服部はその勢いを受け流して手のひらを上からつかみ、手首の関節をきめると同時に顎に頭突きを食らわせた。

完全に不意をつかれ、頭ひとつ大きい警官の体が後方にひっくり返る。頭蓋を突き抜けた痛みを感じる余裕もなく、服部はひと息にキッチンに飛び込んだ。廊下に出ようとしていた別の警官が覆いかぶさってくるより早く、出会い頭の突きをその両肩めがけて繰り出す。腕の力と体重、さらに慣性の力が相乗した突きをまともに浴び、警官は体勢を崩して食器棚に叩きつけられた。ガラスが砕け、こぼれ落ちた皿が割れる派手な音を背に、服部は靴下の足で勝手口の外に出た。

長年の運動不足が祟り、地面を蹴るごとに悲鳴をあげる膝を無視して、夢中で足を動かす。バカなことを、と冷静な自分が囁きかけたが、それも無視して服部は走り続けた。〝賭け〟の時と同じだ。愚かな行為とわかっていても、やると決めたからには走り通さねばならない。ちょっとでも足を緩めたが最後、自分はすべてを奪い取られてしまう。声を発さない、発せられない者の弱みにつけ込み、己の論理だけを押し通そうとする連中に追いつかれ、大事なものすべてを奪い取られてしまう。

四年前、服部はその覚悟で走り抜き、〝賭け〟に勝った。お陰で現在の地位を手に入れ、この家も手放さずに済んだ。人畜無害の入り婿の立場を返上し、妻や高慢な親戚たちから尊敬を勝ち取ることもできた。だがなにより重要なのは、庭を失わずに済んだことだ。水月と烏丸は、私利私欲のためではない、この国のためになることだと嘯いていたが、服部には関係のない話だった。

すべては、自分だけの聖域を守り通すための行動。それ以上でも以下でもない。そのかけがえのない空間が、いま再び荒らされようとしている。たとえすべてを失おうと、こればかりは容認できない。でなければ、〝賭け〟も、その時に流された血も、こうして命を狙われる自分の現在も、なにもかも無意味ではないか――。

家と塀の間を抜けた先にある庭は、通りから差し込む投光器の光に照らし出され、白々とした人工的な光が木々の陰影を芝生に落としていた。二基設置された散水装置は依然として止まらず、回転するヘッドがまき散らす水は霧のごとく芝生を覆い、ズボンをびしょ濡れにした男たちがその中を右往左往する姿がある。全員出て行け、と怒鳴り散らしたい衝動を堪え、服部は庭の隅にある寒椿の茂みに駆け寄った。二ヵ月ほど前、配管修理の際に植え替えをした寒椿は、あとひと月もすれば咲きほころぶ蕾をそこかしこに付け、周囲の喧噪をよそにひっそり佇んでいるように見えた。

元栓を収めた蓋が目立つのが以前から気に入らず、配管交換で庭の一部を掘り返したのを機会に、蓋が茂みに隠れるよう移し替えたのだった。配管の方は業者に任せっきりにしたものの、寒椿の移植は自分の手でやったので、元栓の位置は目を閉じていてもわかる。紺色の出動服を着た機動隊員がひとり、茂みをかき分けて元栓を探る姿を見た服部は、「どいて！　わたしがやる」と一喝して隊員を押し退けた。

体勢を崩した隊員が茂みに寄りかかり、もげた蕾が枝葉の散乱する地面にぽとりと落ちる。かっとなった勢いに任せて、服部は水浸しの地面に這いつくばった。

雨戸の開く音が背後に響き、「マルタイを連れ戻せ！　早く」と主任の声が響き渡る。複数の足音が錯綜し、「服部さん、戻ってください！」と木下の叫ぶ声も聞こえたが、服部はかまわず茂みの陰にある元栓ににじり寄った。ぬかるんだ土で全身泥まみれになりながら、鉄製の蓋を開ける。さらに腕をのばし、元栓のバルブに手をかけたところで、出し抜けに散水装置が止まった。

白熱していた頭が、瞬時に冷えた。まだバルブは捻っていない。試しに捻ってみると、空回りする感触があった。泥で湿った腹の底がじわりと冷たくなり、まさか、と服部は胸中に呟いた。

まさか、そんなはずはない。業者が配管を交換したのは二ヵ月前だ。彼らは——自分の命を奪うと宣言した者たちは、まだその頃には日本に来ていない。市ヶ谷も桜田門も言っていたではないか。彼らの入国が確認されたのは最初の事件から三週間前で、その一ヵ月前まで溯ってこの家に出入りした業者はすべてチェックした。爆弾など危険物の検索も徹底して行った、と。彼らが事前に家屋に侵入し、罠を仕掛けられた可能性は万にひとつもない、と。

だが現実は、犯行予告時間に合わせるようなタイミングで変事が起こった。散水装置が勝手に動き出し、勝手に停止した。それまで故障したためしはなかったのに。

彼らが、二ヵ月前にはすでに国内にいたとしたら。

「服部さん、戻って！」

市ヶ谷にいた当時、彼らが服部の趣味を知る機会はいくらでもあった。彼らが服部の記事が掲載されたビジネス誌を読み、自分の庭へのこだわりが健在であることを確かめたとしたら。

「水は止まりましたから！」

あの記事には、じきに配管を交換するから、その際に元栓の蓋を灌木で隠すつもりだというコメントが、服部のこだわりぶりを紹介する一例として記載されていた。同誌のホームページにもアップされたその記事を読み、彼らが業者を装ってこの家に来ていたのだとしたら。

「服部さん！」

配管作業に見せかけて、コントロールパネルになんらかの細工を施していたとしたら。いや、庭に埋設されたのが配管だけではなかったとしたら。自分を庭に引き寄せるために、散水装置の誤作動を仕掛けたのだとしたら……。

「どうしました、動けないんですか!?」

濡れそぼった芝生を踏みしめ、木下が駆け寄ってくる。奇妙に引き延ばされた時間の中、服部はこわ張った体をどうにか動かし、いつからか見るのをやめていた腕時計に目を落とした。

午後七時、ジャスト。

「木下さん……」

来るな。その言葉が終わらないうちに、ブツッと音を立てて意識が途切れ、服部の存在は霧散した。

芝生に埋設された配管——正確には、配管に並走して埋設された五センチ径のパイプ——の中に充塡（じゅうてん）されたセムテックスが、午後七時の時報とともに起爆したのだった。服部の肉体は千々（ちぢ）に引き裂かれ、死を実感する間も与えられず消滅した。庭の地下を網目を描いて走るパイプの中には、セムテックスを芯にしてビスやナット、釘などの細かな鉄片が仕込まれており、それらは爆発と同時に地上に噴き上げられ、パイプ自体の破片ともども、音速を超える衝撃波に乗って四方にまき散らされた。

木下は、爆発の音を聞く間もなく無数の鉄片を浴び、五体を粉砕された。庭にいた二人の機動隊員、三人の私服警官も同様の運命をたどり、爆風は庭を囲む塀を押し崩して上方に吹き荒れた。投光器はたちどころに破壊され、倒壊した塀とともに警備車も大きく横揺れした。鉄片の嵐は庭に面した家屋の庇をめくり上げ、雨戸を粉々に打ち砕くと、紙のようにガラスを突き破ってリビングの中にも殺到した。

リビングに残っていた二人の私服警官は、鋭利な鉄片の直撃を受けて絶命した。鉄片が壁にめり込み、衝撃波がぐずぐずになった鉄筋コンクリートを吹き飛ばし、玄関近くにいた主任は砕けた壁の下敷きになった。服部邸は何千、何万もの鉄片に貫かれ、庭の木々は粉々になって葉という葉を散らした。

爆風と衝撃波が隣家のガラスを割り、壁に亀裂を生じさせたものの、周辺の被害はさほど深刻なものにはならなかった。爆弾は指向性を持たされており、爆発の力が主に上方に向けて開放されたせいだった。どす黒い爆煙が噴き上がり、大量の土くれと一緒くたになって、世田谷の住宅街にキノコ雲を立ち昇らせてゆく。粉塵が塀や門扉から溢れ出し、一区画の通りをまるまる押し包むまでに、ＳＡＴ第二指揮班の隊員たちは行動を開始していた。彼らは待機場所のバンから飛び出すや、首に巻きつけた骨伝導マイクで連絡を取りあい、ＭＰ―５Ｋサブマシンガンを手に服部邸に踏み込んだ。

もうもうと立ちこめる粉塵の中、彼らが目にしたのは、倒壊した壁の下敷きになり、引き裂かれた腹から腸を溢れ出させたＳＩＴ係員らと、もはや人の形も留めていない肉塊の数々だった。ＳＡＴの隊員たちは速やかに散開し、服部邸のクリアランスを確認していったが、彼らは犯人の姿はもちろん、マル対の姿も発見することはできなかった。SATの任務はひとえに状況の制圧にあり、肉片のひとつひとつを識別するのは鑑識の仕事だった。

粉塵がフル装備のSAT隊員のゴーグルを曇らせ、舞い散る葉が誰かの肉片の上に降り積もってゆく。それが服部の一部であるかどうか、判別できる者はその場にはいなかった。

※

有明インターで湾岸線を降り、国道三五七号線を直進する。有明橋を渡り、運河を越えると、そこはもう台場地区と青海地区が隣接する人工の島の中だった。

それまで傍らを走っていた湾岸線の高架は地下に引き込まれ、フジテレビを始めとするビル群が忽然(こつぜん)と姿を現す一方、正面からはライトアップされたテレポートブリッジが迫ってくる。左に目を向ければ、東京湾に通じる底暗い夜空が広がり、手前には賑やかなネオンに彩られたパレットタウンの大観覧車。島の外縁に沿って走るゆりかもめの高架は、さながら遊園地を一周するジェットコースターの線路のようで、どこか寒々しい大観覧車のネオンともども、浮世離れした臨海副都心の夜景を朋希に印象づけた。

フジテレビ主催のイベントが行われているいまは、街全体がいつにも増して浮き立っており、人も車も平日の夜にしては多い。特にフジテレビ周辺の道路は車の通行が規制され、イベント用の山車が何台も繰り出して、極彩色の光の洪水といったありさまだった。それぞれ看板番組をイメージしたらしい山車は、お笑いタレントの顔を模したねぶた祭り調のものや、移動舞台に本物のアイドルを乗せたものなどさまざまで、見物客の歓声や司会の声、騒々しい音楽が渾然（こんぜん）一体となった熱気がここまで伝わってくる。フジテレビのビルも七色のレーザー光線を閃かせ、球形の展望台を闇夜に際立たせていたが、朋希と並河には無縁な光景だった。二人を乗せた三菱ランサーは、島を縦走する大通りに差しかかったところで左折し、青海ポセイドンシティ建設現場を目指して直進した。

　台場地区とは一転、大観覧車の他には取り立てて見るものもない、青海地区の無愛想な夜景がフロントガラスに広がる。お台場の光と熱気が後方に遠ざかり、あの中に恵理はいるのか？　という懸念がちらりと頭をよぎったが、それも斜め前に聳（そび）える総ガラス張りの巨大建築を見るまでのことだった。ライトアップを控え、半ば闇に沈んでいるアクトグループ本社を見つめた朋希は、すぐに森閑とした四車線道路に視線を移し、都心より道幅の広い歩道に目を凝らした。大観覧車のあるパレットタウンへの行き来は、ゆりかもめに乗るか、テレポートブリッジを渡るかするのが普通なので、通行人の姿はほとんど見えない。車の量も、埠頭からの配送が終わったこの時間はめっきり数が減り、だだっ広い車道はがらんとしていた。

　〝奴〟はいる。この闇の中、おそらくは青海ポセイドンシティ建設現場に。ハンドルを握りしめ、黙然と正面を見据える並河をよそに、朋希はすれ違う人と車を次々に峻別（しゅんべつ）していった。まだ推測にすぎない、間違いであってほしいと思う一方で、臨海副都心に入ってからこっち、刻々と高まってくるある種の緊張は、最悪の事態を予感させて退く気配がなかった。

青海一丁目の交差点で信号待ちに入った時、懐の携帯電話が鳴った。びくりと肩を震わせた並河の顔は見ず、朋希は暗い予測を抱いて通話ボタンを押した。

(やられた)

身構えていたにもかかわらず、心臓がひと跳ねするのを止められなかった。目を閉じ、息を吸い込んだ朋希は、(庭の地下に爆弾が仕掛けてあった。敵は、我々が知るより早く帰国していたらしい)と続いた羽住の声を、暗闇の中で受け止めた。

「ダイナソーの方は?」

(おまえの予想通りだ。ウィルスにやられた。サーバーとデータベースが残らずダウンした。インターネットにも障害が出ている)

三つ目の黒星を突きつけられた動揺は脇に除け、無感情に徹した羽住の声が言う。爆弾の威力はどの程度のもので、服部の他に何人の死傷者が出たのか。ダイナソーのサーバーは復旧の目途が立つのか。すぐには尋ねる気にもなれず、朋希は督促の目を向ける並河を見返した。首を横に振ってみせると、「クソ……」と呻いたその顔からみるみる血の気が失せていった。

もう、なりふりかまう気はないということか。これで三人のターゲット全員が抹殺された、その容認しがたい現実はひとまず置いて、朋希は最初の感想をそう結んだ。被害を最小限に留めるやり方から、目的遂行のためには付帯的損害も辞さないやり方へ。ローズダストの作戦は次の段階（フェイズ）に移行したのだ。それが残る最後の目的――TPex奪取にどう作用するのかは不明だが、少なくとも〝奴〟はこのすぐ近くにいる。ダイナソーの中枢にウィルスを流し込む作業が、それほど短時間で終わる道理はなく、まだ建設現場内に留まっている可能性が高い。それだけは間違いない事実だと自分に言い聞かせ、朋希は建設現場に通じる直線道路を見据えたが、

（それと、最悪ついでにもうひとつだ。桜田門に情報が漏れた）

信号が青に変わり、車が走り始めた時だった。想像外の事実を告げた羽住の声に、思考が瞬時に消し飛んだ。（本社ビル付きの警備に緊急配備がかかった。青海の張り番にも確保の指示が出るだろう）と続く声を聞きながら、朋希はシートに押しつけられた体をなす術なく硬直させた。

（上から手を回してはいるが、間に合うとは思えない。現着したら、張り番の警官にはいっさい手を出させるな。敵にこちらの動きを悟られたら最後だ）

なにがどうなっている、と言いたげな顔の並河を無視して、朋希は目前に迫ったアクトグループ本社に目を走らせた。玄関前に駐車した防弾警備車は、まだ動く気配がない。だが二、三人の機動隊員が足早にその脇を移動し、縦列駐車したパトカーの車内では制服警官が無線を手にしている。ひそやかに行動する彼らの頭上では、羽田に降りる旅客機が航空灯を瞬（また）かせて高度を下げつつあり、それと重なりあうようにして、低空を飛ぶ二機のヘリが風下から接近する姿があった。

お台場上空を飛ぶテレビ局のヘリを尻目に、二機のヘリは闇を蠕動（ぜんどう）させる重い羽音を

響かせ、本社ビルの上空でホバリング態勢に入った。航空灯の種類から判断して、自衛隊機ではない。おそらく警視庁航空隊のヘリ。桜田門が動き出したのだ。彼らが早まった行動に出て、付帯的損害を辞さなくなったローズダストと衝突したら——。朋希は、本社ビルの裏手、公園を挟んだ先にある建設現場に視線を飛ばした。仮囲いに覆われた向こうでは、夜間作業用のライトが煌々と輝き、重機や溶接の音をひっきりなしに響かせて、お台場とは種類の違う活気を埠頭の一画に持ち込んでいた。

(敵を発見しても追尾に留めろ。我々もそちらに急行している。なんとかもたせ……)

電波状況が悪くなったのか、頭上を通過したヘリのローター音のせいか、羽住の声はそこで聞き取れなくなった。「もしもし!」と吹き込み、中央分離帯ごしに建設現場の方を見遣った刹那、どしんと腹に響く轟音が響き渡った。

中央分離帯の切れ目に差しかかり、建設現場に続く右折路を曲がりかけた三菱ランサーの正面。ゲートを塞ぐパトカーを弾き飛ばし、一台のトラックが道路に躍り出てくる光景が朋希の目に映った。鼻先に体当たりを食らったパトカーは半回転し、ガードレールにぶち当たって動かなくなる。対してトラックは、バンパーと左のヘッドライトをひしゃげさせながらも、甲高い油圧ブレーキの音を立てて巧みに方向転換し、フロントガラスをこちらに向けてきた。

猛牛のごとくエンジンを唸らせ、片目の潰れたトラックがまっすぐ突進してくる。その運転席に知った顔を見つけた朋希は、一瞬、呼吸を忘れた。

ハンドルを握る痩せぎすの男は倉下。彼と同じ作業着を身につけ、助手席に収まる細面の女は真野留美。二人に挟まれ、作業帽の鍔に手をやった男は——。

入江一功と目が合ったのは、三秒にも満たない間だった。トラックは歩道に乗り上げ、植樹帯を踏み倒して左に転回すると、お台場方面に向けて猛然と走り始めた。遅いぜ、と言うように嗤った一功の視線が胸の底まで突き通り、朋希は咄嗟に叫んでいた。

「警部補……！」

「おうよ！」

呼応のひと声をあげ、並河は素早くハンドルを回しつつアクセルを踏む。三菱ランサーは弾かれたように走り出し、中央分離帯をかすめてトラックの追跡に入った。

ほとんど同時に頭上を飛ぶヘリも機首を転じ、機体下部に装備した投光器を閃かせる。天から降り注ぐ強力な白色光がトラックを捉え、そのナンバープレートを明瞭に照らし出した。

まだ繋がっているかどうか確かめる間もなく、朋希は携帯に車番と車種を吹き込み、応答を待たずに通話を切った。携帯を懐に戻し、代わりにグロック26をアンクルホルスターから引き抜く。遊底を引き、薬室に初弾を送り込んだところで、「おい、町中だぞ」と並河が叱責の横目を投げかけてきた。「向こうはそう思ってません」と返し、サイドウインドの開放ボタンに手をやった朋希は、それより早く、トラックの助手席から半身を乗り出した人の姿に気づいて、息を呑んだ。

吹きつける風が作業帽を飛ばし、ショートカットの黒髪がばっと広がる。銃床に弾倉を備えたブルパップ・タイプのライフルは、留美の華奢な体躯にはひどく大きく、ごつさばかりが際立って見えた。ステアーAUGアサルトライフル、と理解した体が白熱し、朋希は「伏せてっ！」と叫んで並河の頭をハンドルに押しつけた。

直後、AUGの銃口が火を噴き、フルオートで放たれた銃弾がフロントガラスを直撃した。拳銃とは桁違いの初速で飛来する弾丸がガラスを破り、シートのヘッドレストを粉砕すると、腸を揺さぶる重い銃声を鼓膜に突き立てる。髪をむしり、頭の皮がめくれるような突風が行き過ぎるのを待ってから、朋希は顔を上げてシートに深く座り直した。ダッシュボードの上に両足をのせ、ぐんと蹴り出した勢いで靴底をフロントガラスに叩きつける。

ぐずぐずになったフロントガラスがまるごと外れ、丸く散ったガラス片が突風とともに吹き込んでくる。ランサーが大きく蛇行し、青海トンネルに直進するトラックとの距離が開くのを見た朋希は、ハンドルに頭を押しつけたままの並河を強引に起こし、「速度落とすな！　右後方につけて」と怒鳴りつけた。同時にグロックを両手保持で構え、牽制の引き金を搾る。

後頭部を手早くさすり、どこにも穴が開いていないことを確かめたらしい並河は、「ダイスの車なら、防弾ガラスぐらい装備しとけってんだ……！」などと悪態を吐きながらも、言われた通りハンドルを切るのを忘れない。ランサーが分離帯すれすれまで右に寄り、助手席から狙撃する留美の死角に入ったところで、朋希はトラック後輪のホイール目がけてグロックを二射した。一発がホイールをかすめ、ヘリが照射する光輪の中に火花を爆ぜさせたものの、トラックの速度が落ちる気配はなかった。むしろ青海トンネルに入る傾斜路を利用して、こちらを引き離そうと増速をかける。

　青海トンネルは、運送車の渋滞を緩和するために設けられた地下道で、埠頭を縦走する四車線のうち、中央分離帯を挟む二車線が出入口に繋がっている。地上路に沿って大きくカーブを描いており、反対側の出入口はパレットタウンの前。そのまま直進してあけみ橋を渡れば、有明に入られてしまうコースだ。すでに警察は事態を察知しているはずだが、封鎖は間に合うのか？　ぴんと張り詰めた意識の片隅で考え、朋希が三射目の引き金を搾ろうとしたその時、トラックを追走するヘリのライトが出し抜けに途絶えた。

　トラックが青海トンネルの入口を潜ったのだった。まずい、と思う間もなくランサーもトンネルに突入し、強力なヘリのライトに慣らされていた視界が急に暗くなる。いったん目を閉じ、すぐにグロックの照準をつけ直した朋希は、そのわずかな隙にトラックの荷台が開き、なにかが飛んでくるのを見てぎょっとなった。観音開きになった後部扉から、大量のダンボール箱がまき散らされたのだ。

「クソ……！」と呻いた並河がハンドルを切る。空のダンボール箱が次々ランサーの車体に当たり、フロントガラスを失った運転席にも飛び込んでくる。ランサーが大きく蛇行し、右の側壁に車体をこすりつけたかと思うと、反動で今度は左に弾かれる。刹那、助手席に箱乗りした留美の姿が朋希の視界に入り、ＡＵＧの銃口から十字の火花がほとばしるのがはっきり見えた。

　五・五六ミリ弾が立て続けに撃ち出され、五感を押しひしげる轟音がトンネル内にこだまする。ＡＵＧは左側に排莢方向を設定してあるらしく、排出された空薬莢は荷台に当たってから地面に落ち、金属のぶつかる微かな音を銃声の合間に響かせる。留美め、相変わらず左撃ちか。噛み締めた奥歯の隙間に吐き捨て、朋希も応射の引き金を搾った。減速用障壁帯のせいで車体が激しく上下し、満足に狙いが定まらないのはお互いさまだった。

視界を塞ぐダンボール箱をはねのけ、並河がトラックの右後方にランサーを退避させる。ＡＵＧの銃撃がやんだのもつかの間、すぐさま荷台から銃火（マズルフラッシュ）がほとばしり、ヒュン、と熱い塊（かたまり）がこめかみをかすめるのを朋希は知覚した。弾丸は後部座席の背もたれに突き刺さり、並河があわてて右にハンドルを切る。ランサーの車体が再び側壁にこすりつけられ、ナトリウム灯の橙（だいだい）色に染まったトンネル内に摩擦の火花を散らす。がりがりと頭蓋を揺さぶる音に銃声が重なり、朋希は片手でハンドルを押さえつつグロックで応戦した。開きっぱなしになったトラックの後部扉に跳弾の火花が弾け、荷台の奥で自動拳銃（オートマチック）を構える勝良の顔をつかのま照らし出した。

二度、三度と勝良の拳銃が火を噴き、ランサーのバックミラーが打ち砕かれる。障壁帯のせいで狙いが定まりにくいとはいえ、十メートルと離れていない標的を狙うのに、そう何度も無駄弾を使う相手ではない。亀のように体を縮こまらせ、「こりゃたまらん……！」と搾り出した並河がブレーキを踏む気配を感じ取った朋希は、問答無用で右足を並河の足もとに突っ込んだ。

アクセルから離れようとした並河の足を踏んづけ、いっぱいに押し込む。時速八十キロを前後していた速度計の針がたちまち右に傾き、「わっ、バカ！」と並河の悲鳴があがる。朋希はその頭をハンドルに押さえつけ、自分もダッシュボードの陰に隠れつつ、急速に接近するトラックの荷台を見据えた。五メートル、三メートル、二メートル。勝良の動揺を引き移した銃弾がボンネットを抉り、頭上を擦過してシートにめり込んだ次の瞬間、ランサーのフロントバンパーとトラックのリアバンパーが激突した。

双方に衝撃が走り、荷台に膝立ちになっていた勝良が体勢を崩して尻もちをつく。それを見た途端、行ける、と判断した体が勝手に動き、朋希はシートベルトを外してダッシュボードに手をかけた。グロックをズボンの背に差し、吹き抜けになったフロントからボンネットの上に這い出る。「丹原!?」と叫んだ並河の声を背に、朋希はボンネットを蹴ってひと息にトラックの荷台に飛び込んだ。

勝良が呆気に取られたのは一瞬だった。すぐに前屈みになって体を起こすと、手にしたブローニングBDMの銃口をこちらに向ける。それと正対するより早く、朋希は勝良の巨体に渾身の体当たりを食らわせた。

勝良の体が運転席側の壁に叩きつけられ、反射的にブローニングの引き金が引かれる。荷台の天井に着弾の火花が閃き、訓練キャンプ時代からさほど変わっていない、勝良のまる顔が浮かび上がるのを見た朋希は、息を詰めたまま勝良の金的に膝蹴りを入れた。右腕を勝良の太い左腕に絡め、左手でブローニングを握った右手首をつかんで、何度も壁に叩きつける。床に転がったブローニングが乾いた音を立てると同時に、素早く間合を取ってグロックを構えようとしたが、勝良もそこまで自由にはやらせてくれなかった。

勝良の足が朋希の足に絡みつき、右腕がグロックを抜きかけた左手を掠め取ろうとする。朋希は身をひるがえしてそれを払おうとしたが、勝良の足は簡単にはほどけず、体勢を崩して床に倒れる羽目になった。その拍子に自由になった両足を跳ね上げ、後方回転する。起き上がりざまにグロックを抜こうとしたものの、勝良はその動きを読み、朋希の右手首に蹴りを放ってきた。

弾かれたグロックが側壁に当たって落ちる。勝良の回し蹴りが間を置かず襲いかかり、朋希は咄嗟に左腕を上げて頭をガードしたが、丸太のような足を前にしては焼け石に水だった。横殴りの衝撃が頭蓋を突き抜け、揺さぶられた脳から滴(したた)ったと思える冷たい汁が鼻から噴き出す。朋希は側壁に叩きつけられ、一瞬、前後左右の感覚もつかめない暗黒に追いやられた。

勝良の腕がすかさずのびてくる。喉輪をつかまれずに済んだのは、条件反射のなせる業だった。自動的に動いた一方の手が勝良の攻めを受け流し、もう一方の手が相手の手首をつかもうとする。勝良はそれを予測し、朋希がのばした手を素早く弾くと、次の瞬間には再び攻撃の手を繰り出してきた。

派手な殴りあいにはなりようのない、互いの手を弾きあうだけの殺気立った音が連続する。攻撃の直後が唯一の付け入る隙になる、近接戦闘の原則を互いに知り抜いた者同士の戦いは、長くても十秒、どちらかの体力が尽き、集中力が切れた時に一気に決まる。相手の攻めを払い、己の攻めを繰り出し、朋希は立ち上がる間もなく手を動かしたが、脳髄を揺さぶられた体の反応は鈍く、十秒と経たずに攻めを受け損ねるミスを犯した。勝良の指が喉輪に絡まり、頸動脈をぐいと押し込む。血流が途絶え、脳がブラックアウトするより先に、朋希は喉を絞めつける勝良の手首を左手でつかみ、右腕を肘の下に当てて、両足で分厚い胸板を押しやるようにした。同時に右腕に力を込め、勝良の肘関節を下から圧迫する。ぐいと引っ張られた腕の関節が曲がらない方向に突き上げられ、苦悶(くもん)の呻き声をあげながらも、勝良の手はそういう形の石であるかのごとく微動だにしない。空いた方の腕で朋希の足首をつかみ、巨体の質量を押しつけて、つっかえ棒になった両足をなんとかへし折ろうとする。視界が霞み、足の力が萎(な)えるのを知覚した朋希は、その瞬間、一点に集中していた勝良の力がわずかに逸れるのを感じ取った。

カーブに差しかかったトラックの車体が傾き、勝良の体勢が崩れたのだ。朋希は機を逃さず足を蹴り出し、勝良から離れると、床に転がったグロックを探した。反対側の壁際にそれを見つけ、一も二もなく飛びかかったが、勝良も考えることは同じだった。ほとんど同時に跳躍し、互いに牽制しあった手の動きがグロックを弾き飛ばす。二人は絡まった状態で床に転がり、相手の急所をつかもうと手足を動かした。何度か転がるうち、運転席側の壁際に落ちているブローニングを視野に入れた朋希は、ガードががら空きになるのを覚悟でそれに手をのばした。指先がグリップに触れ、あとひと息でつかめるというところで、剝き出しの神経を棍棒で叩きのめす痛みが脇の下で爆発した。

がら空きになった脇の下に、勝良の拳がめり込んだのだった。自分のものとは思えない呻き声が漏れ、限界を超えた痛みが四肢の動きを麻痺させる。勝良は上着の襟をつかんで朋希を引き上げ、壁に叩きつけて、万力のような腕を再び喉輪にのばしてきた。朋希は夢中でその手首をつかみ、もう一方の手を勝良の肩にかけて腕で関節をきめたが、そちらの手首も勝良に押さえられれば、喉を絞めつける力を牽制するので精一杯になっていった。

「ちっとは見直したぜ。昔より動きがシャープになってんじゃねえか。ええ?」

絡まりあった腕の向こうで、苦悶の汗を浮かべた勝良がにやと口もとを歪める。朋希は、「親父さんは、どこだ……」と圧迫された喉の奥から搾り出した。

山辺の顔は運転席にはなかった。彼ひとりを残して、勝良たちが現場を離脱したとも思えない。咄嗟にそんな疑問を口にした自分の神経を疑う余裕もなく、「現場じゃ、ないな。どこかで、脱出の、手引きを……」と続けると、怒りを露にした勝良の形相がみるみる険しいものになった。

「たいしたもんだよ。そこまで犬になってたとはな……!」

ぐり、と指がめり込み、気管が塞がれる感覚が伝わる。咳き込むこともできず、涙で滲んだ視界がうっすら暗くなってゆく。「昔のよしみだ。ひと思いに楽にしてやる」と言った勝良の声が朦朧とした頭に響き、その声は少し哀しい……と最後の意識が呟いた時、遠くで火薬の弾ける音が聞こえた。

続いて金属のぶつかる音が足もとに轟き、勝良の腕から力が抜けた。咳き込む間もなく両腕を動かし、勝良から逃れた朋希は、開いた後部扉の向こう、追走するランサーの運転席に並河の顔を見つけた。

片手にハンドル、片手にニューナンブを握り、必死を通り越してヤケクソになった顔がなにかを叫ぶ。その指が再度ニューナンブの引き金を引き、轟音とともに吐き出された弾丸が荷台の壁に突き刺さる。ブローニングを拾おうとして果たせず、反射的に伏せた勝良を見て取った朋希は、床に転がるグロックめがけて飛んだ。強化プラスチック製のグリップを握りしめ、引き寄せる勢いで勝良に銃口を向けようとしたが、その時には遅く、勝良の足が目前まで迫っていた。

飛びすさって直撃はかわしたものの、それは荷台の狭さを考慮に入れていない反射行動だった。着地した一方の足が空を蹴り、朋希はバランスを崩して荷台から落下しそうになった。

時速八十キロで流れるアスファルトの道路が視界をかすめ、夢中で動かした左手が後部扉の把手をつかむ。朋希の体重を受けた後部扉が大きく外側に開き、踏み留まろうともがいた力で戻りかけた刹那、勝良の蹴りが朋希の腹に炸裂した。

カウンター気味に入った蹴りに弾き飛ばされ、朋希の体は荷台から放り出された。宙を舞う一瞬の間、猛然と流れるナトリウム灯の放列が見え、次いで硬いアスファルトの川が朋希の視野を埋める。激突したら確実に全身の骨が砕ける、その表面が急速に近づき、白線の滲み具合までが奇妙にはっきり窺えたのは一瞬だった。落下する直前、ランサーの白いボンネットが滑り込み、朋希の体をすんでのところで受け止めた。

銃撃を右に左にと避けつつ、「大丈夫か!?」と並河が叫ぶ。ボンネットに仰臥(ぎょうが)したまま、呆然と目をしばたかせた朋希は、全身の痛みを堪えてフロントガラスの窓枠をつかみ、頭から助手席に潜り込んだ。ボンネットに打ちつけた肩と腰より、勝良に一撃された脇腹の方がじくじくと痛んだが、骨折の痛みではないと断定できた。グロックも手放さずに持っている。ひとしきり咳き込み、まだやれると胸中に呟いた朋希は、ようやく並河の顔を見返すだけの余裕を取り戻した。「……どうも」と言うと、「なんちゅうことやっとるんだ、おまえは……！」と呆れ果てた声が返ってきた。

　トンネルの出口が近づき、勝良は銃撃をあきらめて荷台の扉を閉めた。留美も助手席に引っ込み、トラックは全速で出口に突き進んでゆく。すでにパトカーが待機しているのか、パトランプの赤色光が出口の先の傾斜路を染めていたが、機動隊の警備車は到着が遅れたらしい。即座に展開できる鋼鉄製のバリケードはまだ敷設されておらず、交通機動隊のヘルメットをかぶった警官が数人、警笛を口にトラックを制止する姿だけがある。無論、トラックは減速せずに直進を続けた。拳銃を抜きながらも、発砲する間もなく飛び退いた警官らを尻目にトンネルを抜けるや、路上の白バイを蹴散らして地上に躍り出た。

　倒れた白バイがアスファルトを削って滑り、傾斜路の側壁に激突した向こうで、急ターンで滑り込んできたパトカーが横腹を見せ、トラックの行く手を塞ごうとする。トラックはわずかにハンドルを切り、パトカーの鼻先を弾いてなおも直進する。前輪付近に直撃を受けたパトカーの車体が傾き、ゆりかもめの高架下に激突の音を反響させる中、朋希たちのランサーも地上に飛び出した。全速で傾斜を昇りきった車体が跳ね上がり、着地してサスペンションを沈み込ませるまでに、トラックはパレットタウン前の通りをひた走り、有明方面へと向かった。

　サイレンの音が四方八方で響き、アクトグループ本社付きの警備隊が後方から近づいてくる。前方にも、あけみ橋を渡って有明から殺到するパトランプの放列。いくら武装しているとはいえ、満身創痍のトラックでこの包囲網を突破しきれるものではない。目標を見出したヘリもライトの照射を再開し、青白い光輪に照らし出されたトラックを見据えた朋希は、どういうつもりだと内心に呟いた。トラックはなんの返答も寄越さず、あけみ橋の手前の交差点でブレーキランプを瞬かせると、急ハンドルを切って左に転回した。

有明方面から来るパトカーより早く、ランサーがその背後にぴたりとつける。センタープロムナードと有明を繋ぐ夢の大橋の下をくぐり、直進した先には、湾岸アンダーと呼ばれる地下への引き込みトンネルが口を開ける。そこを抜けたあとは、臨港道路を進むにせよ、首都高十一号線に合流するにせよ、レインボーブリッジに入らざるを得ない。当然、どちらの道も警察が先回りしているだろうし、仮にそこを突破できたとしても、橋に入ったが最後、首都圏から押し寄せる部隊に挟まれて身動きが取れなくなる。「袋のネズミだな」と並河は言ったが、朋希は同意する気にはなれなかった。

やはりおかしい。青海にいることが露見するのは計算外だったのかもしれないが、それにしても、一功が次善の策を立てずに行動するとは考えられない。山辺があのトラックに乗っていなかったことも引っかかる。まだなにかがあるはずだ。こちらの意表をつくなにかが――。ふつふつと分泌されるアドレナリンの中に呟き、低空を飛ぶヘリをふと見遣った朋希の目前で、トラックは不意に進路を変えた。

湾岸アンダーの手前、夢の大橋に差しかかる直前で、左に分岐する一方通行に入る。

橋の下に入ったトラックを見失い、ヘリが立ち往生するのをよそに、ランサーもトラックに続いて一方通行に入った。左側は分離帯、右側は空き地を囲むフェンスに阻まれ、歩道にさえ面していない狭い道。進んだ先は直角に折れ曲がり、五百メートルも進むとお台場の中心に至る。埋立地をほぼ半周し、大通りの交差点に向けて驀進するトラックは、でたらめに走り回っているのか、なにか考えがあっての行動なのか。「なに考えてやがんだ……！」と呻く並河の声を風音の中に聞きながら、朋希はざらりとした感触を覚えた。イベントの光と熱気が近づいている……。

すぐにヘリも追いつき、ライトの光輪を落とす中、トラックは大通りの交差点に差しかかった。大通りから先回りしてきたパトカーが三台、ブレーキの音を響かせて行く手を遮ると、助手席から半身を出した留美がAUGを掃射する。激しいマズルフラッシュとともに小銃弾が撃ち出され、パトカーの側面に穴を穿ち、パトランプを粉微塵に打ち砕いてゆく。後続の防弾警備車はここでも間に合わず、タイヤがパンクして力尽きたように傾き、壊れたサイレンの音色を間欠的に響かせるパトカーを残して、歩道に乗り上げたトラックが交差点を右折する。朋希はグロックを構え、右腹を見せたトラックの運転席に狙いをつけたが、

「バカ、よせ！　人に当たる」

一喝した並河に右手を押さえられ、危うく発砲を踏みとどまった。パトカーのエンジンから吹き上がる煙ごしに、イベントから流れてきたらしい若いカップルの姿がある。他にも数人の通行人が歩道上に立ち竦んでおり、朋希はあわててグロックをダッシュボ

ードの下に隠した。

目前の大通りも、湾岸線の上に掛けられた立体橋の歩道も、依然として車が往来し、勤め帰りの人が行き来する、平素と変わらぬ空気に包まれている。すべての道路を封鎖し、一般人を避難させるには、人手も時間もまるで足らない。なにもかもが突発的でありすぎた——いや、そもそもこうした事態を防ぐために非公開捜査を行ってきたのであって、いざ街中で戦闘が始まってしまえば、民間人の避難誘導を含めて、対応するマニュアルは警察にもダイスにもない。イラク戦争のごたごたの際、国民保護法制が制定されるにはされたが、これから閣議を招集して審義、発令するというのではとても間に合わない。マニュアルも完成していない現状では、むしろパニックを誘発する恐れすらあった。

しかもいまは、イベントの最中。朋希は、極彩色の照り返しを浴びるフジテレビ社屋を見上げ、並河に視線を戻した。その手が急かすまでもなくハンドルを切り、ランサーは歩道を乗り越えて交差点に這い出した。

トラックは追跡のパトカーを銃撃で牽制しつつ、立体橋を渡った先の交差点に入ろうとしている。それを越えた先は、大勢の見物人が集うイベント会場だ。並河は巧みなハンドルさばきでランサーを滑らせ、銃撃を浴びて減速したパトカーの間を縫ってゆく。巻き込まれた一般車がスピンして進路を塞ぎ、回避した先に別のパトカーが現れても、歯を食い縛ってアクセルを踏み込み続ける。イベント会場に入らせるわけにはいかない、その一点のみを念頭に抱いて、朋希もドア上の手すりを支えに激突の衝撃に耐えた。

銃撃をボンネットからフロントガラスに受けたパトカーが、ガードレールに鼻先を突っ込んで大破する。トラックは立体橋を渡り終え、格段に交通量の多いフジテレビ前の交差点を減速せずに突っ切った。クラクションが鳴り響き、悲鳴のようなブレーキの音が交錯する最中、ランサーも続けて交差点を突破する。あわてて急ブレーキを踏んだ乗用車に後続のバンがぶつかり、スピンしたワゴン車の尻をタクシーが蹴飛ばし、横転した軽自動車がその合間を滑ってゆく。車体と車体がぶつかる轟音、ヘッドライトやハザードが砕け散る音に、「南無三……！」と叫んだ並河の声が混ざり、交差点をすり抜けたランサーがトラックに肉薄する。朋希は全開にした助手席の窓から身を乗り出し、銃撃の切れ目を見計らってグロックを撃ち放った。

連続して吐き出された九ミリ弾がトラックの荷台に当たり、一発が後輪のホイールに突き刺さる。周囲の交通状況に鑑み、必中を期しての銃撃だったが、半分は正しく、半分は間違った判断だった。ホイールを失ったトラックは大きく車体を傾げ、ヘリが落とす光輪から外れて左右に蛇行した。その行く手には、通りを回遊する山車の一台があり——トラックはそれにほぼ正面からぶつかり、アニメのキャラクターを模した装飾を突き破って前進した。

木材に紙を張っただけの装飾は一撃で粉々になり、殻を剝がれ、むき出しになったワゴン車がフジテレビ前の植樹帯に突っ込む。逃げ出した見物客らの悲鳴があがり、ゆりかもめの高架に遮られたヘリのライトが右往左往して、パニックに陥った群衆を断片的に照らし出す。トラックは、デックス東京ビーチと、アクアシティお台場の二大ショッピングモールが並ぶ四八二号線に入り、よろけるように左折した。朋希はその機を逃さず、横腹を見せたトラックにグロックの残弾をすべて撃ち込んだ。

ここで足を止めなければ、トラックはイベント会場の中央に乗り入れてしまう。焦りが一瞬の冷静さを紡ぎ出し、数発の弾丸がトラックの前輪を直撃してくれた。ランサーが続いて左折した時には、トラックはバランスを崩して左に傾き、荷台の重さに引きずられるようにして横転していった。

横倒しになったトラックが路上を滑り、火花と轟音を高架下に響かせたあと、山車のひとつに激突して止まる。「やった……!」と快哉を叫んだ並河とともにそれを見送り、顔を見合わせた朋希は、正面から迫る光に気づいてぎょっとなった。ランサーの行く手に、お笑いタレントの顔を象った山車が接近しつつあった。

にやけ面と猿顔の漫才師コンビが歌舞伎調にカリカチュアされ、互いに睨みあっている山車の装飾が視界いっぱいに広がる。並河がブレーキを踏んだところで間に合わず、ランサーは正面から山車にぶつかる羽目になった。

車内に響き渡った絶叫が並河のものか、自分のものなのかはわからなかった。ランサーは猿顔のチビ漫才師の顔面を突き破り、砕けた装飾をボードにしてワゴンの車体に片輪を乗り上げた。そのまま傾きながら宙を舞い、回転し、ほぼ完全に裏返った状態で後続の山車めがけて落下していった。

食い道楽が売りの巨漢タレントの顔面が、百八十度ひっくり返った視界を席捲する。次の瞬間、それは粉砕された紙と木材に姿を変え、フロントガラスを失った車内に怒濤のごとくなだれ込んできた。そろって両腕で顔をかばい、残骸の奔流に耐えた朋希と並河は、続いて訪れた落下の衝撃に全身の骨が砕け散る気分を味わった。天井から路上に叩きつけられ、十メートルほども滑ったランサーは、分離帯のガードレールにぶつかってようやく動きを止めた。

接近する無数のサイレン、見物客のざわめき、なにごとか叫ぶ司会の声が、朋希を気絶の一歩手前に押し留めた。すぐには自分の体がどうなっているのか理解できず、ばらばらになってしまったような手足を慎重に動かした朋希は、一斉に点滅し始めた痛み信号を無視して状況把握に努めた。

頭を天井に押しつけ、シートベルトに支えられている五体の無事を確かめてから、やはり逆さ吊りになった並河の方を見遣る。首の骨が折れていやしないかと不安になったが、並河の目は微かに開いており、焦点の定まらない視線を逆さになった世界に注いでいた。「警部補」と声をかけると、「こんなの初めて……」と忘我の境地の声が返ってきて、朋希は息をついたのもそこそこ、シートベルトを外してランサーから這い出した。

歩道で遠巻きにする群衆がどよめき、「おい、生きてるよ」「なにあれ、撮影？」「救急車呼べ、救急車」と興奮した声があがる。何人かが近づく気配があったが、空になったグロックのマガジンを排出し、新しいマガジンを装塡した朋希の行動を見るや、あとずさりして群衆の一部に戻った。スライドを戻し、初弾の装塡されたグロックを両手に構え直した朋希は、銃口を下に向けてトラックの方に近づいていった。

サイレンの音に車のドアが開け閉めされる音が混ざり、警官たちが群衆を割って近づいてくる気配が伝わる。「どいてどいて」「危ないからさがって！」と連続する声を遠くに捉えつつ、朋希は横転したトラックだけを見据えた。ホバリングするヘリのライトが削れた路面を照らし出し、山車の残骸に埋もれた車体を明瞭に浮かび上がらせる。七、八メートルまで近づいたところで、朋希はグロックの銃口を運転席に照準(ポイント)し、慎重に残りの距離を詰めた。あわてて引き下がった見物人たちをよそに、残骸を蹴り飛ばして運転席に銃口を向ける。

　フロントガラスを白く曇らせた運転席に、人の姿はなかった。念のためガラスを蹴り壊して中を覗いてみたが、一功たちはおろか、ライフルの一挺も残っていない。荷台も同様で、開きっぱなしになった後部扉の奥はすでにがらんどうだった。

　どこへ逃げた。朋希は歩道に鈴なりになっている群衆を見回し、反対の通りに並ぶショッピングモールの建物を見上げた。どこを見ても人、人、人で、そのすべての視線がこちらに注がれ、携帯カメラのフラッシュがあちこちで閃いている。これだけ大勢いるんだから、誰か一功たちが逃げたところを見ているはずだ。この場で大声で怒鳴って、目撃者を募るか？　焦りに駆られ、半ば自棄(やけ)になった胸のうちに呟いた朋希は、その自分の言葉にぞっとした。

「そこの人！　拳銃を捨てなさい」「動くな！」と警官たちの怒声が発し、トラックを照らしていたヘリのライトが頭上に降り注ぐ。対応する神経が働かず、朋希は慄然と路上に立ち尽くした。「ちょっと待ってくれ！　我々は本官だ。犯人を追跡中で……」と並河が叫び、殺気立った警官たちの間に割って入ったようだが、それさえも現実の音としては響かなかった。またやられた――その思いが徐々に這い上がり、すり傷だらけの全身に定着するまで、指一本動かせない虚脱した時間が続いた。

「おい、とにかくそれ、しまえや」と並河に肩を叩かれ、朋希は正気の何分の一かを取り戻した。グロックを指し示す並河の背後には、腰のホルスターに手を置いた制服警官がおり、複数の見物人たちの視線がある。あちこち傷を拵(こしら)えていても、とりあえず動くのに支障はなさそうな並河の顔を見返し、安全装置(セイフティ)をかけたグロックを腰に戻した朋希は、「やられた……」と低く呟いた。

「〝奴〟が今日を選んだのは、この状況を利用するためでもあったんだ」

朋希の視線を追って、並河も人で埋め尽くされた歩道を見渡す。ショッピングモールの買い物客、併設された映画館の観客も合わせれば、その数は千や二千ではきかない。〝奴〟はその中に逃げ込んだ。武装したまま――おそらくは百人単位で人を殺せる武器弾薬を携えたまま、この膨大な人の波の中に逃げ込んだのだ。

いまからすべての交通機関に人を配置し、検問を実施するまでにかかる時間。大多数の警官は犯人の人相すら知らず、ひと握りの公安警察官しか面割ができない状況。こちらと同じ結論に達したらしい並河の顔が歪み、「まだだ。まだ勝負が決まったわけじゃない」と呻いたかと思うと、トラックの車体を蹴飛ばして警官たちのもとに戻ってゆく。見物客への聞き込み、周辺建物の検索と包囲。矢継ぎ早に並べ立て、「指揮官はどこだ!?」とがなる並河を背に、朋希は懐から携帯電話を取り出した。

じきに市ヶ谷の本隊も到着する。せめて羽住に状況を伝えておこうと、リダイヤルのボタンに指をかけた刹那、鋭い女の悲鳴が朋希の鼓膜に突き刺さった。ヘリの爆音が響き渡っている中でも、はっきり聞き取れる声音だった。並河と警官たちが瞬時に顔をこわ張らせる一方、朋希は悲鳴の主を探して周囲に視線を走らせた。ゆりかもめの高架の柱が定間隔に立つ中央分離帯の向こう、反対側の歩道の上で、見物人たちの人垣が不自然に揺れ動くのが見えた。

再び悲鳴があがり、異物を呑み込んだかのように人垣が膨らむ。慌ただしく無線がやりとりされ、警官たちがそちらに向かう挙動を示した時には、朋希は先陣を切って走り出していた。無数のフラッシュが瞬く中、分離帯のガードレールを飛び越え、アクアシティお台場の建物を右手に見ながら走る。駐車場の入口前を過ぎ、橙色の建物の終わりに差しかかると、無線連絡を受けたらしいヘリのライトが行く手に照射され、どよめく人垣をなめて建物脇の階段を照らし出した。

空中廊下に続く階段を、ボストンバッグを担いだ人影がひと息に駆け昇ってゆく。階段にいた見物客らが次々道を開けるのは、その手に握られた拳銃を見たせいだろう。朋希は走りざまグロックを引き抜き、階段を昇り詰めた背中に銃口を向けた。

「一功っ！」

入江一功の背中が立ち止まり、微かにこちらを振り向く。ヘリのライトを浴びた双眸(そうぼう)がぬらと輝き、朋希と視線を合わせた一瞬、その唇が笑みの形に吊り上がった。

一斉に逃げ始めた見物客らの影が、捕まえてみろよ、と嗤った一功の顔を隠す。わらわらと階段を降りる人垣ごしに、アクアシティの玄関に飛び込む一功の横顔が見え隠れし、朋希は射撃をあきらめて階段口へ走った。

押し寄せる人の波に逆らい、階段を駆け昇る。ヘリの爆音、悲鳴、「丹原！」と叫ぶ並河の声を無視して、朋希は一功の姿だけを追い求めた。

3

「月九トバして、特番突っ込むってよ。スポンサーの内諾が出たらしい」

「中継車、出れないんだろ？　機動隊の車が道路にぎっちりでさ。いま出てるカメラだけで足りるのか？」

「足りなくても、やるしかないでしょ。警察の指示で、人の出入りも規制されてるってんだから」

慌ただしい人の声が、傍らを急ぎ足ですり抜けてゆく。館内放送は先刻から業務連絡をくり返しており、東棟と西棟を繋ぐこの空中廊下も人気（ひとけ）が絶えることはない。浮き足立ったいくつもの声を耳にしながら、山辺は壁面に並ぶ窓に視線を走らせた。立ち止まらず、さりとて目につくほど急ぎもしていない歩調で歩きつつ、約四十メートルの高みから下界を見下ろす。

ほんの十分前まで何台もの山車が連なり、七色に輝く光の川を演出していたそこは、いまは緊急灯の赤だけが点在する陰鬱な薄闇だった。道路の中央を走るゆりかもめの高架に蓋をされ、パトカーや機動隊車両が詰めかけた車道は半分しか見えないが、両脇の歩道を埋め尽くす人垣は直に見下ろすことができる。喉を嗄（か）らして叫ぶ警官たちに追い立てられ、緩慢に移動する人の波は、大半が十代から二十代の若者たち。そのほとんどが携帯電話を手に、いま目撃したことを他者に伝えるのに余念がない。彼らの目前で担架に載せられ、救急車に搬送されてゆくのは、破壊された山車のドライバーか、ショックで人事不省になった見物客のひとりか。いずれ、最優先でこの埋立地から離れられる怪我人たちは、あるいは幸運かもしれないと山辺は思った。

海上バスはすでに運航を終えているので、お台場から内地にアクセスする交通機関はゆりかもめ、地下鉄りんかい線、それにバス、タクシーなどの三つ。このうち、ゆりかもめとバスは間もなく運行を中止し、りんかい線も台場地区内の駅を通過走行するようになるだろうから、内地に戻るには数に限りのあるタクシーを拾うか、レインボーブリッジを徒歩で渡るか、いったん有明に渡ってバスか地下鉄に乗るしかない。歩行者専用の夢の大橋を始め、有明に渡る橋は総計五本。上下二層の車道と歩道を擁するレインボーブリッジ、13号地海底トンネルへの入口を含め、警察はそのすべてに武装した機動隊員を配置し、〝五人の北朝鮮工作員〟の顔を知る公安要員を派遣して、膨大な数の見物客をひとりひとり人定する作業に追われる。一万人規模の見物客が、検問をくぐり終えるまでにどれほどの時間がかかるか。中には夜明かしを強いられる者も出るだろう。

無論、前回の犯行で逃走経路に利用された地下共同溝も、徹底して捜索が行われる。大量の苦情と反感が寄せられる結果になるが、警察はそれを断行する。独力での解決にこだわる彼らの陰で、市ヶ谷も総力を挙げて向かってくるに違いない。山辺は、点滅するパトランプが連なるレインボーブリッジを眺め、その前を横切るヘリのローター音に耳を澄ました。

それぞれライトを閃かせ、お台場海浜公園の人工海岸や、展望デッキを照らす複数のヘリの中に、ひとつ重い羽ばたきが混ざっている。おそらくUH—60JAペーブ・ホーク。SOF要員を乗せて上空に待機し、事があれば即座に現場に急行して、機体から吊り下げたワイヤーで要員をラペリング降下させる。市ヶ谷隷下のヘリボーン用の機体だ。

三度目の正直を期するそれらのローター音をよそに、山辺は向かいの通りに建つアクアシティお台場を見た。十三の劇場を内包するシネマメディアージュと棟続きのそこは、横に長い直方体の建物に時おりヘリのライトを浴び、ひっそり沈黙しているように見える。すべての出入口に十人からの警官、機動隊員が立ち、駐車場出入口の前には複数の警察車両。こちら側に面した窓は従業員用の事務所区画のもので、館内の様子は窺いようがなかったが、所轄も動員しての大規模な検索が行われていることは考えるまでもなかった。

が、それはさして重要な問題ではない。山辺は、ここより五階分低い場所にあるアクアシティの屋上に観察の目を飛ばした。

空調設備、エレベーター昇降装置、給水塔などの設備はメディアージュ側に集積しており、屋上の大部分は露天駐車場として利用されている。駐車スペースは屋内にもあるので、屋上まではみ出した車の数はさほど多くない。駐車率は約六割といったところか。色とりどりの車列の屋根を眺め、それらを照らす外灯の位置をあらためて確認した山辺は、問題はないと判断して西棟に入った。

「うちだけの独占になるんですかね？」

「警察が封鎖してるっていっても、プレスは別だよ。すぐに他局が割り込んでくるぞ」

「今日のイベント、警察の中止要請があったのに、ごり押しでやったって話だからな。その線で突っ込まれるぜ、きっと」

「要請じゃなくて勧告でしょ？　それほどきつい言い方じゃなかったって聞いてますよ」

「なんにしろヤバいよ。うちとしちゃ、そこを強調して言い抜けるしかないだろうな。マジもんのテロリストが来るなんて、誰も本気で考えちゃいなかったんだからさ」

「まさか、こっちまで襲ってくるなんてことないですよね？」

「テレビ局を占拠して、電波ジャックか？　そうしたら本物の独占スクープだけどな」

悪くないアイデアだ。ディレクターらしい男の言いようにひそかに苦笑しつつ、山辺は防火ドアに隔てられた非常階段へ向かった。

イベントの開催で人の出入りが激しく、展望台の特別営業も行われているフジテレビ社屋に侵入するのは、それほど困難なことではなかった。バイクでひと足先に青海の建設現場を離れたあと、セーターにジャケット、スラックスという出で立ちに着替え、人でごった返すイベント会場に先行。本物から磁気コードをトレースした社員証を首からぶら下げ、入館者の列に紛れた。服装は上から下まで留美が選んだお仕着せで、自分では死んでも着ない類いの色と取り合わせだったが、テレビ局という特殊な環境に馴染むためにはやむを得なかった。

いますれ違ったディレクターしかり、廊下を行き交うのはラフな服装がほとんどで、背広を着ているのはそれなりの役職と思しき者ばかり。自分の年格好で背広を着ようものなら、かえって注目を浴びる羽目になる。どこの業界にも必要が培った規範があり、スタイルがあるというところか。血相を変えて廊下を走ってきた警備員を無表情にやり過ごし、非常階段の踊り場に出た山辺は、上層階に続く階段に足を着けた。

「屋上のヘリポートにいるんでしょう？　なんでヘリを飛ばせらんないんです」

「警察のお達しだろ、現場の半径何キロには近づくなってさ。屋上からカメラ回しゃ空撮みたいなもんだ。急げ」

撮影機材を抱えた男たちが、どやどやと階段を昇ってゆく。彼らに道を譲った山辺は、「お台場は完全に封鎖されてるんだ。犯人逮捕の決定的瞬間、いただくぞ」と続いた誰かの声に、残念ながら……と内心に呟いた。

残念ながら、テロリストにも必要が培った規範があり、眼識がある。その眼識からすれば、お台場の封鎖は決して完全なものではない。市ヶ谷と桜田門がいかに手を尽くそうとも、封鎖しきれない抜け道は存在する——。次々屋上に向かってゆく撮影クルーと適度に足並みをそろえつつ、山辺は唇の端を微かに吊り上げた。

※

〈ご来店のお客さまに申し上げます。ただいま、本館前の道路上で発生した交通事故について、警察が捜査を行っております。お客さまには、お帰りの際、荷物検査やボディチェックを受けていただく場合があります。大変ご迷惑をおかけしますが、ご協力をお願いいたします。くり返し申し上げます……）

もう何度目かわからない館内放送が、広大な館内に響き渡る。長蛇の列を作る無数の顔がだるそうにしかめられ、整理に当たる警官を見る目がいっそう険しくなる。切迫した恐怖や不安の色は、足止めを食らったいら立ちの底に隠れ、まだ顕在化するほどのものではない。あまり長引くようなら、どこかで時間を潰してから戻って来ようかという顔で、そうする者もひとりならずいた。そのせいかどうか、レストランやカフェはけっこう繁盛しているらしい。

フジテレビ側に面した区画は事務所で占められ、館内には通りを見下ろせる窓がひとつもなかったせいだろう。入江一功がこのアクアシティお台場に逃げ込んだ時、ゲート付近にいた何人かの客は外に飛び出したものの、大半の客は表の騒ぎにすら気づかず、それまで通りショッピングにいそしみ、レストランで食事をしていたという。棟続きのシネマメディアージュで映画鑑賞中の客に至っては言わずもがなで、彼らはいまだ朧にしか事態を理解しておらず、それをほとんど実感できないまま、検問の順番待ちをしているのだった。遅々として進まない列に、険悪な空気を漂わせつつ。

入江一功がこの建物の中に消えてから、そろそろ二十分が経つ。身元確認からボディチェック、荷物検査まで受けさせられる退館者の顔を注視し、それと思われる者がいたら無線に一報を入れるのが並河の仕事だった。車ごとひっくり返された体はあちこち痛み、足もとが揺れているような感覚も当分抜けそうになかったが、休んでいられる状況であるはずはない。三階のウエストゲートに設けられた検問所脇に立ち、一向に減らない行列の顔をひとつひとつチェックする時間が続いていた。

減らないのも道理で、シネマメディアージュも合わせると、アクアシティお台場の全長は約二百メートル。奥行も六十メートルに及び、五層に分かれた各フロアにはファッション、雑貨、レストランから映画館に至るまで、百五十を超える店舗が入居する。屋上階と、四階から六階までの一部は駐車スペースになっているが、それも総計九百台が収容できる巨大さだ。

怪我の治療をする間もなく、朋希に続いてアクアシティ館内に乗り込んだ並河は、まずはきらびやかなショーウインドの放列に圧倒され、予想より多い人の数に慄然としたものだった。特に連絡デッキと繋がる三階は、三つの通路が建物の端から端まで貫いており、そのすべてに店舗がぎっしり並んでいる。エスカレーターとエレベーターは五基ずつ、エントランスは十一ヵ所。入江一功が飛び込んできた時、ちょうど二つの劇場で上映が終わり、劇場から吐き出された大量の客がフロアに溢れていたというから、その混乱ぶりは想像を絶する。朋希が見失ったのも無理はないと言えた。

ウエストゲートから館内に飛び込み、建物のほぼ中央、吹き抜けのあるアクアアリーナまで直進したことは確かだが、そこから先の目撃証言は曖昧で、メディアージュ側まで走り抜けたという者もいれば、非常階段で階下か階上に行ったという者、はたまた従業員用の通用口から事務所区画に逃げ込んだという者もいる。防犯カメラも当たりはなし。洗練されたショッピングモールには不似合いな作業着姿、しかも片手に拳銃となれば目立ちそうなものだが、姿をくらました一瞬に着替えた可能性もあるとなると、これはもう藁山から針を見つけ出すのに等しい。中肉中背、二十代半ばの男を見ませんでしたかと尋ねたら、買い物客らはそろってこう答えるだろう。百人ぐらい見ましたよ、おまわりさん……。

とはいえ、入江一功が館内に潜伏している可能性は無視できず、警察は短時間でできる限りの包囲態勢を整えた。いち早く現着したアクトグループ本社付きの警備隊を中心に、とりあえず現地対策本部を組織。本庁中央指揮所の指示で捜索班と検問班に人員を振り分け、エントランスをウエストゲート一ヵ所に限定、他のエントランスはすべて封鎖して、駐車場出入口とともに検問を実施する態勢をどうにか構築した。

現地対策本部にはSAT指揮班も加わり、ボディアーマーにサブマシンガンを携えた隊員が検問所に待機する一方、二個中隊の機動隊が建物を包囲。犯人が籠城した場合を想定して、機動隊傘下のビルジャック小隊も布陣している。彼らを外周警備に回したのは、客や従業員の恐怖心を不必要に煽り立てぬための措置で、館内検索は所轄も取り混ぜた私服の捜査員、制服警官が実施することとされた。客を強制退去させる案も出るには出たが、パニックを誘発しかねないことと、犯人潜伏の確率が百パーセントではなく、他にも警備・捜索の人員を割かねばならないことから、実現は見送られた。

他方、内閣危機管理センターも動き出し、緊急対処事態の発令が準備されているとのことだが、いまだ一度も適用されたことがない国民保護法制の発動には、基本的に及び腰。まだマニュアルが未完成な上、警察力のみで対処は可能との声がサッチョウから上がれば、いまからお台場の全住民を避難させ、自衛隊を正面きって出動させる発令が下される見込みは低いと、これは現地対策本部に出入りする幹部たちの下馬評だった。無論、事態が悪化すれば話も変わってくるだろうが、長期戦も辞さない覚悟の警察は鼻息荒く、独力での解決を期す魂胆がありありではあった。

そんな中、並河は例によって本隊から切り離され、直接支援班というわかったようなわからないような肩書きを与えられて、ぼろぼろの体をこうして検問所脇に立たせている。病院に行った方がいいと勧告されたものの、そのつもりは同じく支援班に任命された朋希にはもちろん、並河にもなかった。

ヘリで空輪でもしたのか、ローズダストの顔を知る公安要員は速やかに全検問所に配置され、ここにも二名が回されてきた。警備部長も御自ら臨場し、現地対策本部長に就任する気合いの入れようで、他にも後続の部隊が続々と集結しつつある。並河ひとりが気張ったところでどうなるものでもないが、少なくとも、実際に入江一功本人と顔を合わせたことがある警察官は自分しかいない。闇の中でぬらりと光ったあの目、触れる者を凍てつかせる怜悧(れいり)な殺気は、自分でなければ看破できない。その思いが、並河に膨大な量の顔を凝視する作業を続けさせていた。

「あんなこと言ってるけどさ、本当はテロリストかなんかが逃げ込んだらしいよ」

館内アナウンスが途切れたのを潮に、濃すぎるアイシャドウと付けまつ毛ばかりが目立つ少女が言う。「マジ!?」「おっかねー」と相手をしたのは、彼女と一緒にコーヒーショップにたむろする若者たちだ。

「マジマジ。さっきトモ子から連絡あってさ、車に乗ってバンバン拳銃撃ちあってんの見たって」

大きく響いたその声に、検問所に連なる客たちが顔を見合わせ、何人かが携帯電話を取り出す。いら立ちが不安に呑み込まれ、怯えの色が急速に増大してゆくのを感じ取った並河は、まずいな……と内心に呟いた。

友人知人と話すまでもなく、携帯があるならネット配信のニュースを見ることはできる。現場では携帯カメラのフラッシュが引きも切らずだったから、銃撃戦の模様がどこその掲示板にアップされるのも時間の問題だ。建物の管理責任者に話を通し、従業員には箝口令(かんこうれい)を敷くよう依頼してあるが、完全というわけにはいかない。報道陣は建物内に入り込もうと躍起だそうだし、この中にマスコミ関係者がいないとも限らない。彼なり彼女なりが携帯を使って実況中継を流し、それをここにいる客がテレビかネットで見ようものなら、収拾のつかないパニックになるのは火を見るより明らかだった。

その時、入江一功はどう動くか。彼がひとりでアクアシティに飛び込んだのは、偶然のなりゆきではあるまい。自分を囮(おとり)にして仲間を逃がす――そんな殊勝な考えではなく、あの男には多分自信があるのだ。警察の包囲網を突破してアクアシティを抜け出し、この埋立地からまんまと逃げおおせる自信が。

それはなにか。あの男はどんな秘策を隠し持っているのか。ふと意識を遊離させた並河は、電話を終えた朋希が戻ってくるのに気づいて、我に返った。

継子(ままこ)扱いされている身には、周囲の状況をつかむ縁(よすが)はなく、朋希を通じて羽住から下りてくる情報が唯一の栄養になる。「どうだ?」と並河が訊(き)くと、無表情に一抹の焦燥を滲ませた朋希の顔が、「まだヒットはありません」と答えた。

「どこも大混乱です。ここも時間の問題でしょうけど」

誰かが怒鳴り出せば、連鎖して爆発しかねない風情の行列をちらと見遣り、朋希は含んだ声で言う。隣のデックス東京ビーチにも同様の検問態勢を敷き、アクアシティに注目が集まらないよう配慮してはいるが、マスコミとてバカではない。いくら取材陣をシャットアウトしていても、目撃証言のひとつや二つがあれば、ここが本命であることは遠からず露見する。並河は、「まあ、そうだろうな」とため息混じりに応じた。

「それと、現本の方で五人の顔写真を公開したそうです。幹部とＳＡＴのみの限定公開だから、ほとんどの警官は見ることができないでしょうけど」

「この期に及んでか……。市ヶ谷の方は？」

「じきに初期配置が完了します。あくまで警察の側面援助って形で。私服のＳＯＦを館内検索に当たらせるって案も却下されました。ヘリボーンの態勢を整えてるから、敵がお台場にいる限り即応はできますが……」

そこで視線を逸らした朋希は、「今度こそ、袋のネズミと思いたいけど」と独りごてショーウインドの放列を見つめた。高価なハンドバッグも宝石も映っていない、はちきれそうに張り詰めた瞳の色を窺った並河は、なにかしらひやりとしたものを感じた。

「だが、ここでドンパチやられた日には目も当てられんぞ。下手すりゃ客を人質に取られるかもしれん」

落ち着け、と言ったつもりだった。反論の口を開きかけ、再び目を逸らした朋希は、

「山辺がいなかったことも気になります」と別のことを言った。

「青海の現場には山辺らしい男も同行してたって話だから、近くに潜んでるかもしれない」

「脱出の手引きをするためか？　奴がひとりでここに逃げ込んだのも、それと連動しての作戦……」

最初からその予定で館内を下見し、防犯カメラを避けて姿を隠しおおせたのだとしたら、入江がアクアシティ内にいる確率は俄然高くなる。絶句した並河に、朋希は「とにかく、入江を見つけることです」とだけ言った。

「ここで待っててもしょうがない。人定はSATに任せて、おれたちも手分けして館内を当たりましょう」

「ホシの顔も知らない連中に当たらせるよりは、なんぼかマシか」

「そういうこと。おれは上層階の方を回ります」

返事を待たずに行こうとして、朋希は「弾、ありますか？」とこちらに顔を振り向けた。無我夢中で撃った記憶はあるが、何回引き金を引いたかは覚えていない。「二発かそこらな」と答えた並河は、質問の意味に気づいて寒気を覚えた。

「おい、物騒なこと考えんなよ。この中でぶっ放そうってんじゃないだろうな？」

「こっちにその気がなくても、向こうは撃ってくるかもしれない。補充できるならしておいてください。二発じゃ話にならない」

硬い声で言うと、朋希は離れる足を踏み出した。並河は、「丹原」とその背中を呼び止めた。

「無理にとは言わない。だがなるたけ生かして捕らえろ。いいな」

まだわからないのか、と言いたげに朋希の顔がこわ張る。並河はその目をまっすぐに見据え、「ひとりでも確保できたら、残りに逃げられても情報を取れる」とたたみかけた。

「それに、おれは警官だ。敵じゃなくて犯人を追ってる。殲滅するっておまえらの発想を認めてるわけじゃない」

半分は本音。もう半分は、入江一功に引っ張られ、箍が外れかかっているように見える朋希の頭を冷やす牽制球だった。ローズダストの罪が拡大すればするほど、朋希も比例してなりふりかまわなくなってゆく。十日やそこらのつきあいで腹のうちがわかるものではないが、少なくとも、意識して〝敵〟と呼ばなければ入江一功と対することができない、ある種の負荷が朋希を逸らせているという感触に間違いはなかった。

煎じ詰めれば『オペレーションLP』にまで溯る、その負荷の中身を明らかにしない限り、この事件が本当の意味で解決することはない。殲滅と隠蔽が同義語である市ヶ谷への不信も含めて、それだけは折りあう気はないと並河は目で伝えた。黙って見返し、床に目を落とした朋希は、「……努力はします」と応えて背を向け直した。そのまま床を蹴り、正面のエスカレーターに向かう。

おまえも死ぬな、と続けようとした時には、段抜かしでエスカレーターを駆け上がった背中が視界から消えていた。ひとつため息をつき、取り残された感触をごまかした並河は、館内検索に回る旨を無線に吹き込んでその場を離れた。

検問待ちの行列が空くまで時間を潰そうという手合いは多く、館内はそれなりに賑わっていた。出動靴を履いた制服警官と時おりすれ違うものの、娑婆っ気の権化のような明るさの中では霞みがちで、特別物々しいという雰囲気でもない。いつもと変わらぬ営業風景と言っても、なんらおかしくない空気ではあった。

身長百七十ちょい、中肉、髪の色は黒。薄いグレーの作業着を着ていたが、着替えている可能性あり。トラックが横転した際になんらかの負傷をしたと思われるので、顔に生傷がある者は要注意。必ず二名一組で行動して、不審人物を見かけたらまず現本に連絡。無闇に職質をかけず、追尾に専念すること——そう通達されている警官たちは、二十代と思しき男にはいちいち鋭い視線を投げかけ、ごみ箱やトイレを覗き、不審物を検索するのも忘れない。封鎖中のエントランスや非常階段、事務所区画に通じるドアの前にも制服警官が立哨しており、並河は彼らの前を通って建物の端から端まで歩いた。メディアージュまで来たところでエスカレーターを降り、チケット売場の周囲をぐるりと見て回る。

メディアージュ側の建物は、中央部分が最上階まで吹き抜けになっていて、一階から外に出ることはできない。四方を劇場に囲まれたホールにあるのはチケット売場と売店、トイレくらいで、チケット売場の案内板には十一ある劇場の上映時間、空席状況などが空港の搭乗案内よろしく表示されている。これが噂に聞くシネコンとかいうやつか。もう何年も映画館に足を踏み入れていない身には、立ち見も、途中入場もあり得ないシネコンのシステムは想像外で、もう情報の受け渡し場所には使えないな、とどうでもいい感想を抱いた並河は、早々にその場を離れた。自分が現役だった頃は、場末の映画館が作業玉との会合に使われたものだが。

　劇場の検索は別班が済ませているし、事件後の上映は自粛されている。並河は二階分の長さがあるエスカレーターを昇って三階に戻り、吹き抜けを囲む形で配置された店舗を見て回った。輸入雑貨の他、コンビニが置いていそうな商品を取りそろえるソニープラザを覗き、客の顔ひとつひとつに陳列棚ごしの視線を走らせる。サラリーマン風の男も、若いカップルも、別段緊張している様子ではなかったが、レジに立つ若い女性店員はいかにも焦燥した風情で、顔色も心なし青ざめて見えた。

　一ヵ所に留まっていなければならない従業員の心理は、自由に動ける客のそれとは違う。不審者を見かけたら事務所に一報しろ、拳銃を持ってるそうだから刺激するな、などと言われていればなおのことだ。並河は缶コーヒーを手にそちらに近づき、「大丈夫、我々がちゃんと見張ってるから」と囁きつつ、財布を出すついでに警察手帳をちらりと見せてやった。店員はますます恐怖した顔つきになり、ろくに並河と目を合わせもせずにレジを済ませた。

　心外な……と思いながら缶コーヒーをひと口飲み、ソニーの新製品が並ぶショーケースを見遣った時、理由が判明した。ガラスに反射した自分の顔は、煤で黒ずんだ上に額に切り傷というありさまで、ワイシャツの襟には血痕が付着し、上着も大鋸屑やら葉っぱやらにまみれてぼろぼろなのだった。こりゃ怖がるわ、とひとり納得した並河は、同じ並びにあるトイレに足を向けた。

これでは目立ってしょうがない。せめて顔ぐらい洗おうと思い、トイレに続く角を曲がろうとすると、ちょうど出てきた中年の男とぶつかりそうになった。並河は道を開けつつ、条件反射の目を男の頭から爪先にまで走らせた。

黒いポロシャツに暗灰色のジャケット、たるんだ腹まわりを包むスラックス。歳は四十代後半くらいか。下ぶくれの頰から顎を覆う髭といい、当たり前の勤め人には見えない。場所柄、テレビ業界の人間も多く出入りするから、その類いだろう。すれ違いざま視線を合わせ、特にどうということもなくトイレに向かいかけた並河は、どくん、と不意に鳴った心臓に押されて立ち止まった。

頭より先に、体が勝手に反応したようだった。瞬時にこわ張った首を少しだけめぐらせ、並河は男の背中を目で追った。ウエストゲートに連なる行列を眺め、うんざりというふうにため息をついた男は、懐から携帯電話を取り出してぶらぶら歩いてゆく。吹き抜けの手すりにもたれかかり、なにごとか携帯で話し始めた背中からは殺気も緊張も感じ取れず、気のせいという言葉が並河の胸中をよぎったが、心臓に突き立った違和感がそれでなくなるものではなかった。

ベテランでも見分けのつかない変装術。以前、羽住が漏らした言葉がよみがえり、違和感は警報に変わった。奴だ。体型も、顔の骨格さえも変わっているように見えるが、目の光でわかる。目付きは偽れても、人格を形成する脳髄から直接外界に張り出している器官、目そのものを偽ることはできない――。

どうにか足を動かし、並河はトイレのドアに手をかけた。手すりから離れ、ちらとこちらを見て歩き出した男を視野の一端に捉えつつ、ドアをくぐって息を殺す。気づかれた……か？　考えても始まらず、とにかく無線に一報を告げようとした並河は、対策本部の反応を予測して思いとどまった。

こと捕り物に関しては、警察の方がプロだ。制服に追尾させるようなヘマはしないし、大勢の客がいる館内で確保の指示を出すこともしない。いったん外に出すか、客の数が減ったところで検挙に乗り出す。一発で犯人の額を撃ち抜く訓練を受けているＳＡＴがいれば、万一の際の対応も抜かりはないだろう。

しかし、そんなことは入江一功も承知のはずだ。巧みな変装で抜け出せると考えている、それほど能天気な相手なら端から苦労はない。こちらの動きを見越して、なにか策を用意していると見るのが正しい。それを見抜ける可能性があるのはたったひとり――。

並河は、袖口に仕込んだマイクの代わりに、携帯電話を口に近づけた。短縮ダイヤルを押し、すぐに出た相手に「おれだ」と吹き込む。

「入江らしい奴を発見した。中年の男に変装してる。三階、メディアージュとの間にあるトイレの前。西に向かって移動中」

(すぐ向かいます)

取り立てて興奮した様子もなく、朋希は応えた。「切るなよ」と言い、服装と外見を簡略に伝えた並河は、携帯を耳に当てたままトイレを出た。逸る胸を抑えて通路に出、男の姿に目を凝らす。検問所に繋がる行列には加わらず、緩い弧を描く通路をのんびりした足取りで歩いた男は、巨大なミッキーマウスが壁に描かれたディズニーストアの角を曲がり、建物の中央に位置するアクアアリーナの方に向かった。

並河もあとを追い、ディズニーストアの前でいったん立ち止まった。犯人を発見できずに焦燥しきりといった顔を装い、あちらこちらに首をめぐらせつつ、視界の端に男の背中を捉え続ける。注意を振り向けようともしない警官の前を悠然と横切り、吹き抜けの手前で左右を見回した男は、一階に降りるエスカレーターに足を向けた。目の焦点を合わせずにその姿を追った並河は、(確認しました)と発した携帯ごしの朋希の声に、目だけ動かしてその姿を探した。

「どこにいる」

(すぐ近くです)

「で、どうだ?」

(多分、間違いない)

「おまえの目で見て、周囲に奴の仲間はいるか?」

入江が引き起こした騒動に紛れて、他の四人もアクアシティに潜り込んだ可能性はゼロではない。(見える範囲にはいないけど、わかりません。そういう訓練を受けてる連中ですから)と返ってきた朋希の声に、並河はひそかにぞっとした。

(こちらの配置状況を観察してるんだと思います。おれが追尾しますから、羽住一尉への連絡を頼みます。現本には市ヶ谷経由で伝えた方がいい)

異論はなかった。「わかった」と応じると、ふっと人の気配が発し、並河が向き合うショーウインドに朋希の横顔が流れた。

こちらに意識を向けることなく、朋希は自然な足取りで人込みに紛れてゆく。まったく気配を感知できなかった自分に舌打ちし、もう一度ぞっとしながら、並河も距離を置いて朋希に続いた。

エスカレーターを降りた先は、アクアプラザと呼ばれるホール区画だった。吹き抜けを中心に服飾店や雑貨店が並び、マクドナルドなどのファーストフード店が集まるフードコートがある。思わぬ足止めを食らった客の大半はここに集まっており、コート内のテーブルはほぼ満席。三階まで貫く柱の根元に座り込み、ハンバーガーにかじりつく若者もひとりや二人ではなかった。

親子連れの数も多く、あちこちから子供の叫び声やぐずる声が聞こえてくる。ここでドンパチが始まったら……と縁起でもないことを考えてしまった並河は、それを脇に除けて携帯の画面に目を落とした。羽住の携帯の番号を呼び出し、朋希の背中に視線を戻す。周囲の警官の配置を確かめ、通話ボタンを押しかけた刹那、

「丹原さん？」

知った声が奇妙にはっきりと響き、並河は凍りついた。人垣の向こう、ぎょっと立ち止まった朋希の視線の先に、ジュースの紙コップを手にした恵理の姿があった。

驚いたというふうに目を見開き、半ば呆然とした笑みを朋希に向けている。手から缶コーヒーが滑り落ちたことにも気づかず、並河はその場に立ち尽くした。恵理がここに

いる可能性はもちろん、お台場に来ていることすら完全に失念していたからではない。恵理の肩ごしに、おもむろに振り向いた男の顔が見えたからだった。

朋希を見据える目がぬらと輝き、入江一功本来の光を宿す。その腕が滑らかに動き、ポロシャツの下に巻いた腹の詰め物に差し入れられる。朋希は恵理に気を取られて、殺意を帯びた入江一功の目には気づいていない――。

周囲は多数の人。発砲するわけにはいかないし、飛びかかって間に合う距離ではない。並河は咄嗟に目を動かし、壁の一端にある物を捉えた。なにをしているのか自分でも判然としないまま、夢中でそれに飛びついていた。

※

けたたましいベルの音が鳴り響き、恵理に吸い寄せられていた意識が体に戻った。びくりと肩を震わせた恵理の顔は見ず、朋希は中年男に偽装した一功の方に視線を戻した。突然の警報に誰もが立ち止まり、壁際に立つ警官たちが身構える中、いつの間にかこちらに体を向けていた一功と目が合った。

ベルの音に気を取られたのか、わずかに点った動揺の色はすぐに消え去り、入江一功そのものの目が朋希に向けられる。その手はポロシャツの裾の下に差し入れられており、真綿を含んだ頬がにやりと歪むと、腹の詰め物の中から黒い塊が引き出されるのが見えた。ベクター・モデルの自動拳銃と確認するより早く、朋希は恵理を突き飛ばし、腰のグロック26に手をのばした。

丸みを帯びたベクターのスライドがゆらりと持ち上がり、黒い銃口の穴が朋希を見る。遅い、殺られる。コンマ数秒の思考が絶叫し、それでもグロックのグリップをひっつかんだ朋希は、警報に相乗して甲高い悲鳴があがるのを聞いた。

一瞬、一功の注意もそちらに流れる。野太い気合いの声が発し、棒立ちの客を次々押し倒して並河が突進してくる。勢いに呑まれたベクターの銃口が並河の方を向き、一功の指が引き金を搾る直前、床を蹴った並河の体が一功に激突した。

肉と肉がぶつかる音がくぐもり、並河の体当たりを腹に受け止めた一功の体勢が崩れる。ベクターが暴発し、天井に向かって放たれた九ミリ弾がスプリンクラーの散水栓を吹き飛ばす。猛然と噴き出した水がフードコートに降りかかり、本能的にうずくまった人々の背中を濡らして、複数の悲鳴を吹き抜けに響かせた。

並河とひと塊になって床に転がったのも束の間、一功はすぐさま立ち上がり、土砂降りの水を振り切って走り出した。朋希にグロックの狙いを定める間を与えず、獣のように身を低くした体軀が人だかりを縫って疾走する。「止まれ!」と一喝した制服警官が腰のニューナンブを引き抜き、その前に立ち塞がったが、一功の足が止まることはなかった。警官が躊躇の表情を浮かべるや、その腕が一閃してニューナンブをわしづかみにし、トリガーセーフに絡めた警官の指もろとも素早く捩っていた。

ひとさし指が百八十度ねじ曲げられ、指の骨の折れる嫌な音、警官の絶叫を警報の中に爆発させる。警官はその場にひざまずき、悲鳴をあげた女性客が濡れた床に足を滑らせて転倒すると、パニックはたちまち他の客にも伝播した。うずくまっていた客たちがわらわらと動き出し、完全に発砲を封じられた朋希は、右往左往する人垣を押し退けて一功を追った。

プラザに面する南北のエントランスが開き、機動隊の一団がなだれ込んできたのはその時だった。大楯を押し立てた無数のヘルメット姿が戸口を塞いで展開し、サブマシンガンを携えたSAT隊員が南北に四人ずつ、二人一組のバディシステムを組んで柱の陰まで前進する。（全員伏せろ！　動かないで！）と拡声器が叫ぶ中、ボディランゲージで連絡を取り合い、足音も立てずにプラザに接近するSAT隊員たちは、館内の構造をあらかじめ頭に叩き込んでいるのだろう。遮蔽物の陰から陰へと移動し、迅速に展開する行動に澱みはなかったが、朋希は我知らず舌打ちしていた。

籠城した犯人と人質の位置関係を見定め、最終突入地点から一気呵成に突入、犯人に反撃の間を与えず十二秒以内に制圧する。それが対テロ部隊SATの基本行動だが、現状はそのマニュアルがいっさい通用しない。あらゆる事態に対応する訓練を受けているとはいえ、訓練はどこまで行っても訓練でしかなく、本格的な実戦経験のないSATの実力は未知数と言えた。犯人と一般人が入り乱れて流動する広大な館内で、実戦経験が豊富な武装テロリストを相手にするのではいかにも分が悪い。機動隊に紛れて突入しようとも、この明るさでは隠密行動が困難になり、犯人に先手を取られる可能性も高い。

乱戦、下手をすれば同士討ちになりかねない——。一秒未満の間にそれだけの思考を組み立て、朋希はグロックを持つ右手を上着の下に隠した。一功はすでに吹き抜けの下を突っ切り、エスカレーターの方へと走っていたが、寸前、その顔がちらと吹き抜けを見上げたのを朋希は見逃さなかった。

吹き抜けの下に出ようとしていた体を本能的に立ち止まらせ、朋希はいまだ放水の止まらない天井の下に飛び退いた。ほとんど同時に重低音の銃声が轟（とどろ）き、濡れた床に一文字の弾痕が刻まれる。三階の手すりから身を乗り出し、ステアーＡＵＧ（オーグ）のストックをしっかり肩に引きつけた留美は、続いてＳＡＴ隊員が潜む南側の支柱に銃口を向けた。

フルオートの銃声が轟き、五・五六ミリ弾を浴びた柱の一端が砕け散る。マニュアル通り、柱と一定の距離を開けて潜んでいたＳＡＴ隊員は、飛び散った破片を浴びるヘマこそしでかさなかったものの、予想外の方向からの射撃に戸惑い、反射的に遮蔽物から顔を出すミスを犯した。留美はそれを逃さずＡＵＧの引き金を搾り、ＳＡＴ隊員の肩口に直撃を浴びせかけた。

セラミックプレートで防護されているのは体の中央部分のみで、ソフト抗弾素材と衝撃緩衝材からなるボディアーマーには、小銃弾を食い止めるだけの性能はない。銃撃を受けたＳＡＴ隊員は後方に弾け飛び、素早く駆け寄った相棒（バディ）に引きずられて前線から離脱してゆく。頭を狙わなかったのは、無用な死者を出したくなかったからか、ひとり負傷させれば二人後退させられる戦場の哲理に従ったまでのことか。朋希がちらと考える間に、大楯を構えた機動隊がプラザを押し包むように前進し、北側の柱に潜むＳＡＴ隊員が反撃を開始した。

ひとりがＭＰ―５Ｋサブマシンガンを構え、牽制の弾幕を張る間に、もうひとりが単発式のガス弾発射器を吹き抜け上方に向ける。極端に銃身が太いライフルといった形状のそれは、催涙ガス弾を最大百メートル先まで飛ばす性能があるが、引き金を引く間がなければただの鉄の筒だった。留美はすかさずそちらに銃口を向け、牽制の弾幕に怯むことなくAUGを一射する。ガス弾発射器を構えたSAT隊員が肩を撃ち抜かれて倒れ、立て続けの火線が床と柱を打ち砕くと、さらに別方向から放たれた弾丸がSAT隊員たちの動きを牽制した。フードコートの西側、大型玩具店に続く通路に忽然と現れた人影が、サブマシンガンの掃射を開始したのだ。

AUGよりは軽い、サブマシンガンの銃声がほとばしり、十字火線の轟音と衝撃がプラザを揺さぶる。フードコートのテーブルが打ち砕かれ、ショーケースが粉微塵に割れ、頭部を粉砕されたマネキン人形が倒れる。ガラスの破片がうずくまった客に降り注ぎ、悲鳴が銃声を圧してプラザをつんざき、何人かが頭を抱えてエントランスの方に走り出す。彼らは前進する機動隊に行く手を阻まれる形になったが、恐怖に駆られた群集心理が容易に収まるものではなかった。「ここから出して!」「人命が優先だろ!」と発した声をきっかけに、ほぼ全員が怒濤のごとく機動隊の列に押し寄せ、逃げ場を求めて南北のエントランスに殺到した。

予想もしないところで圧倒的な暴力にさらされた人間は、暴力の支配下から逃れようとする本能から、身の安全を後回しにした行動に出ることがある。スプリンクラーの放水にさらされ続けたことも災いして、理性をなくした人の波はSAT隊員を突き飛ばし、大楯の群れを押し返してエントランスに詰めかけた。(動かないで! 伏せていてください）と怒鳴る拡声器の声も虚(むな)しく、機動隊はずぶ濡れの群衆に抗い、押し戻されないようにするので精一杯になっていった。

ＡＵＧとサブマシンガンの銃声が混乱に拍車をかけ、西側の通路から飛び出した人影がプラザを横切って走る。三点連射(スリーバースト)に絞った銃弾が壁に防火ドアに着弾の火花を散らし、人影は南北に裂けた人垣を縫ってエスカレーターを目指す。西側から突入してきたＳＡＴ隊員がそのあとを追おうとしたが、それは結果的に、そちらにも抜け道があると群衆に示すことになった。

「あっちだ！」と誰かが叫び、わっと分散した人の波が機動隊の行く手を塞ぐ。悲鳴と怒号が渦巻き、その隙にサブマシンガンを携えた人影がエスカレーターに到達する。応射の機会を逸し、柱の陰に退避した朋希は、エスカレーターの手前で振り返った人影の顔を人垣ごしに見た。倉下もこちらの視線に気づき、挨拶代わりにＭＰ－５Ｋクルツを撃ち放つと、わき起こった悲鳴を背にエスカレーターを駆け上がっていった。

もっと騒げ、と言わんばかりに留美が続けてＡＵＧを撃つ。一発が柱に突き刺さってコンクリの破片を散らし、朋希はスプリンクラーの被膜ごしに留美の様子を窺った。ただいたずらに撃っているのではない。逃げ惑う客を利用して、数で押してくる機動隊とＳＡＴの出足を挫(くじ)こうという腹だ。人海戦術には人海戦術。下手に人質を取って動きを鈍らせるより、よほど効率的なやり方だと朋希は認めた。いま頃は勝良も行動を起こし、三階で同様の混乱を引き起こしているに違いない。小型のクルツは上着の下に吊せるし、ＡＵＧもユニットごとにバラせば大きめのハンドバッグに収まる。予備の弾薬も含めて、その気になれば館内を占拠できるだけの装備を持ち込むことができたはずだ。

だが次はどうする？　自分たちの所在を明らかにした以上、いかに強力な武装があっても逃げ場はない。せいぜい人質を取って籠城するしかないが、それは自滅への最短距離だ。どう動く？　〝奴〟が次に打ってくる一手はなんだ――？　火線の切れ目に応射の引き金を搾り、朋希が続けてそう考えた瞬間、素早くマガジンを交換した留美がＡＵＧの銃口をこちらに据えた。

銃弾の雨が柱を擦過し、背後のフードコートに突き刺さる。悲鳴の合唱に、「うっ」「ぎゃっ」と低い呻き声が混ざり、朋希は背筋がひやりと冷たくなるのを感じた。柱の陰から手首だけ出し、照準を無視して弾幕を張る。何発かが手すりに着弾した手応えがあり、ＡＵＧの銃声がやんだ一瞬のあと、「恵理……！」と叫んだ並河の声が鼓膜に突き立った。

二人の存在を意識の外にしていた、その致命的な悔恨を抱いて振り返ると、肩を抱いてうずくまる恵理の姿が朋希の視界を埋めた。他にも出血する額を押さえて座り込む者、腹を抱えて頭を床につけた者たちがフードコートに点々と散らばり、朋希は頭が真っ白になるのを感じた。

ずぶ濡れの並河が全身で覆いかぶさり、なにか叫んでいたが、恵理は顔を上げようとしない。直撃ではない、破片か跳弾がかすめただけだ。そう思いはしても、恵理のジャケットの肩口に滲み、じわじわ面積を広げてゆく血の色はごまかしようがなく、まったく別の光景がそこに重なるのを朋希は幻視した。

雪に点々と染み込んだ赤黒い血痕。その先には、もう顔ではなくなっている顔が横たわり――。

「野郎っ！」

並河の怒声が悲鳴と銃声を押し退けて耳をつんざき、朋希は正気に立ち返った。吹き抜けの下に躍り出た並河がニューナンブの引き金を搾り、放たれた弾丸が三階の手すりに弾ける。微かに怯んだ気配を見せながらも、即座に並河に狙いをつける留美の挙動を感知した朋希は、立て続けにグロックを撃ち放って柱から飛び出した。状況が見えていない並河に体当たりを食らわせ、一緒に床に倒れ込みつつ引き金を引き続ける。

一発が手すりを抜けて足をかすめたのか、留美の体勢が崩れる。並河とともに火線の死角に滑り込んだ朋希は、「恵理が……！」と呻く並河を床に押しつけ、その勢いで濡れた床を蹴った。スプリンクラーの水の被膜を突き破り、エスカレーターへと走る。再び銃声が轟き、頭上数センチの空気が引き裂ける音を無視して、一気に三階に駆け上がった。

グロックをポイントしつつ、エスカレーターを昇り詰めた途端、強烈な閃光が背後にあるアクアアリーナの方から発した。

ほとんど物質的な圧迫力を持つ爆音が続いて轟き、押しひしげられた全身の神経がびりびりと震える。音響閃光手榴弾（スタングレネード）――それもダイスのＳＯＦが使用するＦ弾より威力の小さい、おそらくＳＡＴが装備する純粋非致死性タイプ。起爆と同時に発する閃光と音響は中耳に作用し、付近にいた者の体を数秒間硬直させるだけの威力があるが、それには〝普通の人間なら〟という付帯条件がつく。

耐性訓練を受けている上、耳栓常備を当たり前にした一功たちにその攻撃は効かない。威力が拡散しやすい吹き抜けの近くであればなおさらで、ダメだ、と朋希は痺れる頭の中に絶叫した。

起爆の衝撃でガラスと蛍光灯が割れ、爆煙が立ちこめるアクアアリーナにSAT隊員が踏み込んでくる。連絡デッキに面したエントランスから突入した彼らは、視線と一体化させたMP―5Kの銃口を上下左右に振り、互いの死角を補いながら素早く展開してゆく。まだ頭の痺れが取れず、辛うじて柱の陰に体を寄せた朋希は、二発目のスタングレネードが炸裂するのをなす術なく体感した。

SATのものより火薬量の多い、軍用スタングレネードが二百四十二万カンデラの閃光を爆発させ、百七十四・五デシベルの大音響をまき散らす。ゴーグルを装備したSAT隊員の顔が苦痛に歪み、続いて放たれた銃弾がその膝を撃ち抜く。たちまち四人の隊員がその場にくずおれ、連絡デッキに待機する第二班が割れたガラスごしに応射する。その間に別の隊員がアリーナに突入し、負傷者を回収しようとしたが、彼も別方向から飛来した銃弾をボディアーマーに受け止める結果になった。バカになりかけた耳に重い銃声を捉え、柱の陰からアリーナを見渡した朋希は、AUGを撃ち放つ一功の姿が硝煙ごしに浮かび上がるのを見た。

右足を引きずった留美がその肩にもたれかかり、手にしたベクターで後続のSAT隊員に弾幕を張ると、クルツを連射した倉下が二人のあとを追う。メディアージュ側に近い通路でサブマシンガンの銃声を立て続けに唸らせ、発煙手榴弾を炸裂させたのはＳＡＴか、いまだ姿を見せない勝良か。朋希の思考が定まるのを待たず、北寄りの通路から黄色い煙幕がわき上がり、手で口と鼻をかばった一功たちがその中に飛び込んでゆく。朋希は倉下がマガジンを交換した隙を見計らい、グロックを一射した。

吐き出された九ミリ弾が倉下をかすめる。すでにガラスの割れているエントランスのドア枠に火花が弾け、雑貨店の陰に入った一功が即座に応射の引き金を引く。小銃弾が雑貨店のショーウインドを粉々に砕き、柱を抉り、朋希の正面にある洋服店に殺到するのは一瞬以下の間だった。壁一面のガラスが大音響とともに砕け散り、大量のガラス片が朋希に襲いかかった。

両手で頭をかばい、柱の反対側に退避した朋希は、検問所のあるウエストゲートに続く通路を見て息を呑んだ。銃撃を受けた警官が累々と倒れ、床に血の筋を引いて這いつくばる向こうで、半ば暴徒と化した客たちがゲートに詰めかけている。なにごとか叫ぶ拡声器の声がろくに聞き取れないのは、麻痺が覚めきらない聴覚のせいではなかった。客の悲鳴と怒号が渦巻き、警官たちの制止の声を圧倒しているのだ。

非常口への誘導が間に合わず――いや、すべてのエントランスを開放して客の避難を優先させるべきかどうか、対策本部が決定する間もなく事が始まってしまったために、館内中の客がウエストゲートに殺到する結果になったのだった。上層階にいた客も続々と避難を始めたらしく、メディアージュの方からも人のどよめきが伝わってくる。この上、煙幕で視界を塞がれたら、警察は誤射を恐れて発砲ができなくなる。およそ最悪の状況を確かめた朋希は、舌打ちしてその場を離れた。

発煙手榴弾が二つ、三つと床を転がり、連絡デッキから追撃するＳＡＴを牽制する。濡れたズボンに足を取られながら、朋希は、一功たちが逃げ込んだ北寄りの通路ではなく、南寄りの通路を壁沿いに移動した。煙は催涙ガスではないが、視界がきかなくては一方的に不利になる恐れがある。同士討ちを警戒しなければならないこちらに対して、一功たちは手当り次第に撃てばいいだけのことだ。

煙幕は南寄りの通路にも押し寄せ、薄い靄を滞留させている。床に横たわる制服警官の生死を確かめる余裕もなく、朋希は銃声を頼りに敵の位置を探り、遮蔽物の陰から陰へ小走りに移動した。途中、割れたショーケースの陰でうずくまり、頭を抱えて体を前後に揺らしている女性店員を見かけたが、すぐに視線を逸らして先を急いだ。恵理いまは感情につきあっている暇はない。奥底で身じろぎする情動を押さえ込み、恵理の肩口に滲んだ血の印象も拭い去った朋希は、前方の床に赤黒い染みを見つけて足を止めた。

リノリウム製の床に点々と散ったそれは、メディアージュ側の方向から絶え絶えにのび、事務所区画に通じるドアの前まで続いている。足を引きずっていた留美の姿が脳裏に差し込み、朋希はスタッフオンリーと記されたドアの脇に身を寄せた。

殺気立った複数の足音、錯綜する怒声や子供の泣き声を意識の外にして、ドアノブに手をかける。鍵はかかっていない。北寄りの通路を直進すると見せかけて、連絡路をたどってこちらに戻ってきたのか。対策本部に一報を入れるべきかと考え、まずは確認してからだと自分に言い聞かせた朋希は、壁に背を当てたままドアを片手で押し開け、頭の中で三つ数えてから反対側のドア枠に移動した。

横切る一瞬に確認した内部の状況を反芻しつつ、斜めから戸口に飛び込み、壁際に背中をつけてグロックの銃口を上下左右にポイントする。銃撃も、人の気配すらもなく、店内とは打って変わった静けさが朋希の体を押し包んだ。

従業員の控室やロッカールーム、倉庫などが通路沿いに並ぶ事務所区画は、壁一枚隔てた店内と並行して東西に広がっている。従業員用の階段も三ヵ所あり、血痕は西側の階段口に続いていた。罠を警戒しながらも、朋希は途中にある部屋をひとつひとつあらため、慎重に血の筋をたどっていった。

すでに避難したのか、別の階にある防災センターに集まっているのか、どの部屋にも従業員の姿はなかった。フジテレビ前の通りに面した窓から時おり投光器の光が差し込み、明かりの消えた事務所を青白く浮かび上がらせる。点滅する無数のパトランプがゆりかもめの高架に反射し、騒然とした外の空気を無人の事務所に伝えていたが、それ以上に騒がしいのはヘリのローター音だった。

自衛隊機の音ではない。ＳＡＴか？　ラペリングで上層階から突入する気なら、屋上の待機班がいるだろうに。ふと考えた朋希は、微かな機械の作動音を捉えてびくりと立ち止まった。

通路の奥から聞こえてくるその不協和音は、エレベーターの作動する音だと知れた。

館内のエレベーターはすべて封鎖されたが、外部と隔てられた事務所区画の中、資材搬送に使われる業務用エレベーターは生きている。まさか……と呟く胸を抑え、血痕をたどって階段口に差しかかった朋希は、そこで再び足を止めた。

打ちっ放しの壁に蛍光灯が灯るだけの階段に、血痕は見当たらなかった。赤黒い染みは踊り場の途中で途切れ、上層階に続く階段は無愛想な灰色に塗り込められている。一階はフロア全体が店舗になっているため、事務所区画から下に降りることはできないが、業務用エレベーターを使えばトラックヤードには出られる。だがそこは、機動隊が十重二十重に固めており、車両出入口も警備車で蓋をされているはずだった。

客用の駐車場出入口も同様。上層階にある駐車スペースで車を奪ったとしても、警察の包囲を突破できるとは思えない。ならどこだ。あいつはどこに行こうとしている？いまだ止まらないエレベーターの音に耳を澄まし、次第に大きくなるヘリのローター音に遮られた朋希は、瞬間、全身の毛穴が開き、濡れた体が急速に冷えてゆく感覚を味わった。

ある。いくら車両と人員を投入しても、封鎖しきれない場所がひとつだけある。エレベーターの稼働音、ヘリのローター音、所在のつかめない山辺——。朋希は、袖口に這わせた無線のマイクを夢中で口前に引き寄せた。

「支援二より現本、犯人は……」

突然、痺れるような殺気を背中に感じ、朋希は咄嗟に背後に銃口を向けた。

それより早く動いた太い腕が、朋希の手からグロックを弾き飛ばす。続いてのびてきた腕がイヤホンのコードをつかみ、力任せに引きちぎると、体勢を崩した朋希の脇腹に強力なボディブローがめり込んだ。骨がみしりと鳴り、呼吸もできない激痛に呻いた朋希は、背後から首に巻きついてきた腕に搦め取られ、床から数センチも浮き上がっていた。

「悪ぃけど、密告んのは遠慮してもらうぜ」

勝良の荒い息が耳元に吹きかけられ、頸動脈を絞めつける腕の筋肉がぐっと膨脹する。もう一方の腕は朋希の二の腕をしっかり押さえ込んでおり、腹筋を使ってはねのけようにも体にまったく力が入らない。階段口で途絶えた血痕は、待ち伏せのための罠か。勝良ひとりなのか？　他の連中は……？　血流の途絶えた脳に取り留めのない言葉が浮かんでは消え、常夜灯が照らす階段口の光景が徐々に暗くなってゆく。真綿のごとき暗黒が膨らみ、意識が完全に包み込まれる直前、朋希は左手をズボンのポケットに差し入れた。

指先に当たった硬い感触をつかみ、夢中で引き出す。並河から預かった家の鍵を握りしめた朋希は、その先端を渾身の力で勝良の腹に突き立てた。

人間のものとは思えない声が勝良の口から漏れ、腕の力が微かに緩む。朋希は腹筋を使って両足を蹴り出し、前のめりになった勝良の顎に頭突きを食らわせた。大きくのけぞった勝良の腕をすり抜け、床に落ちたグロックに転がりざま手をのばす。

勝良の足がそれを蹴飛ばす。続けて蹴りが来るのを予測し、うつ伏せになった体を一回転させた朋希は、勝良がジャンパーの懐に手をやるのを視界の端に捉えた。その手がブローニングを引き抜くタイミングに合わせ、床に倒れた状態から右足を繰り出す。靴の踵が勝良の手にヒットし、弾け飛んだブローニングが床に落ちて硬い音を立てた。

そのまま立ち上がり、がら空きになった勝良の顔面に掌底を打ち込もうとして、紙一重の差でかわされた。横に回り込んだ勝良の拳が腎臓を痛打し、朋希はぶっと噴き出た脂汗とともに壁に叩きつけられた。さらに肘がこめかみのあたりに打ち込まれ、なんとか腕を上げてガードしたものの、巨体から繰り出される強力が減殺しきれるものではなかった。膝の力がすとんと抜け、朋希は床に頭を押しつけていった。

とどめが来る、と覚悟したが、勝良はブローニングを拾いもせずにその場を離れた。鍵の先端がめり込んだ脇腹を押さえ、荒い息を残して階段を駆け上がってゆく。ヘリのローター音がひときわ高くなり、なにごとかわめく拡声器の声を遠くに聞いた朋希は、壁に爪を立てるようにして立ち上がった。

時間がない、もう山辺は到着している。手遅れだと囁く胸中から目を背け、くらくらする頭を軽く振った朋希は、手近にあったブローニングを拾い上げた。対策本部への連絡は手遅れになったが、まだ終わりじゃない。壊れた無線のコードと一緒にネクタイを振りほどき、階段の手すりをつかんだ。

四階、五階、六階。ひと足ごとに遠のきそうになる意識を気力で縛りつけ、屋上を目指す。すべての音を圧して轟くローター音——おそらくはフジテレビのヘリポートから強奪されたヘリの爆音が、事態が朋希の推測通りに進んでいることを教えていた。外部からの進入は制止できても、目の前の建物から降下してくるヘリを防ぐ手立てはない。

警察の注意が館内に集中している間に、一功たちは混乱に乗じて屋上の露天駐車場に上がり、山辺の操縦するヘリがそれを回収する算段だ。定間隔に設置された外灯は、ヘリの着地を誘導する格好のスポットライトになる。タイミングさえ誤らなければ、ホバリングするヘリに乗り込むのに十秒とはかからないだろう。付近に滞空する警察のヘリは、威嚇射撃で追い散らせばいい。武装したダイスのヘリが到着する頃には、ヘリは回収を終えて臨海副都心を離脱している。

検問で渋滞するレインボーブリッジに沿って飛び、首都圏に入られたら最後、ダイスは墜落の被害を恐れて攻撃ができなくなる。ヘリで追尾することはできるが、一功たちがヘリを乗り捨てた後は地上班に任せるしかない。ヘリ同士の追跡戦にはまるで追いつけない地上班が、現場に到着するまでにどれほどの時間がかかるか。無論、SOFなりSATなりを乗せたヘリが追撃に加われば、その場で隊員をラペリング降下させ、着陸したヘリを包囲するのも不可能ではない。だが一功は、それを封じる降下地点をあらかじめ選定しているはずだ。たとえば繁華街のど真ん中。たとえば住宅密集地のビルの屋上。そこから先は、また元の木阿弥の追跡劇が始まる。赤外線センサーで上空から追尾したとしても、彼らは即座に雑踏に紛れ込み、姿を隠しおおせてしまう。

空。決して封鎖しきれない広大な三次元空間が、ローズダストの逃げ道になる。しかし、すべてが思惑通りというわけではない。一緒に逃げればいいものを、わざわざ追手を待ち伏せていた勝良がその証拠だ——。平衡感覚が定まらない頭にくり返し唱え、手すりを引き寄せて段抜かしに階段を昇った朋希は、ローターの轟音に銃声が混じるのを聞いて体を微震させた。

屋上で戦端が開かれている。いきなり上空から降下してきたヘリに注意をそがれた隙に、不意打ちの銃弾を浴びせかけられる。屋上で警戒に当たっていた警官たちがどうなったかは、考えるまでもなかった。ブローニングの残弾数を確認し、残りの階段を一気に駆け上がった朋希は、屋上に続く鉄扉を蹴り開けた。

じきに上がってくるだろう増援を待つという頭はなく、反撃に備える神経も働かなかった。屋上に出た途端、猛然と吹きつけてきた突風に抗い、ふらつく足を踏んばった朋希は、両手保持したブローニングを正面に構えた。

約三十メートルの距離を置いて、機体側面にフジサンケイグループのマークを掲げたヘリ、シコルスキーS―76が轟然とローターを回転させている。四枚のブレードが巻き起こすダウンウォッシュが、五十台あまりの車が駐車する屋上の床を洗い、断続的に発する銃声が闇夜に拡散する。屋上に接近しかけた二機の警察ヘリは、その銃撃に突き上げられて機首を振り、併せて動くサーチライトの光輪がでたらめに屋上をはね回っていた。

うつ伏せに倒れたSAT隊員、ヘリ側面のカーゴドアから身を乗り出し、上空に向けてAUG（オーグ）を撃ち放つ倉下。錯綜する光輪が切れ切れにそれらの光景を照らし出し、最後に勝良の背中を浮き立たせる。脇腹を押さえ、片足を引きずって仲間の待つヘリへと走るその背中に、朋希はブローニングの照星（サイト）を重ねた。

「止まれ！　勝良」

勝良は振り向きもせずに走り続ける。朋希は息を詰め、ブローニングの引き金を三回搾った。

立て続けにスライドした遊底から空薬莢が排出され、空気を裂いて飛んだ九ミリ弾が勝良の膝裏に突き刺さる。二発目が腿を、三発目が脇腹を抉り、勝良は足をもつれさせるようにして倒れた。その向こう、シコルスキーのカーゴドアには一功の姿があり——一瞬の驚愕に塗り込められた顔がサーチライトに照らされると、憎悪とは呼べない、それ以上に激しいなにかをたぎらせた一対の瞳が朋希を見据えた。

勝良！　と留美の口が動き、倉下がこちらに銃口を向ける。朋希は戸口の陰に退避し、コンクリの床を削る銃弾をかわしながら、一功の視線だけを受け止めた。

来い、降りて来い。勝良を見捨てては行けないだろう。留美の負傷で足の遅くなったチームを離脱させるために、時間稼ぎをしていた勝良だ。さっさとヘリから降りて助けに来い。そうして離陸の時機を逸する一秒一秒が、警察とダイスにとっては勝機になる。

いや、そんなことはどうでもいい。おれたちの決着をつけよう。おまえが降りたら、おれも隠れるのをやめる。そのあと、どうなろうとかまわない。ここで互いに消滅することになっても……むしろその方が望ましい。

わかっている。おまえだって、それを望んでいるはずだ。そうでなければ、なぜいまさら帰ってきた。なぜおれの前に現れた。こんなことしたって、なくしたものが取り戻せるわけないのに——。

「行け、一功、行けっ！」

獣じみた絶叫がローターの爆音を裂いて響き渡り、朋希は目を見開いた。一功も微かに顔をこわ張らせ、朋希に据えていた視線を勝良に向ける。「急げ、SOFのヘリが来る……！」と続けて叫んだ勝良は、うつ伏せの体をよじり、血まみれの足を動かして、行け、というふうに虚空に手を掲げた。

サーチライトの光がシコルスキーを舐め、苦渋を押し殺した山辺の顔を、叫び続ける留美の顔を、歯を食いしばって弾幕を張る倉下の顔を浮かび上がらせる。一功は再び、憎悪以上の感情を噴き出させた瞳を朋希に据え、それを最後にいっさいの表情をかき消した。ローターの唸りが高まり、シコルスキーのランディングギアがふわりと浮き上がったのは、その直後のことだった。

シコルスキーの機体が屋上から離れ、ダウンウォッシュの強風を残して北に機首を向ける。朋希は戸口から飛び出し、尻を見せたシコルスキーをブローニングで狙撃した。何発かが機体に当たり、着弾の火花を爆ぜさせたが、それだけだった。シコルスキーは速度も高度も減じず、航空灯を消した機体はたちまち夜の闇に吞み込まれていった。

追撃に入った警察のヘリが、朋希の頭上をかすめて飛び去ってゆく。レインボーブリッジが描く灯火の放列に航空灯の瞬きが混ざり、自衛隊機とわかる羽音が別方向から追随する。複数の航空灯が夜空を乱舞し、首都圏と臨海副都心の間に横たわる暗い海面を騒がせたが、行く手に広がる東京の夜景を前にすれば小さな瞬きでしかなかった。

あの輝きを生み出すもの、一千万の生活がひしめく都市の混沌が、ローズダストを再び隠しおおせる——逃げ出した子犬たちを山々が包み隠したように。敗北感と痛恨に揺さぶられる頭がそんな思いを紡ぎ出し、朋希は硝煙をたなびかせるブローニングをゆっくりと下ろした。

あとに残されたのは、逃げ遅れた子犬が一匹と、最初から逃げ出す度胸がない卑怯者の子犬が一匹。朋希は、屋上にぽつねんと横たわる勝良に振り返った。自分の血で汚れた床に肘をつき、どうにか仰向けになった勝良は、ジーパンの足首に震える右手をのばし、アンクルホルスターに収めたベクターを引き抜こうとしていた。その銃口がこちらを見るより先に、朋希は勝良の右手首を靴底で押さえつけた。

小さく呻き声をあげただけで、勝良は抵抗しようとはしなかった。ぐったりと仰臥し、腹を上下させるしかない勝良の顔に、朋希は視線と銃口の両方を据えた。一功はどこにヘリを降下させるつもりなのか、以後の逃走経路はどうなっているのか。聞きたいことは山ほどあったが、勝良が素直に答えるわけはなかったし、それを押して聞き出す気力もいまはなかった。

重いローター音を響かせ、迷彩色を施したペーブ・ホークが低空を行き過ぎる。地上からもサイレンの音や車の排気音が伝わり、各車両が追跡に乗り出したことを伝えた。並河じきに怪我人の搬送も始まる。ここにもＳＡＴなり機動隊なりが駆けつけてくる。並河は、恵理はどうしただろう？　風で頭が冷やされたせいか、ようやくそれだけのことが考えられるようになった時、「無駄だよ……」と呟く声が足もとに流れた。

「捕まえられっこねえ。おれたちは、幽霊、だからよ」

夜空に向けた顔を微かに歪め、勝良はにやと嗤ってみせた。ぞくりとした悪寒を覚えた朋希は、「真野が負傷している。簡単にはいかないはずだ」と意識して硬い声を出した。

「おまえは、なんにもわかってねえ」

勝良は嗤うのをやめなかった。「ちらし寿司、食い損ねちまったな……」と続けて呟き、星の見えない虚空を見上げた顔は、自分自身を嗤っているようにも見えた。負傷した留美をかばい、離脱の時間を稼ぐために居残った勝良の行動は、単なる役割分担によるものなのか、勝良の自発的意志だったのか。朋希にはわからず、わかる資格が自分にあるとも思えなかった。

ただ、血を垂れ流して嗤っている勝良も、それを見下ろしている自分も、等しく取り残されたのだということはわかる。互いに死ななかったというだけで、ここには一片の救いもない。生きている意味も理由も見出しようがない。四年前の遺恨を晴らそうと誰も望まぬ復讐劇を計画し、北まで巻き込んで望みを果たしたはいいが、その結果は新たな遺恨を増やしに増やし、追う側も追われる側も得たものはなにもない。やり場のない憤怒と痛恨、逝き遅れた当惑があるのみだ——。

「……この間、償いって言ってたよな」

勝良が口を開き、朋希は体がひと揺れするのを感じた。こちらを見上げたその目は、もう嗤っていなかった。「おまえもさ、苦しかったんだな……」と重ねられた声を、朋希は「喋るな」と遮った。勝良は意に介さず、「なあ、すっきりさせてくれねえか」と淡々とした声を継いだ。

「どうせよ、薬ぶち込まれて廃人にされちまうんだ。糞まみれで死ぬのはごめんだ……」

死んでも喋らないと決めている者から情報を引き出そうとすれば、そういう結果になる。「喋るなと言っている」とくり返して、朋希は両手でブローニングのグリップを支えた。思い出したように全身の痛みがぶり返し、湿って冷たくなった衣服の重みが増す。ずきずきと脈動する痛みが、肉体が訴えるものか、精神が訴えるものかすら判然とせず、気管が硬化してゆく息苦しさを感じ続けた。

「市ヶ谷の犬には、頼みたくねえけどよ……。この四年、ずっと苦しんできたおまえになら、頼みてえんだ」

演技だ。そんなことを言って、勝良は永遠に己の口を封じるつもりだ。理性が叫ぶ一方で、脈動する痛みは末端神経にまで拡がり、立っていることさえ難しくさせる。朋希は、勝良の右手首を踏みつける足の力を強くした。

「頼むよ、朋希……。貸しがあるんだぜ、おまえには」

聞くな、無視しろ。こいつは貴重な情報源だ。

「キャンプにいた頃……おれ、いつもバックアップでさ。いいとこはみんな、おまえと一功が持ってっちまう……。最初に一功と組んでたのは、おれだったんだぜ。それなのに、よ……」

勝良が喋っているんじゃない。訓練で仕込まれた技能が口を動かしているだけだ。聞く必要はない——。

「でも、ダメだな。おれ、のろまだから。いつもおいてきぼり食っちまう。いつも……」

そう言い、虚空を見上げた勝良の瞳からひと筋の雫が流れ落ち、こんな顔を見たことがあると朋希に思い出させた。

訓練キャンプに入れられて間もない頃、何度か見かけた顔。つんつんに立てていた金髪を五分刈りにされ、チンピラ時代のプライドも粉々に打ち砕かれたばかりの勝良は、よくこんな目をして泣いていた。親とはぐれた迷子のように――いや、そもそもはぐれる親を持たず、でかい図体を武器に世間を渡ってきた男が、いっさいの虚飾を取り払われて途方に暮れたように。そう、これは勝良義和という人間の目だ。本当は気が弱くて、お人好しで、みんなが喜ぶとわかると貧乏籤でも進んで引いてしまう。おれが知っている勝良の目だ、と朋希は理解した。

その理解がさせたことか、一瞬の気の緩みが招いたことなのかはわからなかった。勝良の右手首を踏みつけた足の力が抜け、勝良はベクターを握った腕をゆらりと持ち上げた。

「ありがとよ……」

勝良の口がそう動き、微かに微笑を浮かべたのは覚えている。が、そのあとは、体が自動的に対処行動を行ったまでのことだった。ベクターの銃口がのろのろとこちらを見た刹那、朋希はなすべきことをなした。

※

パン、と間の抜けた銃声が発したのは、あと数段で階段を昇りきるという時だった。

「丹原……！」と我知らず叫び、並河は前に立つＳＡＴ隊員の肩を押し退けて屋上階に昇り詰めた。

屋上に続く鉄扉は半開きになっており、立ち尽くす朋希と、その足もとに横たわる大柄が並河の視界に飛び込んできた。仰向けに倒れた大柄は四肢を投げ出してぴくりとも動かず、硝煙を立ち昇らせるオートマチックを握りしめ、その傍らに突き立つ朋希も微動だにしない。サブマシンガンを構えたＳＡＴ隊員が戸口の脇に身を寄せ、周辺警戒の視線を走らせるのをよそに、並河は制止を振りきって屋上に飛び出した。

「丹原！」ともう一度呼びかけた声にも反応を示さず、朋希は足もとに仰臥する大柄を見下ろしている。並河はニューナンブのグリップを両手で支え、途中からは慎重にそちらに近づいていった。投げ出した右手に小型のオートマチックを握った大柄は、顔が見える距離になっても動く気配はなく、薄く開いた目がこちらを見返すこともなかった。

血と埃で汚れた顔を天に向け、虚ろな瞳に暗い夜空を映している顔は、勝良義和のものと知れた。一見では痂と見誤りかねない、黒い小さな穴をその額に見つけた並河は、「被疑者死亡！　誰かシート持ってこい」と背後のＳＡＴ隊員に叫んだ。他殺死体を前にした時の条件反射が口にしたことで、それから先のことはすぐには思いつかなかった。目の前の遺体がローズダストの一員であることすら、事実として認識できたか怪しかった。

並河はニューナンブをホルスターに戻し、屋上の手すりごしに東京港の方を見た。光の筋になって連なるレインボーブリッジと、その向こうに広がる首都圏の灯が見えただけで、ローズダストを乗せて飛び去ったというヘリは影も形も見えなかった。

「マル被、一名射殺」「アンビュを回せ」といった声が周囲で発し、ボディアーマーにヘルメットを装備した背中が二つ、三つと並河の傍らを走り抜けてゆく。屋上には、ざっと見渡しただけでも六人の警官が倒れている。彼らの生死を確認し、息があるなら病院に搬送するのが目下の懸案事項で、勝良の遺体を検分するのは後続の採証任務班の仕事になる。無数に散らばった空薬莢ともども、被疑者の遺体は現場保全の対象でしかなく、隊員たちはこちらにはほとんど興味を示さなかった。並河は勝良の遺体の脇に腰を落とし、額に穿(うが)たれた銃創をあらためた。射殺の状況は朋希に聞けばわかることだが、自分の目で確かめねばいられず、また、それが済むまでは、朋希と顔を合わせてはいけないという理屈抜きの直感があった。

弾丸は額から入り、頭蓋を突き破って後頭部に貫通しており、直径五センチほどの破孔からはいまも出血が続いていた。血溜まりに混じった細かな固形物が、潰れた弾丸か、破砕した骨片かは暗くて判別できなかったが、散らばり具合から見て、弾丸が床に対してほぼ垂直に放たれたことは明らかだった。

つまり、勝良は仰向けになった状態で額を撃ち抜かれ、そのまま絶命したことになる。全弾を撃ち尽くし、スライドの後退したオートマチックを手に立ち尽くす朋希を見れば、射手が誰であるかは考えるまでもない。奇妙なのは、勝良の口もとが微かに笑っているように見える点で、単なる死後反応とは思えなかった。もうなにも映さない目はうっすらと滲み、目尻からこぼれ落ちた雫が透明な筋を作ってもいる。

最後の抵抗を示そうとして、反対に射殺された——違う。そうではない。小型のオートマチックを握りしめてはいるが、これはそうして死んだ男の顔ではない。

不意に腹の底が冷たくなり、並河はのろのろと立ち上がった。「娘さんは？」という声が背後に発したのは、その時だった。

振り返った並河の視界に映ったのは、人形の目だった。赤坂の現場で初めてすれ違った時に見た、あの一片の感情も窺わせないガラス玉の目。湿った衣服の下の肌が粟立ち、並河は視線を逸らしていた。

「……救急に預けてきた。一応、病院に運ばれるだろうが、かすり傷だ」

「そうですか」

機械的に答えると、次の瞬間にはなにを質問したのかも忘れたような顔で、朋希はスライドの後退したオートマチックを無造作に差し出した。受け取った並河の顔をろくに見ず、ごく普通の足取りでその場から離れようとする。オートマチックの冷たい感触を確かめ、つんと鼻をつく硝煙の臭いを嗅いだ並河は、「待て」とその背中を呼び止めた。

「なぜ、殺した……？」

「正当防衛です」

寸分の躊躇もなく、朋希は答えた。この十日間で少しはふっくらとし、人間味を漂わせるようになった声と表情を、残らずリセットしたと思える反応だった。冷えきった腹の底が一転、唐突に熱い塊が爆発したようになり、並河は「ふざけるな」と声を荒らげた。

「おれの目は節穴じゃないぞ。狙ってやったな。なんでだ」

よしんば勝良が反撃を試みたのだとしても、腕を撃つなりなんなり、朋希なら殺さずに対処することができた。貴重な情報源を失ったとか、法的にどうこうとかいう問題はこの際どうでもいい。人が死ぬのも事態のひとつと言いたげな、自分の命さえも見下しているその態度が気に入らないのだ。つい先刻、跳弾が娘の肩を引き裂いたのを見てかっとなり、刺し違えてでも殺すと突進しかけた身が言えたことではなく、それとこれとは別だと詭弁を弄するつもりもないが、こちらを見ようとしない朋希に対する腹立ちは腹立ち、急にシャッターが下ろされたような心細さは心細さだった。

激情に駆られるまま、並河は朋希の背中を睨み据えた。朋希は立ち止まり、少しだけ顔をこちらに向けると、ぽつりと言った。

「……友達だから」

表情は見えなかった。絶句した並河を残して、朋希は階段口の方に歩いていった。入れ替わりに上がってきた警官たちの制服に紛れ、その背中はすぐに見えなくなってしまった。

屋上を吹き渡る風が、スプリンクラーの水を吸った服を冷やし、胸を冷やした。暗い海から吹き寄せる、潮を含んだ冷たい風だった。

Phase IV

1

どこか白っ茶けた映像だった。都会の排ガスで精彩をなくした青空に、ひどくのっぺりとして見えるビル群。中でもひときわ高い二棟の高層ビルは、もともとそういう造りなのか、あるいは壁一面に陽光を反射しているからか、窓などのディテールがほとんど窺(うかが)えず、スケール感がまるでつかめない。映像のぼやけ具合が醸(かも)し出す遠近感や、残暑の倦(う)んだ空気感を含めて、ミニチュアをＣＧ加工したと言われればそうだろうと思える光景だ。

だから、その背後にふらりと飛行機が映り込み、ビルめがけてまっすぐ突っ込んでいったとしても、すぐには現実と捉える神経が働かなかった。『おいおい……』と傍らで呻(うめ)いたのは勝良義和か、滝沢俊一(たきざわしゅんいち)か。そんなことを思う間に、飛行機はビルの死角に入り、忽然(こつぜん)と姿を消した。

激突したのではない。ビルの中腹にすぽんと呑み込まれ、消失したのだ。そう思えるほどに、激突の瞬間は呆気(あっけ)なく、非現実的だった。一拍置いて反対面の壁にどす黒い煙がわき出し、橙(だいだい)色の炎が爆(は)ぜるのが見えたけど、それもＣＧで合成した映像という印象しか持てなかった。ビルののっぺり感に較べて、爆発の炎と煙には奇妙なボリューム感があり、飛散した破片ともども、いかにもそこだけ作り込んだように見えたから——。

『あれ、小型ジェット（ガルフストリーム）かなんかか？』

『旅客機だろ』

『マジで？　あのビル、でっかいんだな……』

二十インチのブラウン管を食い入るように見つめ、勝良と滝沢が口々に言う。食堂の長テーブルを囲む他の面々も、じっとテレビを凝視している。今日が火曜日ではなく、残業で二十時過ぎまで働いたあとでもなかったら、このうちの半分は町に繰り出していたに違いない。ぼくにしたって、普段ならこの時間までテレビの前にいる習慣はなかった。夕飯を食べて風呂に入ったあとは、自室で本を読むか、ＣＤでも聴いているうちに寝入っていたはずだ。

誘われればトランプにつきあうこともあるけど、今日は全員が疲れきっていたので、部屋に戻ったら早々に寝るつもりだった。実際、ついさっきまで二段ベッドの上の段に転がり、うとうとしていたのだ。相部屋の入江一功がいきなり部屋のドアを開け、『おい、すごいことになってるぜ』と呼びに来るまでは。

果たして、食堂のテレビは〝すごいこと〟を映し出していた。仕事柄と言うべきか、ぼくたちは常に物事の裏を読み取ろうとするし、衝撃に備えて無意識に身構える癖がついているから、驚きに対する感情の振幅が普通の人より鈍い。どんな事態を目前にしても、驚くより先に対処の頭が自動的に働くものなんだけれど、この時ばかりは違った。

その夜、多くの日本人が——いや、世界中の人がそうしたように、ぼくらはテレビを通して歴史の目撃者になった。世界一の大国を象徴する大都市の一画、世界貿易センタービルに相次いで旅客機が突っ込み、双子の超高層建築が瓦解してゆくさまをリアルタイムで目撃したのだ。翼長八十メートルは下らない旅客機をすっぽり呑み込んだビルの大きさも、そこで数千人の人たちが突然の死に見舞われた現実も。その瞬間にはなにひとつ想像できず、非現実的でありすぎる光景を前にして、熱に浮かされたような面持ちで小さなブラウン管に見入り、ふつふつと沸き立つ正体不明の興奮を押さえ込む時間が続いていた。

自らの命と引き替えに〝任務〟を果たしたテロリストたちの心情、巻き添えにされた旅客機の乗客の無念と恐怖。そのどれかを感じ取り、怒り、哀しんだとしても、それはこの劇的な光景に誘発されたフィクショナルな感情に過ぎず、まさに劇的なものでしかない。無論、当時のぼくにはそんなことを自覚する余裕はなく、粉塵と爆煙に包まれた摩天楼の空撮映像を〝映画を観るように〟眺め、さまざまな感情に揺り動かされていたのだけれど、一功は、ひょっとしたらこの時からすでに学び始めていたのかもしれない。人の感情を昂らせ、間違わせもするという意味において、「現実」は「映画」より簡単なのだということを……。

『まるっきり映画じゃん、これ。ほら、あのでっかい隕石が落ちてくるやつ』

ヤンキー根性が抜けきらない真野留美が、斜に構えた声を出す。が、『アルマゲドンだろ？』と即座に反応した勝良の声も聞こえない様子で、その目は他の者たち同様、テレビに釘付けになっていた。ただひとりテレビに背を向け、『CGなら、もうちょっとそれらしく作る』と冷静に言ったのは、自前のラップトップ・パソコンを操るのに余念がない倉下充だ。

『なにか拾えたか？』と一功。一報を聞くや、あらゆるHPや掲示板を効率よく回り、情報収集に努めていたらしい倉下は、『どいつもこいつもはしゃいでるだけだ』と吐き捨てて、しょぼついた目頭を揉んだ。

『ただ、中東がらみってことで見解はだいたい一致してる』

その場にいる十人の目が一斉に倉下に向けられたあと、三々五々テレビに引き戻されていった。『アラブ系か……』と顎をさすった勝良に、『ま、他に考えらんないよね』と有働京子が相槌を打つ。留美と相部屋の彼女の言葉が引き金になり、それぞれが勝手に憶測を口にする気配を察したぼくは、『単純すぎない？』と疑義の声を挟んだ。

この世界に身を置いていれば、究極的には宗教対立に還元されるアメリカとアラブ世界の反目も、アルカイダなるイスラム原理主義組織の動向も、基礎学力として耳に入ってくる。ハイジャックした旅客機をミサイルに仕立てる戦術の実効性は認めても、裏では虚々実々の暗闘を何年にもわたって繰り広げている両者が、こうもあからさまに相手の顔を張り倒す真似をするものかどうか。もっと別の裏があるのではないかと、半ば習性になった疑心が紡がせた言葉だったけど、一功は、『単純な方が真実ってこともあるさ』とあっさり否定してくれた。

『こんなバカな真似をするはずがないっていうのは、こっち側の理屈だ。違う価値観と常識を生きてる連中には通用しない』

『でも、戦理の鉄則は世界共通だろ？　もしアラブ系のテロリストがやったことなら、これでアメリカに全面攻撃の口実を与えたようなもんだ。戦力的に拮抗（きっこう）してる相手ならともかく、なんで……』

『反対に、これで戦力が拮抗するって考え方もある。相手は国じゃない。アラブ、イスラムって文化圏を背景にしたテロリストだ。ろくに相手が特定できないまま、アフガンにある奴らの拠点に攻め込んでみろ。アメリカはイスラム圏全体を敵に回すことになる。つまり、宗教戦争だ』

ぎょっと息を呑んだ全員の注視を受けて、一功はいつもの涼やかな声で続けた。『迂闊（うかつ）な報復は、世界を真っ二つに割った全面戦争を誘発しかねない。……冷戦時代の核兵器に匹敵する踏み絵だ。十分、戦理に則（のっと）ってるよ』

『なら、アメリカはどう出ると思うんだ？』と滝沢。訓練キャンプの卒業時期はほとんど同じでも、二十四歳といちばん年嵩（としかさ）の彼の声に、全員があらためて一功に注目する。一功はジャージを羽織った肩をすくめ、『もちろん打って出るさ。テロリストの組み立てた論理なんぞ、おかまいなしに』と事もなげに答えた。

『でも、それじゃ……』

『そうするしかないんだ、連中は。ここで弱腰を見せたら、これから寄ってたかって袋叩きにされることは目に見えてる。これまでみたいに、見えないところで首謀者の寝首をかくってだけじゃ示しがつかない。全面戦争覚悟で突っ走ってみせるのが、唯一のアメリカン・ウェイってやつだ』

突然、糸が切れたように崩落する世界貿易センタービル。土石流のごとくビルの谷間に押し寄せ、ストリートを包み込んでゆく粉塵。阿鼻叫喚を映し出すテレビに目を戻した一功は、『とんでもない蓋を開けちまいやがって……』と独りごちて口を閉じた。滅多に見せない真剣な眼差しが胸に突き通り、なにかしらぞっとするものを感じたぼくは、『結論するのは早いよ』と負け惜しみともつかない声を出した。

『まだ誰の仕業かもわからないんだ。それに、イスラム圏のすべてがアメリカを敵視してるわけじゃない。アメリカに同調する国だって出てくるだろうし、仕掛けた方もそれは予測してるはずだ。結局は自分たちの首を絞めるだけだってわかってるのに、こんなことするかな？　テロリストって言ったって、西側の情報機関と互角に渡り合ってきた頭の持ち主が……』

『わかってないな。それがこっち側の理屈だって言うんだ』

『こっち側って？』

『いまの世界に居場所のある人間。不満はあっても、とりあえずここで生きていきましょうって思える人間たちの側だ。おれやおまえ、ここにいる全員みたいにな』

そう言い、一同の顔を見渡した一功の目には、少し嗜虐の色があった。そうだよな？　と皮肉混じりに問いかける目を正視できる者はなく、ぼくたちは自ずと顔を背けた。

『疎外されて、痛めつけられて、いまの世界には生きる価値もないって思ってる連中……。この世界に居場所のない連中は、どんなバカなことだってやるさ。そうすることで自分の魂が救えるなら』

テレビから流れる同時通訳のたどたどしい声音に混ざって、風が窓を叩く音が食堂に響いていた。夏を終わらせ、秋の到来を告げるというには冷たすぎる風。東京に吹くのとは音も匂いも異なる、雪国の厳しい冬を予感させる冷たい風だった。テーブルに肘をつき、組んだ手のひらに口を押しつけた一功はもうなにも語ろうとせず、ぼくは居心地の悪い沈黙を漫然と漂った。

そう、ぼくたちにだって居場所なんかありはしない。命じられるままここに住み、与えられた役割を演じているだけ。いまテレビの向こうにあるのが〝劇的な現実〟なら、ここにあるのは劇そのもの。この食堂を含む社員寮も、隣にある工場も、すべて芝居を成立させるための大がかりな舞台装置だ。ぼくや一功たちの役所（やくどころ）は、名もないエキストラ。主演は――。

『でも……』

不意に細い声が発し、ぼくは顔を上げた。一功も微（かす）かに頭を動かした向こうに、それまで口を開こうとしなかった〝主演女優〟の顔があった。

『でも、許していいことじゃない。自分たちの理屈で、こんなふうに大勢の命を奪ってしまうなんて……』

それだけ言うと、堀部三佳（ほりべみか）は唇を引き締め直した。ブラウン管を見据える瞳には明瞭な否定の意志があり、ぼくは胸をひと突きされた思いで目を逸らした。

一功も視線を伏せ、他の者たちも神妙な顔で目のやり場をテレビに求める。ただひとり、留美だけが横目で三佳を窺っており、その毒を含んだ視線にぼくがひやりとしたものを感じた時、寮の玄関が開けられる音が廊下ごしに響いた。

足音と気配で、山辺の親父さんと増代(ますよ)さんであることはすぐにわかった。三佳が出迎えに立って間もなく、そろって「富士鋼業」の社名が入ったジャンパーを着込んだ二人が食堂に入ってきて、ぼくは留美の視線を忘れた。『急に冷え込んできたな』などと言いながらジャンパーをぬいだ親父さんに、一功はすかさず『親父さん、向こうと連絡はついたのか？』と質問をぶつける。

『社長って呼べ』繰り言を返してから、親父さんはテーブルの上座に腰を落ち着けた。『つくにはついた。だが向こうも大混乱だ。外事の連中があわてふためいてるってんだから、市ヶ谷としても大黒星だな、これは』

『米軍の防衛態勢(デフコン)が上がったのに合わせて、在日基地周辺の非常勤工作員(AP)に待機命令が出たって。いま頃は警察(桜)も動いてるでしょうし、完全に後手に回ったみたいね』

増代さんが続ける。ふっくらしていて、母親然とした雰囲気を漂わせる増代さんは、一時は本部付も務めていたベテランAPだ。隠語混じりの話し方も堂に入っており、少ない情報から全体の動向を把握する能力にも信頼が置けた。

この工場を経営する社長と、その夫人として〝芝居〟の重要な役割を演じる二人は、〝演出家〟――すなわち担当士官(ケースオフィサー)を通じて、市ヶ谷本部と連絡を取ってきたところだった。〝興行主〟たる本部の意向次第では、この芝居にもなにかと影響が出てくる。気になるのは誰もが同じらしく、『おれらも駆り出されるかな』と勝良が言ったのを皮切りに、一同はそれぞれ憶測の口を開き始めた。

『在日基地の警備に？　お呼びじゃないでしょ。自衛隊本体が動くならともかく』

『無理無理。法律がないんだから』

『なきゃ作るさ、湾岸の時みたいに。これはそういうレベルの事案……て言うか、事態だろ』

堰を切ったように話す一同を制して、『羽住はなんだって？』と一功が大きめの声を出す。『相手はケースオフィサーだぞ。呼び捨てはよせ』と睨んだ親父さんは、『当面、現行任務を維持』と続けて、三佳がいれた茶を受け取った。

『それだけだ。世間並みに驚いて、二、三日は近所の連中と話のネタにしときゃいい。市ヶ谷だけで片がつくような話じゃなし、こうなっちまったらこっちの出番はないよ』

一功は軽く頷き、だとさ、というふうに一同の顔を見渡す。ぼくは内心ほっと息をついて、旅客機がビルに激突する瞬間をリプレイするテレビに目を戻した。

地殻変動のような不穏なざわめきは、まだ胸の底で続いている。が、これが世界規模の戦争の引き金になったとしても、明日の生活を脅かすものでないと確認できれば、それでいい。それだけで安心できるのが、この時のぼくだった。

いつかは終わる芝居でも、続いている間はそばにいられる。その顔を見、声を聞くことができる。芝居の和を乱すのは百も承知で、ぼくは〝主演女優〟の姿をこっそり窺った。

茶をいれたついでに洗い物でも始めたのだろう。台所で流しに向き合う三佳の背中は、食器棚に隠れてほとんど見えなかった。その手前では親父さんが渋面を作ってテレビに見入っており、『しかし、まずいな……』と呟いた声が奇妙にはっきり聞き取れた。

『よりにもよって、こんな時に……』

テーブルに置いた茶碗を握りしめ、親父さんは独白を重ねた。増代さんがその手首をそっと握り、大丈夫よ、というように軽く揺すると、すぐにテーブルの下に手を引っ込める。そうしている二人はどこから見ても本物の夫婦で、事実、役割を超えた感情の働きが二人の間にあることを、ぼくたちはうっすら了解していた。親父さんたちは隠しているつもりだろうけど、知らぬは本人ばかりなり……というやつだ。

嘘から始まった人の関係が、本物の重さを持つこともある。親父さんが口にした『まずい』という言葉の意味も、海の彼方で起こった壊乱も意識の外にして、ぼくはいまという時間が破られないことだけを願っていた。でもそんな身勝手な想いを嘲るように、ニューヨークを震源とする地殻変動は世界中を揺さぶり、ぼくらの足もとにも亀裂を走らせていた。『オペレーションＬＰ』という名の芝居をまるごと呑み込み、その要員たちを地の底に引きずり落とす底深い亀裂が。

ぼくも、一功も、この場にいる誰もがまだそのことを知らない。二〇〇一年、九月十一日。作戦がスタートしてから、四ヵ月ほどが経過した夜のこと……。

それより一年と少し前、二〇〇〇年六月に事の発端は溯る。その年、韓国の太陽政策を受けて、南北朝鮮の首脳会談が実現した。

旅人から厚いコートをぬがしたいなら、冷たい北風で吹き飛ばすより、暖かい太陽で照らしてやるのが一番……という発想で始まった太陽政策は、朝鮮戦争以来、三十八度線を境に立ちこめていた分厚い暗雲を割り、つかのま半島を照らした一筋の光軸だったのだろう。無論、善意と理想だけで政治が動いたためしはなく、その太陽にはさまざまな思惑と打算が詰まっている。「政権の最大業績」を狙う金大中（キム・デジュン）政権のごり押しだの、一国経済では行き詰まりを感じ始めた韓国経済界の事情だの、首脳会談実現の対価として、北朝鮮に数億ドルの不正送金が行われただの……。

でも忘れてならないのは、大方の韓国国民は分断された国土を憂え、睨みあいに疲れ、南北の国民が手を取りあえる日を待ち望んでいたのだろうということだ。そんなのは平和ボケの妄想だという人は、自分の国が同じ状況に置かれたらどうなるか、考えてみるといい。名古屋あたりを境に列島が分断され、東の人間と西の人間が互いを敵視し、相手の侵攻に備えて日々避難訓練が行われる。どちらも同じ国土に育（はぐく）まれ、同じ文化を享受し、同じ四季を体感できる日本人なのに、だ。冗談じゃないと思わないか？

実際、太陽政策を実施する民間の総責任者として、対北支援と南北交流に力を注いできた韓国最大の財閥・大鐘（テジョン）グループの会長は、分断前の北朝鮮で生まれ育った人だという。国境を取り払い、敵国の一部になった故郷を取り戻したい——その思いが、採算度外視の対北協力事業を行わせ、太陽政策に実を入れたというわけだ。結果的に汚職にまみれ、次期政権から「負の遺産」と断罪されることになる対北支援であっても、発端となった人の思いに嘘はなく、多くの韓国国民はこれを歓迎した。

街中には金正日（キム・ジョンイル）グッズが溢（あふ）れ、対北支援の目玉である金剛山（クムガンサン）観光事業が始まると、大勢の人々が部分的に開放された〝敵国〟を訪れた。いまでは赤字に転落してしまった金剛山観光だけど、その時期、韓国の人々は本気で両国の融和を信じ、分かたれた国土が本来の姿に戻ることを夢見たのだ。雲間から差し込んだ微かな陽光を、必死に浴びようとするかのように。そして、それは韓国側にのみ限ったことではなかった。

南北交流のとっかかりとして、金剛山観光の次に計画されたのが開城(ケソン)工業団地開発事業だった。北朝鮮の開城を大連や香港のような経済特区とし、韓国企業のみならず、各国の企業体を誘致しようという大事業だ。対北支援事業を独占する大鐘グループにとっても、これは今後の南北交流の成否を占う、絶対ハズせないプロジェクトであり、推進役には大鐘電子の社長が任命された。

大鐘電子は、多岐にわたるグループ企業の中でも筆頭と目される会社で、会長の三男坊である同社長は次期会長の最有力候補とも言われている。会長肝煎(きもい)りのプロジェクトに発奮しないわけにはいかず、社長自ら何度も三十八度線を越え、政務院で経済委員会を指導する北朝鮮高官と協議を重ねた。

この北朝鮮高官を、仮にAと呼ぼう――なんて偉そうに言うと、本当は知ってるみたいに聞こえるけど、ぼくもその高官の名前は知らない。全体を把握しているのは、いつでもひと握りのお偉方だけだ――。最初は唯我独尊国家の傲慢(ごうまん)を振りまき、なかなか打ち解けようとしなかったAも、南北融和を信じる韓国の空気に感じるところがあったのか、あるいは単に社長の熱意にほだされたのか、次第に個人の顔を覗(のぞ)かせるようになった。回を重ねるごとに両者の距離は少しずつ縮まり、何度目かの会合の際、社長を自宅に招いたAは、意を決してこんな打ち明け話をした。
曰く、ここだけの話だが、実はわたしは終戦後に日本から引き揚げてきた男だ。当時、まだ十代だったが、将来を約束した女性がおり、彼女はわたしの子供を身ごもっていたと思う。しかし彼女は日本人で、周囲はわたしたちが一緒になるのに反対した。わたしは彼女を連れて朝鮮に渡ろうとしたが、彼女は日本を離れることはできないと言い、わたしたちは別れた。わたしはひとり故国に戻り、必死の努力で現在の地位にまで這い上がった。

いまのわたしには妻がいる。子もおり、孫もいる。しかし最近、夢で彼女をよく見かける。その後、彼女はどのような人生を生きたのか。お腹の子はどうなったのか。わたしは何度も尋ねようとするのだが、彼女はなにも答えてくれない。夢は残酷なものだ。あなたもご存じのことと思うが、我々は日本国内に大勢の〝協力者〟を飼っている。彼らを動かせば、あるいは彼女のその後を知ることもできるだろう。わたしの子孫がどこでなにをしているのか、完璧な報告書を仕上げて、わたしの憂いを取り除いてくれるだろう。だがわたしには、彼らにそんな命令を出すことはできない。これもあなたがご存じの通り、妻子と呼ぶべき者が日本にいるという事実は、わたしの経歴の汚点になる。引き揚げ者だというだけで、いまだに難癖をつけて追い落としを狙う者があとを絶たないのだ。

忘れようと思った。が、あなたと会合を重ね、その人柄に触れるうちに、別の可能性があるのではないかと考えるようになった。つまり、大鐘グループに骨折りを願い、彼女のその後を調べてもらう。その上で、もし孫のひとりでも生きているなら、素姓を隠して開城に連れてきてもらう。ひと目会えればわたしは満足だが、もし孫が望むなら、経済特区となる開城で最高の生活を与えてやってもいい。大鐘グループを間に入れれば、わたしとの関係が党に漏れる心配もないだろう。

あつかましい願いであることは承知している。しかしこの歳になり、心も体も弱ってくると、昔の禍根がより重くのしかかってくる。滅ぼせる罪は、ひとつでも多く滅ぼしたいと願うようになる。この老体を哀れと思う気持ちがあなたにあるなら、ぜひ力を貸していただきたい。わたしは受けた恩義を忘れない男だ。この地位に這い上がってこられたのも、恩義には報いるという信条を徹底してきたからだと思っている。もしあなたがわたしの願いを聞き届けてくれたら、わたしは考え得る最高の便宜をはかるつもりだ——。

哀れと思ったか、図々しいと呆れたか。大鐘電子社長の本音は謎だけど、少なくとも彼は、Aが言う「考え得る最高の便宜」をフイにするほど愚かな男ではなかった。社長はAが日本に残してきた女性の名前を聞き出すと、行動を開始した。大枚をはたいて日本の興信所を雇い、女性の足跡調査を依頼したのだ。

社長に落ち度があるとすれば、早く結果を出そうと焦るあまり、複数の大手興信所に同時に話を持ちかけた点だろう。約一万人の非常勤工作員を野に放ち、絶えず情報収集の網を張り巡らせている防衛庁情報局（ダイス）——市ヶ谷が、かくも怪しい韓国財閥筋の動きを見逃すはずはない。さっそく外事部が裏の手を動かし、大鐘電子の社長室長でも籠絡（ろうらく）したのか、事の真相を突き止めた。同時に、調査に乗り出した興信所の目をくらまし――あらゆる文書が電子化された昨今、件の女性に連なる戸籍を消し去り、足跡をたどれないようにするのは造作もないことだ――、時間稼ぎの手はずを整えた上で、問題の女性の調査に自ら乗り出した。

結論から言えば、その女性はすでに死亡していた。Ａと別れたあと、別の男と結婚して普通に家庭を築いたが、儲けた子供は正真正銘、夫婦の間にできた子供であり、Ａの子孫は存在していないことも判明した。Ａを長年苛んできた懊悩をよそに、件の女性はお腹の子を堕ろし、早々に人生をやり直していたのだった。身勝手な男の思い込み、いと憐れ……ってところだけど、市ヶ谷にとっては好ましい調査結果と言えた。

存在していないということは、そこになにを当てはめてもかまわないということだ。無論、Ａという実在に即して、当てはめるピースは慎重に選ぶ必要があるけど、それはさほど難しい作業じゃない。Ａの子孫として想定され得る年齢、血液型、骨格を持ち、なお長期の潜入工作に耐える資質と能力を併せ持つ者。Ａに好印象を与えて虜にし、口を緩ませ、なろうことなら手元に置いておきたいと思わせる魅力を持つ者。そんな人間は、市ヶ谷のリストを手繰ればすぐにでもピックアップできる。

かくして、『オペレーションＬＰ』は産声をあげた。Ａの子孫を捏造し、北朝鮮に――それも平壌でも指折りの実力者に数えられるＡのもとに、潜入工作員を送り込む。成功すれば、その価値は計り知れない。日米協同の対北包囲作戦を含め、これまでの対北オペレーションは一変するだろう。

国家公安委員会と情報活動監視委員会は市ヶ谷の提案を認め、この画期的な人的情報収集(ヒューミント)にゴーサインを出した。市ヶ谷はAに関して集めた情報をもとに、潜入工作員の人選に取りかかった。

Aの年齢は六十九歳。件の女性が身ごもった子供が生きていたなら、二〇〇〇年現在で五十二歳ということになる。いささかとうが立ちすぎているし、母親の思い出など尋ねられようものなら、ボロが出ないとも限らない。そこで架空の子供には死んでもらい、孫だけが存命中という設定が案出された。性別についてはずいぶん揉めたらしいけど、女にするということで落ち着いた。件の女性の面影を漂わせる者をあてがえば、ばっちりAの保護欲を刺激できると計算されたからだ。

そうして条件を絞り、最終的に選抜されたのは、情報工作とは畑違いの部署にいるひとりの女性だった。部内で創設計画が進められていたFSM——先制攻撃も視野に入れた攻撃ヘリ部隊において、養成課程の途上にあったパイロット候補のひとり。一年前、訓練キャンプでぼくと一功が出会ったあの少女……。

堀部三佳特務三曹、十九歳。彼女を主演にして、舞台の幕は上がった。両親を早くに失い、遠い親戚の家で育てられた薄幸の少女と、異国の高官である祖父との感動の対面の物語。小公女作戦(リトル・プリンセス)——『オペレーションLP』という自嘲(じちょう)的なコードが示す通り、国家規模で演じられる陳腐で壮大な芝居の幕が。

新潟市の外れ、木山(きやま)に富士鋼業株式会社はある。社長夫婦とその娘以下、従業員は二十名。うち十人が工場と同じ敷地内にある社員寮で暮らしており、社長一家の自宅も工場と隣接している。建築用金具とボルトの製造が主業務の、毛も生えていない町工場だ。その住み込み工員のひとりが、ぼく。BBS連盟——非行少年の更生を助け、就職を斡旋する全国ネットの法務省認可法人——の紹介を受け、ここに職を得たというのが偽装(カバー)の大筋だ。一功や勝良、留美たちのカバーも同様で、通いの従業員は市内に居住する現地のAPが演じる。いずれもぼくらより二回り上の、ベテラン工員然とした面構(つらがま)えの男たちだった。

山辺の親父さんは社長の役をあてがわれており、増代さんは社長夫人兼副社長。両親の死後、二人が引き取って育てたという設定の三佳は、事務所で経理などの手伝いをしている。親父さんはもともと東京で大手メーカーの工場長を務めていたが、下請けの富士鋼業に居抜きで工場を引き取らないかと持ちかけられ、思いきって独立したという設定。なぜその気になったのかと言えば、親父さんの生まれ故郷が新潟だったからで、これは嘘の中に混ぜ込まれた数少ない本当のひとつであり、親父さんが作戦に抜擢(ばってき)された理由のひとつでもある。ぼくらの場合は、BBS連盟に斡旋(あっせん)されてしかるべき年齢だから、というのが理由の大半だろう。全国から集められた元不良少年たちという設定にしておけば、家庭環境を作り込まずに済むし、工場がよそ者を多く雇っている理由も説明がつく。ちなみに、新潟が舞台に選ばれたのは、市ヶ谷が居抜きで確保できた工場がそこにしかなかったからだそうだ。

そうまでして工場という舞台設定にこだわったのには、ちゃんと理由がある。大鐘電子の社長が、興信所を通じてAの孫――すなわち三佳を見つけ出し、Aに引き合わせたとしよう。Aはようやく会えた孫を手元に置きたがり、開城経済特区で暮らすよう勧めるだろう。この時、三佳が家族と離れるのを嫌がれば、では一家ごと来ればよいという話になる。都合のいいことに、三佳の育ての親は工場を営んでいる。大鐘電子が自社系列にその工場を引き入れ、開城への移転手続きから新規開設の面倒まで見れば、すべての問題は解決する。Aは孫と継続的に会える環境を手に入れ、大鐘電子は「考え得る最高の便宜」をはかってもらえる。そして市ヶ谷は、北朝鮮内部に拠点を築き、三佳を平壌中枢に送り込むばかりか、複数の工作員を開城に常駐させることができる――。

取らぬ狸の皮算用も、ここまでくればあっぱれという感じだけれど、作戦幕僚の水月課長を始め、『オペレーションLP』を統括する烏丸、服部ら外事部の幹部たちには、それなりに勝算があるようだった。彼ら三人とは編制完結式の時に会ったのが最後で、現場に入ってからは顔を合わすことはなかったけど、韓国に直接足を運んだり、現地工作員を使ったりして、独自に大鐘電子との回線を開いていたらしい。作戦のバックアップを名目に進められたそれらの作業が、実はまったく別の意図によって紡がれたものだったと知るのは、かなりあとになってからのことだ。

全体を把握しているのは、いつでもひと握りのお偉方のみ――いや、この三人の行動の真意については、局長でさえ把握していなかったと思う。三佳ともどもFSMから引き抜かれ、現場付のケースオフィサーに任命された羽住二尉にしても、ぼくたちと同程度のことしか知らされていなかったのではないだろうか。

が、それもこれも、作戦スタートから四ヵ月が経過した当時は無縁な事柄でしかなかった。戸籍登録を始めとする過去の履歴の捏造、家庭から職場、交遊関係に至るまでの生活環境の構築。舞台を作り上げたあとは、役者が馴染むまでの準備期間を設け、頃合を見計らって各興信所を立ち往生させている目隠しを解く。故意にばらまかれた偽りの記録をたどり、彼らのうちの誰かが三佳の所在を突き止めれば、作戦の第一段階（フェイズ１）は終了。三佳が開城に招聘（しょうへい）され、Ａと引き合わされて以後の展開は神のみぞ知る、だ。羽住が伝える作戦の進行状況に耳を澄ませながら、ぼくらは遠からず入るだろう興信所の調査に備え、舞台を完全に演じきることだけを考えていた。

とはいえ、究極的には堀部三佳のカバーを補強する舞台装置でしかないぼくらなのだから、することは限られている。社員寮で寝起きし、八時から五時まで工場で働き、仕事が終わったあとは食堂でだべったり、借りてきたビデオを見たり、五キロほど離れた内野町（うちのまち）の繁華街に繰り出したり。自転車操業の町工場を演出するためか、市ヶ谷が段取った仕事の受注はなかなかに厳しく、残業させられることもたびたびだけど、そんなものは苦労のうちにも入らない。対北オペレーションを一変するヒューミントに参加しているとは信じられない、のんびりした共同生活。単調な毎日のくり返し。任務と呼ぶには、あまりにも穏やかな日々。

なにもかもが作り物、芝居であることはわかっている。でも、いつ来るかわからない芝居の終わりをじっと待ち、任務だからと自分を納得させる一方で、あれやこれやの日々の営みは紛れもない現実であり、確かな実感を伴って体に入り込んでくる。みんなでドライブに出かけたら楽しいと感じるし、カラオケにつきあわされ、無理やりにでも人前で歌わされたら、なんだ、やってみたらどうってことないと、壁が一枚取り払われたような解放感を味わいもする。それは芝居か？

毎日、同じ顔ぶれが同じ釜の飯を食い、小さな衝突と和解をくり返して少しずつ仲間意識を、疑似家族とも呼べる関係を醸成してゆくのは、すべて仕組まれた必然なのか？それを心地好いと感じている自分は、偽装の産物？　あるいは、丹原朋希という生身が体感する現実……？

わからなかった。判断の保留が許される時間でもあった。ただひとつ確かなのは、ぼくはこの暗くも明るくもない、ただ茫洋と暖かい日々を悪くないと感じており――厄介なことに、愛してさえいたかもしれないということだ。皮一枚はがしたところに横たわる、冷酷な現実を意識の外にして。

そんな戸惑いは他の連中も同じだったのだろう。ぼくらは内に芽生えた未知の感情におののき、振り回され……他人との距離を測りかねた子供のように、時に互いを傷つけあったりもした。

『だから、その善人面が気に入らないって言ってんだよ！』

真野留美の怒声が弾けたのは、あの夜――後に9・11米同時多発テロと呼ばれる狂乱を目撃した夜から、半月ほど経った夕刻のことだったか。五時前に仕事が終わり、工場前の空き地で暇つぶしのキャッチボールをしていたぼくと一功、勝良は、その声にぎょっと顔を見合わせ、誰からともなく走り出していた。

溜まりに溜まったものが、ついに爆発した。口には出さずとも、そんな危惧は三人とも同じだったのだろう。なにごとにも達観したような冷めた口をきく一方で、実は誰よりも潔癖な心を隠し持ち、自分で設定した道義に忠実であろうとする留美。それゆえ、ちょっとした嘘やごまかしにも敏感に反応する彼女が、あの夜以来、工場に流れるようになった隠微な空気を感じ取り、いら立ちを募らせていることはわかっていたから。

特にぼくは、あの夜、留美の目に走った一瞬の表情を目撃している。案の定、寮の裏庭には、物干し竿を挟んで対峙する留美と堀部三佳の姿があった。留美はあの夜と同じ、毒を含んだ視線を三佳に向けており、洗濯籠を手に立ち尽くす三佳は、一歩も退かない目でそれを受け止めていた。

『言いがかりでしょ？　だいたい、あなたに気に入られるために生きてるわけじゃないわ』

『じゃあ誰のためだよ。〝北〟に住んでるじいさんのためかい？　まさか、お国のためだなんて言わないだろうね』

『よせ、留美』

すかさず間に入った一功が、硬い目と声で言う。隣接する家屋がない工場の敷地内であっても、迂闊に口にしていい種類の話ではない。勝良も干されたシーツの陰から顔を出し、『どうしたんだよ、いったい……』と恐る恐るの声をかけたけど、留美の感情が静まる気配はなかった。こちらを睨みつけ、『あんたらも、いつまでもヌルい顔してんじゃないよ』と八つ当たりの声をぶつけてくる。

『あたしらがここで群れてんのはなんのためさ。みんなで仲良くやりましょうってクラブ活動じゃないんだろう？　任務……それもこの女を別人に仕立てて、〝北〟に送り込むってさ、ようするに詐欺の手伝いしてんだよ、あたしらは。なのになんだよ、あんたらのその顔は。爽やかに汗をお流しになっちゃって、本気で更生したつもりにでもなってんじゃないだろうね？』

声を詰まらせたぼくと勝良を尻目に、『そう見せるのがおれたちの任務だ』と言った一功が一歩前に出る。『いまのおまえは、それを放棄している』

『ごまかすんじゃないよ。あんたはそれほど器用な男じゃない。そのフヤけたツラが演技かそうじゃないかくらい、あたしにだってわかる』

一功が絶句したのは、図星を指されたからか、自分を見つめ続けてきた留美の視線に戸惑い、咄嗟には受け流すこともできなかったからか。いずれにせよ、留美の言いようは、ここでの生活が背徳と背中合わせである現実を教え、そこから意図的に目を逸らし、判断停止の日々を受け入れているぼくたちを糾弾するものと聞こえた。あの夜以来、世界は音を立てて変わり始めたというのに、おまえたちはいつまで目を逸らし、無関係な顔をしているつもりなのか、と。流れから取り残された振りで、いつまでこの茶番を演じ続ける気なのか、と。

そう、9・11テロを目の当たりにし、一功の予測通り、世界中を巻き込んで泥沼に踏み込んだアメリカを横目にしながら、ぼくたちも感じてはいたのだ。それまで、まがりなりにも存在していた足場が潰え、宙ぶらりんになったような心もとなさを。それでも現在の作業を中断するわけにはいかず、大元の背徳から目を背け、ここでの日々に埋没せざるを得ないやりきれなさを。言葉のないぼくたちから視線を外し、乱暴に髪をかき上げた留美は、『あんたもさ……』と続けて三佳を見据え直した。

『自分のやってること棚に上げて、きれいごと並べる前に考えてみなよ。作戦が予定通りに進んで、向こうに住むようになったらなにをさせられるか。あんた、そのジジイが死ぬまで騙し続けなきゃなんないんだよ？　そいつに取り入って、向こうの情報を垂れ流すパイプになってさ。そのジジイはいい笑いモンだよね。可愛い孫が実はスパイでしたってオチなんだから』

『よせ。もういい』と一功。留美は振り向きもせず、

『それだけじゃない。あんたが流した情報で、向こうの工作員の面が割れたらどうなると思う？　十中八九、そいつは死ぬだろうね。向こうに清算されるんならまだしも、こっちの手に落ちたらクスリぶち込まれてさ。正気をなくして、小便たれ流しながら……』

『やめろ！』

鋭い声が走り、素早く動いた一功の手が留美の胸倉をつかんだ。沈着冷静が身上の一功にしてはめずらしい激しさに、ぼくと勝良はちょっと立ち竦み、一功自身、しまったというふうな戸惑いの色をその横顔に浮かべた。対照的に冷静な顔をしているのは留美で、一功の目を睨み返したのも一瞬、『……ほらね。やっぱりそういうことなんだよ』

と寂しげに呟かれた声を聞いたぼくは、胸がずきりと痛むのを感じた。

聞きたくなかったのではない。聞かせたくなかったから、一功は留美の声を遮ったのだ。不意に足もとをすくわれた思いで、ぼくは干された洗濯物ごしに三佳の表情を窺った。風を孕んで膨らむシーツの向こうで、夕陽を浴びた顔は微動だにせず、それぞれ感情を露にした留美と一功を見つめていた。

『とにかく、そういう厳しいことをやろうってんだ。もう少し自覚ってやつを持ってもらいたいね。ママゴト気分でやられたら、殺される奴だって浮かばれないんだからさ』

力をなくした一功の手を振り払い、留美が続ける。痴話ゲンカのあとのような饐えた空気を感じながら、ぼくは微かに茜色を帯びた透明な空を見上げた。

すべてが作り物の箱庭の中でも、空が空であることに変わりはなく、三佳に当たることでしか感情を表せなかった留美も、彼女の顔を正視できない一功も、生身の実感を伴って目の前にあり続ける。いったい、ぼくたちはここでなにをしているんだろう。箱庭に配置されたミニチュア同士、感情をぶつけあったところでなにが変わり、なにが報われるのだろう。そんな思いが息苦しさの底で渦を巻き、カァ、と間の抜けた声をあげて飛び去るカラスを見送った時、『私は……』と三佳の声が小さく流れた。

『私は、ただのパイプになろうとは思わない。掛け橋になれたらいいって思ってる』

留美の顔をまっすぐに捉え、三佳は臆する気配もなく言いきった。ぼくが呆然とその顔を見返した時には、『こりゃまた、ご立派な言葉が出てきたね』と言った留美が三佳の方に踏み出し、間に垂れ下がるシーツをはねのけていた。

『で、どうしようっての。向こうのジジイをたらし込んだところで、ケンカはやめてって言うつもりかい？』

『やり方はまだわからない。でも、そうできるように努力はするつもり』

『ふざけんじゃないよ！　そんなこと、できるわけ……』

『あきらめてたらなんにも始まらないでしょう⁉』

留美に倍する怒声が突風になり、一同の胸を吹き抜けて過ぎた。開いた口を閉じられなくなった留美を見るのをやめ、地面に落ちたシーツを拾い上げた三佳は、『……私たち、下手に言葉を知りすぎてるのよ』と静かに言葉を継いだ。

『いまあなたが言ったパイプって言い方もそう。そういう言葉を使って、なんでもわかった気になってる。最初から物事を規定して、自分から働きかけるのをあきらめちゃってる。パイプじゃなくて人間よ、私。自分で考える頭も持ってるし、感情だってある。その場に置かれたら、私にしかできないことがあるはずだって考えてなにがいけないの？　なんで始める前からあきらめなくちゃいけないの？』

土を払ったシーツをたたみ、洗濯籠に入れる。再び向けられた三佳の視線を避けたのか、留美は微かに顔を背けた。

『簡単なことじゃないってわかってる。でもみんな、あれだけ辛い訓練を受けてここにいるんだもの。普通の人にはできないことができるはずだし、力や知識って、そういうことのために使うものでしょう？……結果に責任を取れるなら、子犬を逃がしたっていいじゃない』

小さく付け加えられた声音に、留美は『子犬……？』と眉をひそめる。ぼくたちより一期早く訓練キャンプを卒業した留美が、あの事件の顚末を聞いていたかどうかはともかく、ぼくと一功の表情に澱んだ一瞬の動揺を読み取り、立ち入れない共通の世界があるらしいと察したのは確かだった。

留美はぼくたちの顔を見つめ、三佳に目を戻してから、深々とため息を吐き出した。

『……わかったよ。ま、あんたにならできるかもね。ここの男どももすっかり骨抜きになってんだから』

さすがにかっとなり、ぼくは留美を睨みつけた。その背中は思いのほか力がなく、いまにも風に吹き飛ばされてしまいそうに見えて、ぼくはすぐに視線を逸らさなければならなくなった。

『でも、言ったからには責任取ってもらうよ。あんたが口だけだってわかったら、その時は許さない』

両の拳を握りしめ、留美は言った。『わかった』と応じた三佳も拳を握りしめていた。

留美は頷かず、こちらを振り向きもせず、足早にその場を離れた。

立ち尽くす一功の傍らを通りすぎ、工場の方に歩いてゆく。勝良がそのあとを追い、『ついてくんじゃないよ』『うん……』といったやりとりが遠ざかると、寮の裏庭にはぼくたち三人だけが取り残された。

かける声もなく、ぼくは地面に目を落とし続けた。三佳の発した言葉が耳の底で熱を放ち、頭をぼうっとさせているようだった。そういう考え方もあるのかと驚き、感心する一方、しかしいまの自分には子犬を逃がした時のような無条件の指向性はない、ただ漫然とここでの日々に浸かっているだけだという思いもあり、うしろめたいやら、それでもここに居続けたいとする自分に呆れるやら、正体の定まらない自責の時間を漂った。

『……なあ』

しばらくして、不意に一功が口を開いた。『ちょっとひとっ走りしようぜ。今日はもう納品もないし』

ぼくに言ってから、一功は返事を待たずに三佳を見た。三佳は小さく頷き、こわ張りの抜けない顔に微笑を浮かべた。ぎゅっと締めつけられるような痛みが再び胸に走り、ぼくは見つめあう二人から目を逸らした。

『留美がイライラするのもわからないじゃない。こういうご時勢になって、境目がなくなっちまうとな……』

ガードレールをまたいだ先にある岩場に腰を落ち着け、一功が言う。傍らに並びながら、ぼくは『境目？』と聞き返した。一功を間に挟んで、三佳もハイウエストのジーパンに包んだ腰を下ろす。

工場から県道に入り、二キロほど北上すると、海岸沿いを走る国道四〇二号線に突き当たる。納品用のワゴン車を十キロも走らせた一功は、角田トンネルをくぐって間もなく車を停めた。背後には残照に映える角田山が聳え、目の前には夕暮れの色に染まった海と空、二つの境目に横たわる佐渡ヶ島の島影がある。眼下では節くれ立った岩礁をくり返す波が洗っており、波濤が砕けるたびに飛散する波飛沫が、日本海の底深い緑色に鮮烈な白を刻み込んでいた。

『テロだとか、紛争だとかさ。そういうのって、ニュースで見聞きしても、日本には関係のない話で済んでただろ？　少なくとも、普通の連中はそう思うことができた。でも今度ばかりはそうはいかない。日本は米軍に基地を貸してるんだからな。それはつまり、日本がアメリカの兵站になってるってことだ。自衛隊を出そうが出すまいが、アメリカが戦争をおっ始めりゃ自動的に協力したことになるし、攻撃対象にだってされる。いくら関係ない顔したくたって、この国は最初から戦争に組み込まれてるんだ。五十年以上もそれを当たり前にしてきて、アメリカ抜きの安全保障を考える頭もなくなってる。主権もなにもあったもんじゃない。アメリカにつきあって、地獄の底までお供するしかないってわけだ』

この時、アメリカはアフガニスタンの包囲を終えつつあり、日本は二年間の時限立法で自衛隊の米軍支援活動を認め、ＮＨＫの画面端には常時ニュース速報のテロップが流れていた。さしたる議論もなく、時の政権がテロ対策特措法を成立させられた背景には、湾岸戦争当時ののらりくらりを国際社会から叩かれ、結果的に不利益を被ったトラウマとも無関係じゃないけど、それは理由の一部でしかないとぼくは思う。

世界貿易センタービルが崩れ去った直後、外部との情報回線を閉ざし、迅速に戦時態勢に移行したアメリカという国に、日本人は〝本気〟を感じ取り、ありていに言えばビビったのだ。自由社会を標榜し、戦後日本の精神的な父であったはずのアメリカが、愛国者法などという冗談のような立法措置を施し、言論弾圧に等しい制限を自国民に課すさまを目の当たりにして、〝戦争〟の生臭さを無条件に嗅ぎ取ったのだ。日米安保の軛から逃れられない、我が身の現実ともども。

米ソ二大国が睨みあっていた頃は、まだよかった。東と西、世界には二つの色しかなく、どちらの側につくかがその国家の色になり、そこに属してさえいればあらゆる判断は保留にでき、判断に伴う責任から逃れることもできた。でもいまは違う。鉄のカーテンが崩れるや、世界はモザイク化し、民族と宗教の数だけ火種を抱え込むことになった。一人勝ちしたアメリカは世界の警察を自任して版図を拡げ、その過程で虐げられた者、圧殺された者たちが主義や思想の違いを超えて地下で結びつき、国家間戦争に成り代わるテロという脅威を形作る。9・11テロで顕在化した〝新しい戦争〟においては、すべての国家が決断を下さねばならず、それに付随する責任――リスクを一律に背負わねばならない。端から選択肢を持ち合わせていなかったというなら、その不実をどう受け止め、どう対処してゆくかという問題も含めて……。

『これまでは無視できたっていうか、気づかないでも済んでたんだよな、そういうことに。冷戦の頃から、国内で起こった面倒は市ヶ谷が片付けてきたらしいし。その道のプロさえいりゃ、戦争放棄の平和国家でございって幻に、国ぐるみで浸っててもよかった。でもこうなっちまって、世界の現実と一緒に、この国の構造みたいなもんが明かるみに出ちまうとさ。もうどうにもならない。おれたちだって、どこに足場を置いたらいいのかわかんなくなる』

一功は岩場の上に寝転がり、組んだ両手を枕にした。陰り始めた空を映す瞳には、見たことのない虚脱の色が浮かんでいた。

『なんだかんだ言っても、市ヶ谷も平和国家って体面に足場を置いてたんだ。現実には応用がきかない幻でも、それを守るために我々の存在がある。すべてを水面下で処理するプロフェッショナル、存在を抹消された影ってところにさ、歪(ゆが)んだプライド持ってたんだよ。ところが、その幻が消し飛んじまった。それで世間がどうなったかって言うと、粉々に砕けた幻の切れ端を抱いて、どうにもできずに嘆いてるだけ。そうでなきゃ、あとさき考えない右寄り連中のイケイケドンドンだ。

そんな時に、おれらがここでこうやってるってのはさ……。いったいなんの意味があるんだろうって、考えちまうよな。幻は本当に幻でしかなくて、誰もそれまでの自分に責任を取ろうとしない。出てくるのは文句ばっかりで、なにも決められずにただ突っ立っている……。そんな連中のために、おれたちはこの芝居を打ってる。敵地のど真ん中に、仲間を送り込む手伝いをしてる。たったひとりで……もう、二度と帰れないかもしれないのに』

胸の痛みがひときわ激しくなり、ぼくは刻々と輝度を落とす水平線に目のやり場を求めた。『留美じゃなくたって、たまんねえって気持ちになるよ』と続いた声に追い打ちをかけられ、しばらくは息もできない苦しさに内心身悶(みもだ)えした。

ただ仲間というだけじゃない。一功は、それ以上の感情を持って三佳を見ている。薄々感じてはいた事実を突きつけられ、三佳がたどるだろう苛酷な道行きも、そのあと押しをしている我が身のもどかしさも脇に除けて、未知の薄暗い感情が胸の底で爆ぜた。利己的で、醜くて、覗き込むと猜疑に満ちた目で見返してくる感情。情けない、そんな場合じゃないのに。押さえ込めば押さえ込むほど息苦しさがひどくなり、虚空に置き去られるような不安がこみ上げてきて、ぼくは膝を抱え込んだ両手に無闇に力を込めた。そうでもしないと、なにか取り返しのつかないことを口走ってしまいそうだった。

『……それ、古い言葉』

細い、でも芯のある声が波音に混ざって耳元を過ぎ、ぼくはぴくりと体を震わせた。微かに身じろぎした一功の顔も見ず、『絶望っていう、古い言葉』と重ねた三佳は、彼方の水平線に視線を飛ばし続けた。

『〝平和国家っていう幻〟〝右寄りの連中〟〝戦争放棄〟〝日米安保〟……。ぜーんぶ、古い言葉。それを口にした途端に、古い考えに搦め取られて、新しいことが考えられなくなっちゃう言葉』

口ずさむように言った三佳に、『じゃ、なんて言やいいんだよ』と一功がふて腐れた声を出す。三佳はこちらに顔を向け、『それをこれから考えるの。〝新しい言葉〟を』と答えて、含みのない微笑を浮かべてみせた。

『新しい言葉……』

その顔に見惚れ、おうむ返しにしたぼくに続けて、『たとえば?』と一功が億劫そうに言う。三佳は天を仰ぎ、

『そうだなぁ……。〝日本はリハビリ中〟ってのはどう?』

『はあ？　なんだよ、それ』

『これで終わりって考えるんじゃなくて、これから始まるんだって考えるのよ。昔、大きな戦争があって、国の根本が根こそぎひっくり返されたショックで、日本はまだ眠ってるの。もちろん、体は元気になってるのよ？　寝たきりのまま、点滴で際限なく栄養とってたもんだから、一時ちょっとおデブになってたくらい。でも、いまはそれもなくなって、そろそろ目を醒まさなくちゃって気づき始めてる。点滴のチューブはとっくに外れてて、自分の力で起き上がらないとご飯も食べられないから。布団から出るのが億劫で、また誰かが点滴に繋いでくれないかなって思ってる人もいるけど』

戦後の復興から、特需と保護政策をバネにした高度成長、金権政治の蔓延とバブル経済の崩壊。雑多な言葉を漫然と思い浮かべながら、ぼくは三佳の声を聞いた。寝転がったままでも、一功も真剣な面持ちで聞き入っている気配が伝わってきた。

『でも、あんまり長く眠ってたもんだから、なかなか言葉が思い出せない。お腹が空いたって言いたくても、なんて言えばいいのかわからなくなってる。使い古された言葉や、他人から押しつけられた言葉しか思いつけないで、いまの自分を語る、自分自身の言葉が持てずにいるのよ。

だけど、そんな状態は永遠には続かない。昔はちゃんと話せたんだし、いまはようやく起きたばっかりなんだもの。いまにきっと、自分の言葉を取り戻す。いま現在の自分を語る新しい言葉を手に入れる。新しい言葉で過去を見直して、未来だって語れる時がくるわ。その時、〝平和国家〟っていう言葉も新しく定義されて、体を支える力になるかもしれない』

『病人のうわ言だったたって、ポイされるかもしれないぜ』

ぼくより回転の早い一功の頭は、憎まれ口を叩くのにも澱みがない。三佳は、『古いなあ、もう』と一功を睨みつけた。

『眠っててもなんでも、平和国家なんて言葉を五十年もしっかり抱いてきた国なんて、他にはないのよ？　それってすごいことだって思わない？』

少し追い詰められた風情で、一功はあらぬ方に目をやる。三佳は正面に向き直り、水平線にへばりつく佐渡ヶ島の黒い島影に視線を据えた。

『幻だったからって、それを簡単に捨てるようなことしちゃもったいないじゃない。幻だったって気づいたんなら、それにどう実を入れてゆくか考えればいいことでしょ？　戦争反対って逃げ回るんじゃなくて、争いをなくすには血を流すのも恐れない勇気を持つ。専守防衛って、そう考えればいい言葉だと思わない？　たとえ目の前に銃を突きつけられても、撃たれるまでは決して撃たない』

『きょうび、撃たれんのを待ってたら一発で即死させられちまうよ。先手必勝が近代戦の鉄則だ』

『だから、それを我慢するのが勇気でしょ？』

思ってもみなかった言葉に、ぼくは三佳の横顔を見返した。『撃たれるのが怖いからって、先手先手で撃ちまくってたら、そのうち自分以外誰もいなくなっちゃうわよ』と重ねられた声は、世界中が泥沼に足を踏み入れつつあったこの時、重い実感を伴って胸の底に響いた。

『たとえそれで死ぬことになっても、撃たれるまで撃たないって自分で決めたんだから、文句は言わない。その代わり、ちょっとでも余力が残ってたら死ぬ気で反撃する。その覚悟と勇気をみんなが持ってたら、誰もおいそれとは攻めてこないんじゃない？　戦わずして勝つ、これが真の平和国家なり』

最後はぴっと天を指し、少しおどけて言いきった三佳に、一功は『すげえな、それ。朝まで生テレビに出演しろよ』と軽口を返す。三佳は不服そうに口もとを歪め、『朋希くんはどう思う？』と不意にこちらに水を向けてきた。

三佳に続いて、一功の視線もこちらに据えられる。どきりと跳ね上がった心臓を隠したぼくは、急に熱くなった頬を海風にさらし、『ぼくは……』と喉(のど)の奥から搾(しぼ)り出した。

『ぼくは、そうできたら素敵だと思う。そうなれるまで……日本が自分の言葉を取り戻すまでは、ぼくたちが陰から支えていかなきゃならない。そう考えれば、いまやってることにも意味があるような気がするから……』

胸苦しさの中から、自然に溢れ出した言葉だった。三佳は我が意を得たりとばかりに相好(そうごう)を崩し、『ほら見ろ。聞いたか？　古い言葉しか語れぬ者よ』と一功を見下ろす。『古くて結構』と応じた一功は、『調子いいぞ、おまえ』とぼくを軽く睨みつけ、脇腹を小突くのを忘れなかった。

三佳が言っているのは、〝可能性〟についての話なのだろう。ちょっとだけ想像力を働かせ、視点をずらせば見えてくる〝未来〟についての話なのだろう。決して想像力があるとは言えないぼくの頭でも、それぐらいのことは理解できたし、一功の中ではもっと具体的なビジョンが膨らんでいたのかもしれない。この時、ぼくたちは、きっと自分で思っている以上に三佳の言葉に揺さぶられ、遠い水平線の彼方に未来の輪郭を見出してさえいたのだ。茫洋として定まらない、未だ来ぬからこそ無限の可能性が描ける未来を。〝新しい言葉〟で語られるべき、希望と等質の未来の形を……。

が、佐渡ヶ島に遮られない西方の水平線に目を凝らせば、その先にある二つの国家に分かたれた半島を幻視し、現実に立ち返らざるを得ないのもこの時のぼくたちだった。

『でもよ……。そんな、いつ来るかわからない時代を待って、おまえはこの海の向こうに行くつもりか？』

水平線の彼方、半ば没した夕陽の色を瞳に宿して、一功は険しさと寂しさがせめぎあう表情だった。千キロ先に横たわる朝鮮半島を夕陽の向こうに見つめ、ぼくも緩めかけた頬を引き締めた。

『ただ待ってるだけじゃないわ。掛け橋になるつもりだって言ったでしょ』

『そうだけど……』

それきり、沈黙が降りた。水平線を見つめる三佳の横顔を窺う勇気も持てず、ぼくは寄せては返す波の音を聞き、びゅうびゅうと唸る風に無力な体をさらし続けた。

こうして冷たい風にさらされても消えない温もり——いまという時間の根幹にある温もりが、いずれは手の届かない場所に行ってしまう。作戦が予定通り進み、たとえぼくら全員が開城に移り住んだとしても、もうこれまでのようにはいかない。その時が来たら、ぼくはどうするんだろう。ただじっと我慢するのか？　昔みたいに、〝他人に迷惑をかけたらダメ〟という姉さんの繰り言につきあい、自分を殺して耐えるのか？

　それとも――。

　ごう、と強い風が吹き抜け、心身を揺らして過ぎた。なんだ、なにを考えているんだ、ぼくは。べったり汗ばんだ手のひらを作業着にこすりつけ、ぼくは一瞬よぎった暗い想念を振り払った。妄想という程度の具体性も帯びていないそれは、自分で自分の腸(はらわた)を抉(えぐ)り出しかねないような凶暴性に満ちており、消え去ったあとも身震いするほどの苦味を胸の底に残した。

『ねえ、知ってる？　冬になると、ここ〝波の花〟が見られるんだって』

　穏やかな三佳の声が沈黙を遮り、ぼくは我に返った思いで顔を上げた。

『波の花……？』

『波飛沫が岩に当たって、砕けてね。それが風に吹き上げられて、ふわふわ舞うんだって』

『へえ……』

『冬になったら、見にこようよ。三人で』

　三佳は屈託なく言う。冬になるまでこの時間が続くという保証はなく、それでもそんな言い方をした彼女の心情も十分に理解した上で、ぼくは〝三人で〟という言葉の響きに埋められない距離を感じ、一抹の寂しさといら立ちを覚えずにいられなかった。

情けない奴、と再度自分を叱咤(しった)する。意識してそうしなければ、情けないと感じる神経も麻痺(まひ)してしまいそうな自分に震撼としつつ、ぼくは『うん……』と答えた。『冬になったらな』と、あくび混じりに返した一功の声があとに続いた。

三佳は頷き、茜色の残照を余すのみになった水平線に目を戻した。彼(か)の半島は遠く、間を隔てる海は冷たく、掛け橋になると言いきった体はあまりにも小さすぎる。彼女の百分の一の気概も持てない自分を確認して、ぼくは三佳の横顔から目を逸らした。

人員・兵器を惜しみなく投入し、アフガンの大地を新兵器の実験場と化した米軍の侵攻は、二つの意味で予測通りの帰結を迎えたと言える。ひとつは、過激なイスラム原理主義でアフガンを支配し、9・11テロを実行したと目されるアルカイダの擁護者でもあったタリバン政権が、呆気なく崩壊したこと。もうひとつは、それによって反米感情の火種——アメリカに同調する国家をも憎悪する火種が拡散・潜伏して、対テロ戦争という終わりのない消耗を世界にまき散らしたことだ。

時のアメリカの政権が、キリスト教右派が根幹を支える共和党ではなく、新保守主義(ネオコン)と呼ばれる〝原理主義団体〟でもなかったら。あるいはアメリカは暴発せず、ここまでの混乱も引き起こされなかったとする仮定は、無意味だとぼくは思う。アメリカは、もとを糺(ただ)せばヨーロッパの棄民政策に端を発した国家だ。そこで暮らす人々は、開拓と発展を〝明白な天命(マニフェスト・デスティニー)〟と定義し、先住民を実力で排除し、戦争によって独立を勝ち取った歴史の結果を生きている。ぼくたち日本人や、他の多くの国の人々のように、住むべき土地が最初からあったわけではない。雑多な寄り合い所帯が結束し、ひとつの国家として生き残るために、堅固な集団的信念で己を律し、自らの存在意義を規定してこなければならなかった人々だ。

「正義」「光」「自由と平等」「文明社会」……大統領が口にするそれらの言葉に、アメリカ人は自らの集団的信念を見ているのであって、これは党派も主義もおそらく関係がない。ベトナム戦争以降のカウンターカルチャーが旧い価値観に異議を唱え、厳格な理想一徹主義に世俗化を促したのだとしても、少なくとも半数のアメリカ人は建国以来の信念をかき抱き、自らの文明的・道徳的優越感を信じている。そして、世界にその理想を押し拡げることを使命と捉え、前進し続ける活力として対立する要素を求めている。

「正義」には「悪」を、「光」には「闇」を、「自由と平等」には「全体主義」を、「文明社会」にはテロという名の「暴力」を。それまでナチスや日本軍、ソ連に集約される共産主義が務めてきた二元論の悪役を、今度はアルカイダが務めるようになったという話で、そこに至るまでの経緯――中東に混乱の火種を蒔いたのも、戦争にテロの手法を持ち込んだのも、すべてアメリカ自身――は意識的にも無意識的にもオミットされる。大統領の人格や石油利権、イスラエル問題の如何にかかわらず、アメリカはもともとそういう国だったのであり、局面に応じて出るべき面が出ただけ、と見る方が正しいのではないだろうか。多くの日本人が9・11以来のアメリカの言動に戸惑い、嘆き、自由社会の限界を見たように感じてしまうのは、六十年前、二元論の「悪」を演じて叩きのめされてからこっち、アメリカという国を客体化する視点を持てなかったからかもしれない。自由社会という言葉自体、アメリカからの舶来品で、まだ自分の身に備わってはいないのだから。

二〇〇一年の暮れ、時の大統領をして、イラク・イラン・北朝鮮の三国を「悪の枢軸」と言わしめるのはまだ先の話だったけど、自国に害をなし得るすべての存在と対決姿勢を示し、〝撃たれる前に撃つ〟と言明したアメリカの政策は、すでに十分世に知らしめられていた。「次はイラク」といった空気が濃厚に流れる中、日本も対岸の火事とかまえているわけにはいかず、対北オペレーションはいったん棚上げの気配すらあった。無論、逆に要度が増した部分もあるにはあったのだけれど、全体の目はまずもって中東情勢に向けられており、『オペレーションLP』が尻すぼみになった観は否めなかった。

『こりゃあ不発かもな……』

作戦がスタートして七ヵ月が過ぎ、なんの進展もないまま年の瀬を迎えると、山辺の親父さんもそんな声を漏らすようになった。ひょっとしたら作戦の中止もあり得る、ということだった。そもそもが北の一高官の私的な事情、わがままにつけ込んで立てられた作戦だ。9・11以来、戦々恐々の立場に追い込まれた北の状況を思えば、そうなる可能性もゼロではない。作戦の根底を支える韓国の太陽政策自体、翳（かげ）りを帯び始めている。明日にも撤収命令が下され、ここでの日々が終わるという想像は、決して突飛なものではなかった。

予想外に引き延ばされた時間に没入しながら、ぼくはそれを嬉しいとも悲しいとも感じられずにいた。感じるのを避けていた、と言うべきかもしれない。作戦が中止になれば、三佳は北に行かずに済む。これほど喜ばしいことはないはずなのに、別の思いが影を落とす。中止命令と同時に作戦要員は散り散りになり、以後、おそらくは二度と会えなくなる……という思いが。

彼女が無事ならいい、それがいちばんじゃないかと訴える理性は理性でしかなく、本音はいまという時間が終わるのが怖くてどうしようもない。ここに来る前、自分はなにを求め、なにを支えに生きていたのか。もはやそれさえ思い出すことができず、虚無に立ち返らされる日が来るのをひたすら恐れる一方、そんな利己的な考えで作戦中止を喜べない自分に嫌気が差し、結局はいつもの判断保留に逃げ込む。そのくり返し……。

押さえつければ押さえつけるほど圧が増し、暴発の危険も高まるという意味では、人の心も物理法則の虜と言えるのかもしれない。堂々巡りの思考に囚われ、満足に眠ることも叶わずに迎えたその日の夜、ぼくは半ば意図的に暴発した。

クリスマス・パーティーをやろうと言い出したのが誰だったのか、いまとなっては思い出せない。作戦中止の噂が公然と流れている時だったから、お別れ会の意味合いも含めての企画だったのだろう。増代さんたち女性陣が料理をこしらえる間、ぼくらは寮の食堂を飾りつけ、慣れないパーティーの体裁を整えるのに奔走した。

くじ引きでプレゼント交換をやることになり、新潟の駅ビルまで交替で買い出しにも行った。ぼくは太陽電池で動くマスコット人形を買い、これは増代さんの手元に渡った。三佳のプレゼントを引き当てたのは勝良で、留美のプレゼントを狙っていたに違いない彼としては、痛し痒しといったところか。一功が買った拳銃型ライターは滝沢の手に渡り、一功の手元には奇しくもまったく同じ拳銃型ライター。山辺の親父さんが選んだ一品で、『因果応報っていうか、親父さんとギャグのセンスが一緒だったってのがヘコむ』とは一功の弁。ちなみにぼくは倉下のプレゼントを引き当てた。包みを開けるや、特売の記録用MOディスク三枚セットが出てきた時は、軽く途方に暮れた。

じきに解散の含みがあれば、少しはしんみりするかと思われたパーティーだったけど、始まってしまえば関係なかった。みんなよく食べ、よく飲み、よく笑った。通いの工員を演じる地元のAPが、家族連れで参加したことも場を盛り上げる一因になった。まだ幼稚園児だという子供がはしゃいで駆け回るのを眺め、こんな仕事をしていても家庭なんて持てるものなのか、と奇妙な感心をしつつ、ぼくもその夜はかなり飲んだ。酔えない体でも、多少なりとアルコールで弛緩させていないと息が詰まってしまう。そう感じずにはいられない事情が、この時のぼくにはあった。

十時過ぎに通い組は引き上げ、零時を回る頃には住み込み組も三々五々部屋に戻っていった。ぼくは後片付けを手伝って最後まで残り、台所で洗い物に勤しむ女性たちの声にそれとなく耳を傾けた。

『しっかし、盛り上がらないんだよね。酔えないモン同士の飲み会ってのはさ』と言った留美に、『そんなこと言って、手もと怪しいんだから。お皿割る前に寝ちゃってよ』と三佳。例の一件以来、男の理解が及ばないところで三佳との絆を深めたらしい留美は、『またまた、紅一点ぶっちゃって。あたしらだって一応女なんだけどね。ね、京子』とやり返し、京子はすかさず『留美さん、マジ飲みすぎ』と茶々を入れる。水道の音と一緒に聞こえてくるそれらの声は、京子に担がれるようにして留美が退散すると途絶え、あとには黙々と洗い物をする三佳の気配のみが残された。ぼくはひとつ深呼吸をして、台所に足を踏み入れた。

『もうちょっとで終わるから。寝ちゃって』と言っただけで、三佳は流しに向けた顔を動かさなかった。うん、と応じた体が反射的に引き返しそうになるのを堪え、ぼくはその場に留まった。かける言葉を探しあぐね、てきぱきと手を動かすエプロン姿の背中をただ見つめながら、彼女はなぜこんな仕事に就く羽目になったのかと考えた。

ぼくらのようになにかの罪を犯し、服役の代償として？　明るく振る舞っているのはポーズで、他人には窺い知れない内面があるのだろうか。いや、若いＡＰだからといって、うしろめたい過去の持ち主とは限らない。単に身寄りがなく、たまたま適性を見出されたとも考えられる。集団生活に慣れてるみたいだし、面倒見もいいところからして、養護施設かなにかの出身なのかもしれない……等々、とりとめのない思考を弄んだ末に、どうでもいい、彼女は彼女だと結論したぼくは、三佳との距離を半歩縮めた。

大事なことは、この工場での日々がぼくにとってかけがえのないものであるという事実であり、その中心にいるのが三佳だという理解だった。彼女の存在が、偽りの箱庭に人肌の温もりを持ち込み、家庭という無縁な言葉を思い出させてくれた。〝新しい言葉〟を探してやまない熱情が、荒みきった汚れ仕事に一縷の意義を見出させ、明日という時間に希望を持たせてくれた。そのすべてが幻だとしても、かまいはしない。三佳が言った通り、幻に実を入れてゆく方法を考えていけばいい。

ぼくは、手にした小さな箱を三佳に差し出した。

『あの、これ……。似合うと思う』

洗い物の手を止め、こちらを見返した三佳の顔を見つめ続ける勇気はなかった。プレゼント用のリボンが巻かれた小箱を手に、ぼくは猛然と脈を打つ心臓の音だけを聞いた。箱の中身は、新潟の駅ビルで見つけたペンダントだった。雪の結晶を象ったシルバーの台座に、白い薔薇のパーツを組み合わせたペンダント。ひと目見て気に入ったのは、少し前、一功と三人で〝波の花〟を見に行った時に、三佳が口にした『ローズダスト』という言葉が印象に残っていたからだ。

買う前に迷い、帰りの車でも、パーティーの最中でもさんざん迷って、いまこうしていてもやはり迷っている。こんなことをすべきではない、してはならないと絶叫する胸の底で、でもこの機会を逃したら明日はないかもしれない、なにもしないで後悔するより玉砕した方がまだマシだと、もうひとりの自分も声を限りに叫んでおり、ぼくは千々に引き裂かれた状態で小箱を差し出し続けた。

永遠に等しい数秒が過ぎ、空気を吸って重くなったかのような小箱が骨身を軋ませ始めた頃、三佳が微かに身じろぎする気配が伝わった。ぼくは意を決して三佳の顔を見た。意味もなく手拭いを揉み合わせ、視線を床に落とした三佳は、『困っちゃったな……』と小さく呟いた。

本当に困ったという顔だった。引っ込めるべきだ、と理性が咄嗟の判断を下したけど、いちど崖っぷちに立った体は、行くところまで行かないと気が済まないものらしい。ぼくは小箱を差し出したまま、三佳がひと思いにとどめを刺してくれるのを待った。

『私、いまは……受け取れない。受け取っちゃいけない気が、する』

伏せた目を上げることなく、三佳は一語一語を搾り出すように言った。脈動する心臓に冷や水がかけられたと感じるより早く、ぼくは小箱を持つ手を静かに下げた。『……そうだよね』と応じた声は、無様に震えて響いた。

『いいんだ』

短く言って、ぼくは三佳に背を向けた。これですっきりした、その思いだけを抱いて、一刻も早く台所から立ち去ろうとした。早くしないと、腹に開いた大穴に呑み込まれ、身動きが取れなくなってしまう。いまはとにかくひとりになることだと焦り、行く先も定めずに足を動かそうとした矢先、『朋希くん』という声が背中に振りかけられた。

『それ……。預かっててもいい？』

無意識に握りしめていた小箱に視線をやってから、三佳はぼくの顔を見た。急なことに頭が働かず、ぼくは『……いつまで？』と子供のように聞き返してしまった。

『いろんなことが、はっきりするまで』再び目を伏せ、三佳は答えた。『この先、少しは自分で自分のことが決められるようになれたら、その時……』

そこで伏せていた視線を上げた三佳は、『いい？』と続けてこちらを見た。『……うん』と辛うじて答えたぼくは、少し汗ばんでしまった小箱を三佳に手渡した。

『ありがとう』

ぎこちなく笑みを浮かべた三佳に頷き、ぼくは『じゃ……』とその場を離れた。胸につかえていた石が外れ、いきなり入ってきた新鮮な空気にむせ返りそうになりながら、急ぎ食堂を横切って寮の外に飛び出した。

工場の敷地は、一面の銀世界だった。今朝から夕方にかけて降り続いた雪は、前回の残り雪の上に新たな層を重ねて、ちょっと見にはふかふかとした質感を敷地いっぱいに広げている。玄関の外に立ったぼくは、両手を広げて前のめりになり、雪原の上にばったりと倒れてみた。ふかふかというわけにはいかなかったけど、凍りきっていない雪はそれなりにやさしく、怪我をしない程度にぼくの体を受け止めてくれた。

火照った頬に、雪の冷たさが心地好かった。なにが変わったわけではない。猶予の時間が与えられたのにすぎないけど、想いは伝わった。受け止めてもらうこともできた。いまこの瞬間、他になにを望むことがあると思い、ぼくは仰向けに寝転がった。吐き出した息の向こうで、いつもより輝度を増した星が冴え冴えと瞬き、月のない夜空に光の川を作っていた。

『なにやってんだ？』

不意に聞き知った声が発し、ぼくはぎょっと上体を起こした。防寒着のポケットに両手を突っ込んだ一功が、寮の壁に背中を預けているのが見えた。

雪かきで積み上げられた雪溜まりを軽く蹴飛ばし、底堅い光を宿した瞳がこちらを見る。抜け駆けのうしろめたさを押し殺し、ぼくは『別に……』と憮然とした声で応じた。目を逸らし、白い吐息の塊を吐き出した一功は、立ち去ろうとして足を止めた。肩ごしにこちらを見、『なあ、朋希』と呼びかけた一功の声に、ぼくは無意識に顔をこわ張らせた。

『あんまり深追いするなよ』

『……どういう意味だよ』

『言葉通りだ』わずかに視線を伏せ、一功は続けた。『自由のきく体じゃないんだ、おれたちは。わかるだろう？』

子供をあやす声、と聞こえた。無条件に反感が立ち昇り、『わからないよ』と即座に返したぼくは、雪を振り払うようにして立ち上がっていた。

『わかりたくないし、わかる必要もない。ほっといてくれよ』

なぜこんなに腹が立つのか、自分でもわからなかった。つまらない嫉妬から言ってるんじゃない、一功はそんな人間じゃないと知っているのに――いや、知っているからこそ、腹が立ったのかもしれない。殻に閉じこもり、声を発することすらできずにいたぼくを、力ずくで引き出してくれた目。意見は行動で示せと教え、その結果については一緒に戦ってもくれた。常にぼくの前を走り、へこたれそうな時には脇を支えてくれる、それはわかっている。でも、いったいいつまで？

ぼくは、ぼくという一個の人格であるはずなのに――。『子犬を逃がした時とはわけが違うんだぞ』と一功の声が続き、ぼくは凶暴な感情が頭をもたげるのを感じた。

『お互い、辛くなるだけだ。頭を冷や……』

くぐもった鈍い音が、一功の先の言葉を封じた。ぼくが投げつけた雪の塊が、一功の顔に当たって砕けた音だった。一功は避けもせずにそれを受け止め、ぼくは握りしめた拳の中で雪が溶け、熱くなってゆくのを感じ続けた。

『自分の責任の範囲は、自分で決める。前にそう言ったろ』

荒い息を隠して、ぼくは言った。それでも漏れ出てしまう白い吐息ごしに、ぽつねんと立ち尽くす一功の姿が映え、『……薬が効きすぎちまったみたいだな』と言った声がぼくの耳朶を震わせた。

それを最後に、一功は背を向けた。振り返ろうともしないその背中をめがけ、再度雪の塊をぶつけようとしたぼくは、自分の中に芽生えた憎悪の根深さにちょっと身震いした。

もうなにも語ろうとせず、一功は雪を踏みしめる音を残して去ってゆく。濡れた拳をきつく握り、ぼくはその背中を見送った。


そうして二十一世紀最初の年は暮れ、二〇〇二年が明けてひと月が経った頃。いつもと変わらない工場の喧噪に紛れるようにして、破局の時はするりと滑り込んできた。

フライス盤の前に立ち、テーブルに取りつけた割り出し台の調節をしていたぼくは、『親父さんが呼んでる』という滝沢の声を受けて圧延機の裏手に回った。圧延機は回転するロールの間に金属素材を通し、板材や棒材に加工する機械で、モーターと減速機、三段式の圧延ロールからなる巨大な装置は、工場の広さの三分の一を占めている。この時は径十二・五ミリの棒材が生産されており、ガタン、プシューと着実な作動音を発する空気ハンマーや、ガチャン、ガチャンとリズミカルな音を刻むネジの転造機とともに、モーターの回転するゴロゴロという音を工場内に響かせていた。

暖冬とはいえ、関東育ちの身に雪国の冬は異世界に等しい。その日の朝も当然のごとく雪かきの仕事があり、外は粉雪がちらつく雪景色だったけど、機械の排気熱がこもる工場内では特に寒さも感じない。外した手袋を作業着のポケットに押し込みつつ、ぼくは圧延機の裏手で待ち構えていた親父さんの前に立った。メンテナンスの時でもなければ誰も近づかないそこは、壁との隙間が一メートル程度しかなく、余った資材やダンボール箱の置き場と化している。照明も満足に届かない薄暗がりの中、防寒ジャンパーを羽織った親父さんは腕組みをして立っており、その隣にはダンボール箱の上に座り込む一功の姿があった。

伏せた目を少しだけ動かし、ぼくの顔を認めると、すぐにまた視線を床に落とす。クリスマスの夜以来、一功との間に見えない被膜が差し挟まれた自覚はあったけど、それとは別の隠微な空気をこの時の一功はまとっていた。ざわざわと騒ぎ始めた胸に押され、ぼくは『……なんですか？』と親父さんの方を見遣った。

『朋希、落ち着いて聞け。他人には聞かせたくない話だ』

いつになく真剣な顔で言った親父さんは、回転し続ける圧延機にちらりと目をやった。〝他人〟という言い方が、圧延機の向こうで作業を続ける通いの工員たち——地元のAPを指しているのかどうかはともかく、盗聴を警戒しなければならない事態であることはぼくにも理解できた。そうでなければ、モーターの音が直に入るこんな場所に呼び出す必要もない。ぼくは頷き、心持ち親父さんとの距離を詰めた。

『事故が起こった』

そのぼくの顔を見下ろして、親父さんは言った。ぼくが反応するより早く、『事故なものか』と低く呟いた一功の声がモーター音に混ざり、渋面を作った親父さんの目がそちらに注がれる。両の手のひらを組み合わせ、じっとなにかを押し殺している一功の背中を見つめたぼくは、『どこから話したもんか……』と続いた親父さんの声を聞いて、正面に目を戻した。

『今年中……たぶん秋口に、首相が訪朝する。目的は、日朝国交回復を前提にした首脳会談だ』

すぐには、なにを言われたのかわからなかった。『日朝って……日本と、北が？』と聞き返したぼくの顔は、少し笑ってさえいた。それぐらい、あり得ない話に聞こえた。

『本部付の奴から聞き出した情報だ。去年、9・11の少しあとに向こうから打診があったらしい。抜け目のない連中だよ。便宜上、日本と国交を回復させて、アメリカとの交渉窓口を開こうって腹だ』

いまいましいと言わんばかりに作業帽をぬぎ捨て、親父さんは続けた。

『いまのアメリカは、誰にでも嚙みつく狂犬みたいなもんだ。当面は中東で手一杯だろうが、先はどうなるかわかったもんじゃない。万一に備えて、いまのうちに保険をかけとこうってんだろう。ついでに日本から経済援助も引き出せるしな』

『打算ずくめはお互いさまだ』背中を向けたまま、一功が吐き捨てるように言う。『北との国交回復は、寺西政権にとって経済失策をカバーするまたとない金星になる。拉致問題解決の餌まで垂らされりゃ、一も二もなく食いついたろうよ。相手の腹は読めてるんだから、もっと仕掛けようもあったろうに……』

なんでも一刀両断にするいつもの闊達さはなく、錘を引きずったみたいに重い印象の声だった。親父さんはしばらく黙り、『問題は、ＬＰの方だ』と吐息混じりの声を重ねた。

『中止……ですよね？　もちろん』

期待と不安が半々の頭で、ぼくは思いきって尋ねてみた。国交回復が実現するかどうかという時に、相手の懐に工作員を送り込む作戦の継続が認められるはずはない。そういう時だからこそ、作戦を敢行して相手の内情をつかみ、より有利な交渉を進めるべきという考え方もあるけど、責任を取らされるのをなによりも恐れる責任者たちは、作戦が露見した場合のリスクをまずもって考える。この業界に二年もいれば、ぼくにもそう予測できる程度の常識は身についていた。

が、そんなことはどうでもいい。『オペレーションＬＰ』が中止になれば、三佳を北に送り込まずに済む。彼女が『自分で自分のことが決められるように』なる日が来る。天から垂れてきた蜘蛛の糸を見る思いで、ぼくは親父さんの返事を待った。親父さんは白髪混じりの頭に手をやり、『ああ、中止になった』と憮然とした声で答えた。

『とっくの昔……二ヵ月も前に中止になってやがったんだ！』

突然、怒声を噴き出させると、親父さんはダンボール箱の山を力任せに殴りつけた。資材の詰まったダンボール箱が鈍い音を立て、ぼくは『え……？』と呟いたきり、なにも考えられなくなった。

なら、なぜぼくたちはここにいる——？　空白の間に、複数の機械が奏でる無機的な音が積み重なり、『作戦幕僚の水月、覚えてるな？』と口を開いた一功の声が相乗する。ぼくはわけがわからないままに頷いた。

『そいつと、本部付のケースオフィサー二人。その三人が、撤収命令に待ったをかけてた。作戦本部はとっくに解散してたのに、おれたちだけここに残らされてたんだ』

『どうして……』

『上の意向に背いて、作戦貫徹にこだわったってんなら格好もつくがな。そんなもんじゃない。欲得ずくだよ、なにもかも』

ひしゃげたダンボール箱に暗い目を据え、親父さんは力のない拳をもう一度打ちつけた。その顔をちらと見上げ、再び背中を向けた一功は、『そいつら三人には、計画があったんだ』と低い声で話し始めた。

堀部三佳を北の高官に引き合わせ、最終的にはこの工場ごと、作戦専従要員のすべてが開城経済特区に進出する。それが『オペレーションLP』の骨子だけど、その際、不可欠になるのが韓国財閥の雄、大鐘グループとのコネクションだ。南北事業を中心になって進めるグループの次期会長、大鐘電子の社長に間を取り持ってもらわない限り、工場の開城移転は難しい。逆に大鐘電子の引きさえあれば、工場はお墨付きをもらったも同然になり、作戦要員は北の懐の中である程度自由に動き回れるようになる。

北の高官の打ち明け話を聞くや、即座に興信所を雇い、彼が日本に残してきたという係累を捜し出そうとした大鐘電子社長のこと。高官が望みさえすれば、多少の無理をしてでもこの工場を自社系列に引き入れ、開城移転の段取りをつけるだろうけど、それはこちら側の希望的観測でしかない。もともと運頼みの要素が強い作戦を少しでも補強するには、大鐘グループの内情をつぶさに調べ上げ、可能なら大鐘電子との間に別口の回線を開いておくのが望ましい。その理屈で、『オペレーションLP』を統括する外事幹部、水月、烏丸、服部の三人は大鐘グループの内偵に着手した。韓国内に飼っているAPを大鐘電子に浸透させるのを手始めに、自らも日本と韓国を行き来し、ソウルに拠点となるダミー会社まで設立した。

『ダミー会社……？』

『企業提携のコンサルタント会社だ。LPが初期の成果を上げられなくても、大鐘との線さえ繋いでおけば開城進出の可能性は残る。こっちの作業と並行で実施されてたんだから、作戦のバックアップってことだったんだろう。……始めのうちは』

ところが、事はバックアップだけでは済まなくなった。大鐘電子への浸透は思いのほか順調に進捗し、ダミー会社は大鐘電子とクライアント契約を結ぶに至った。ダミー会社は日本企業との提携案をたずさえ、大鐘電子に出入りする口実にしていたのだけれど、これが期せずして大鐘電子社長のニーズにはまった。社長には、赤字覚悟の南北事業でできた穴をどう埋めるかという問題があり、日本進出の足掛かりとなる企業提携がその解答になり得たのだ。『オペレーションLP』の如何に関わりなく、三人は大鐘電子との間に太いパイプを築くことに成功した。それはすなわち、韓国巨大財閥の懐に入り込み、その膨大な資金力の窓口になる権利を手中に収めたということでもあった。

外事部の幹部と言えば、市ヶ谷の中ではエリート中のエリート。数ヵ国語を解し、経済についても潤沢な知識を誇る彼らが、どこまで意図してこの状況を作り上げたのかはわからない。が、水月たち三人は、この好機に間違いなく野心を刺激された。韓国財閥筋のコネクションを手土産にすれば、どこの企業も最高の役職を用意して受け入れてくれるだろう。ダイスの正局員は、退官前には内局や部隊の目立たぬ役職をあてがわれるのが常だから、天下り先のポストにもあまり期待は持てない。運よく大手重工会社に潜り込めたとしても、関連会社に出向させられ、名ばかりの役員に終始するのがせいぜいだ。それならば……。

『アクトグループ。ITバブルで焦げついて、あっぷあっぷしてるネット財閥だ。水月たちは、そこの会長と渡りをつけた。LPが予定通り軌道に乗ったら退官して、大鐘のコネクションを手土産に天下りする。それが連中の目論見だった』

しかし、そこに9・11テロが起こった。北は猛り狂ったアメリカを警戒し、日本に国交回復を進言。『オペレーションLP』には中止命令が下された。すべての要員は現作業を中断し、なんの痕跡も残さずに撤収しなければならない。せっかく培った大鐘電子とのコネクションも同様……。水月たちにとって、それは天下りの計画をドブに捨てて、将来を棒に振れと言われたのに等しかった。

『いよいよ大詰めって時に梯子を外されて、連中はなにをしたか。即時通達されるはずの中止命令を握り潰して、現場作業を続行させた。その間に大鐘とアクトグループの提携を段取って、形にしてしまえばいい。それから撤収命令を現場に下して、事後処理が終わった時点で退官。なに食わぬ顔でアクトグループに天下りする……。綱渡りの計画だけど、水月たちの立場なら大抵のごまかしはきく。上に知れたら実刑を食らい込むのを覚悟で、連中は〝賭け〟に打って出たんだ』

『〝賭け〟……』

ひどく直截な言葉に、ぼくは編制完結式の時に会った三人の幹部の顔を脳裏に呼び出してみた。善人でも悪人でもない、当たり前の幹部たちという印象しかなく、〝賭け〟という言葉の響きとのギャップに戸惑ううちに、『問題はな』と親父さんが口を開いた。

『本部は作戦を中止したつもりで、すべてのバックアップを打ち切ってたってことなんだ』

旋盤のバイトが金属を削る、ひときわ甲高い音が工場内に響き渡る。その音が少し遠くなったような錯覚にとらわれながら、ぼくは親父さんの顔を見返した。

『でかい作戦だ。全部が全部、水月たちが裁量してたってわけじゃない。複数の部署がそれぞれに関わっていて……。大鐘が雇った調査屋の目隠しは、内事部の管轄になってた』

北の高官の係累を見つけ出すべく、大鐘電子が雇った複数の興信所。時期を見計らって差し止めにしていた情報を公開し、三佳にたどり着くよう仕向ける予定だった——それが？

『三佳の面が割れた』

歯切れの悪い親父さんのあとを引き取り、一功が立ち上がりつつ言った。怒りを通り越し、いっそ無表情になっている目と目を合わせたぼくは、足もとの床がぐらりと傾くのを感じた。

『目隠しが解けて、どこかの調査屋がこの場所を嗅ぎ当てた』

ダンボール箱の山に寄りかかり、握りしめた拳を額に押しつけた親父さんが搾り出すように続ける。『捏造された戸籍の回収やらなにやら、中止の伝達が遅れたせいで管理が目茶苦茶になってたんだ。報告はもう大鐘電子の方に届いてる。市ヶ谷は大混乱だよ。とっくに作戦は中止されたはずなのに、なんで現場要員が雁首そろえて残ってたのかって……』

『で、でも、それは作戦幕僚たちがやったことで、ぼくたちのミスじゃない。本部もそれはわかってるんでしょう？　三佳の面が割れたのは事故みたいなもんで……』

そこで声が出なくなったのは、「事故が起こった」と言った時の親父さんの表情と、「事故なものか」と吐き捨てた一功の声を同時に思い出したからだった。

しょうがないじゃ済まされない、えてして死とイコールで結ばれる作戦中の事故。そうなる危険性を承知で原因を作った者がいるという意味では、確信的になされた犯罪。その犠牲者は――。

『本部が取る選択肢は二つある。作戦を再開して、予定通り三佳を北に送り込むか。あるいは、手繰られる前に線を切り落として、いっさいの痕跡を消し去るか……』

親父さんが言う。胃酸がじわりと滲み出してくるのを感じながら、ぼくは無意識にあとずさった。

『面が割れちまった以上、ただ撤収するだけじゃ話は済まない。ようやく見つかった孫が消えたとなれば、北の高官は在日の浸透組を動かして真相を探ろうとするかもしれない』

一功が続ける。ガチャガチャと無遠慮に鳴りつける機械の音が頭の中で反響し、吐き気がこみ上げてくる。『ちょっと待ってよ……』とぼくは呻いた。

『時期が時期だ。三佳の線を手繰られて、北にLPの存在がバレようもんなら、日朝交渉は完全に向こうのペースになる。市ヶ谷だけで処理できる問題じゃない』

『やめるつもりだった芝居の幕がいきなり開いちまったんだ。観客を納得させるには、それ相応の犠牲がいる。本部はそう考えて、実行する』

『ちょ……待って……』

『不幸にも面が割れてしまった要員の清算……。事故でも自殺でも、捜索対象がホトケになれば北の追跡は止まる。そこから先を手繰られる心配もない』

『作戦再開の可能性が万にひとつもないなら、それが唯一無二の選択肢だ。調査屋の報告を受けたからには、大鐘電子は近いうちにここに来る。三佳と接触して、向こうに連れ出すためにな。本部はその前に手を打って……』

『ちょっと待ってよ！』

ほとんど絶叫だった。口を閉じ、工場内に素早く警戒の目を走らせた親父さんをよそに、一功はひと揺れもしない瞳をこちらに注ぎ続ける。萎えそうな膝に力を込め、ぼくはその視線をどうにか受け止めた。

『先を急ぎすぎてるよ。仮定の話だろ、なにもかも。三佳の面が割れたからって、本部が清算に乗り出すとは限らないじゃないか。戸籍だって経歴だって偽物なんだから、三佳を隠すのはそんなに難しいことじゃない。ここを引き払えば済むことのはずだ』

『時期が時期だって言ったろう。中途半端な幕切れが許される状況じゃない。わかるはずだ』

一功は反論の間を与えず、『とにかく、落ち着いて最後まで話を聞け。ここからが本題だ』と押しかぶせた。ぼくは黙ってその顔を見返した。

『このネタは親父さんがつかんできたもので、本部はまだおれたちがなにも知らないと思ってる。いまなら対処のチャンスはある』

『どうする気だよ……』

『北と取引する』

反射的に吸い込んだ息が、吐き出せなくなった。視線を逸らさず、一功は続けた。

『在日の浸透組員が市内にいる。そいつを通じて、北の高官と連絡を取る』

『そんな……名前も知らないのに』

『調べたよ。浸透組の奴と接触する算段も整えた』と親父さんが口を挟む。一功はそれを受け、『孫が見つかったって一報は、大鐘を介して向こうにも伝わってる。それに関係する話だって言えば、聞き捨てにはしないはずだ』と重ねた。

『それで、三佳とおれたちの保護を要請する。見返りは、ＬＰに関する情報一式』

『……冗談だろ』

『他に手があるか？』

底堅い瞳をひたと据え、一功は有無を言わせぬ声で言う。その瞬間、互いの間に差し挟まれた被膜が厚みを増したような、これまでみたいに引っ張られてゆく感覚とは違う、一方的に引きずられるような不快感を味わったぼくは、こわ張った顔を背後に振り向けた。『親父さんも、本気なんですか？』と硬い声を出すと、親父さんは微かに目を伏せた。

『……おれは、この仕事が長い。これまでにもこういうことはあったし、それを腹に収めるのも仕事のうちだって割り切ってきたつもりだ。だがな、今度ばかりはほとほと愛想が尽きたよ。こうなる原因を作った三人の腐れ幹部ども、どうなったと思う？ お咎めなしで退官だそうだ』

『なぜ……』

『詳細はわからん。が、アクトグループの会長を抱き込めたことといい、永田町方面の後ろ楯があるんだろう。立件して大鐘とのコネをフイにするより、アクトとの提携を成功させた方がいい。その方が日本経済にとって得策だって考える後ろ楯がな。内監（内務監査室）の連中も怒り狂ってるって話だ』

ダンボール箱に腰を下ろし、親父さんは深々とため息を吐いた。信じがたい、信じたくもない話の数々に呆然となる一方、しかしこれは現実なのか、二人にかつがれているのではないかと疑う頭も働き続けており、ぼくはなにひとつ整理をつけられないまま、ひと回り小さくなったように見える親父さんを見下ろした。

だってそうだろう。ついさっきまで、ぼくはフライス盤の前に立ち、いつもと同じ仕事をしていた。今朝、朝食の時には普通にみんなと顔を合わせて、一功も親父さんも特に変わった様子はなかった。三佳と話もした。『雪、今日もずっと降るのかなあ』『たまにはお日様も見たいよね』って、それだけだったけど、それで十分と思える静かな交歓があった。その三佳の面が割れた？　日朝交渉、中止命令、意図的な伝達遅延、清算、北との取引、いったいなんの話だ。ここでの日々はいつか終わりを迎える、それは覚悟していたことだけど、いくらなんでもこんな——。

『おれたちはしょせん便利屋だ。政治にも経済にも挟む口は持ってない。どんな理由であっても、作戦中止だって言われりゃ従うのもやぶさかじゃないさ。でも、三佳はいい娘なんだ。この九ヵ月の間、おれみたいな男にも父親の気分ってやつを味わわせてくれた。こんな仕事をさせといていい娘じゃない。まして、くだらん連中の欲得ずくで犠牲にされるなんて……。死なきゃならんのは、三人の腐れ幹部どもの方だ。断じて、断じて、三佳じゃない』

声を殺して吐き出しきると、『……増代さんも、同じ意見だ』と付け足して親父さんは顔をうつむけた。『他の連中の同意も取りつけてある』と一功があとに続ける。

『勝良や留美たちはみんな乗るって言ってる。通いの地元組は除外だ。三佳にもまだ話してない。あいつの性格からして、下手に話すと飛び出していっちまうかもしれないからな。自分ひとりのためにみんなを巻き添えにはできないって……』

『昨日今日に始まった話じゃないんだな』

たたみかける声を遮り、ぼくは言った。これだけの情報を仕入れ、整理し、対処案まで練る作業が、一日や二日でできる道理はない。他のみんなへの根回しが終わっているならなおさらだ。一功はちょっと虚をつかれたという顔になり、初めて自分から目を逸らした。明らかにうしろめたさを自覚している顔に、ぼくは『いつから？』と重ねた。

『二週間ほど前だ』口を噤（つぐ）んだ一功を見遣ってから、親父さんが答える。『調査屋らしいのが、このへん嗅ぎ回ってるのに気づいてな。羽住COもなんにも言わんし、おかしいと思って本部付の知り合いに探りを入れてみたら……』

『なんでいままで黙ってたんだ』

一功の目だけを見据え、ぼくは押しかぶせた。ただ蚊帳（かや）の外に置き去りにされたからというだけではない、無条件の反感が体を上気させていた。『答えろよ。どうして隠してたんだ』

『……おまえは、嘘が顔に出る。準備が整うまで知らせない方がいいと思った。おれの判断だ』

『勝手に決めるなよ。なんの権利があって……』

『ろくに周りも見ないで、ぼやっとしてたのは誰だ！』

いきなり怒声を噴き出させた一功に、ぼくは横っ面を張られた思いで口を閉じた。一功はすぐに顔を背け、『普段のおまえなら気づいてたはずだ』と低く付け足した。

『感情に溺れて、頭が留守になってなきゃな』

信じられないくらい明け透けで、下世話な皮肉と聞こえた。『なんだよ、それ……』と返した声が喉にからまり、ぼくは一功から目を逸らした。悔しいとか情けないとか、図星を指された動揺を感じる以前に、裏切られたという思いが腹の底でわだかまり、自分のことはいっさい棚に上げたまま、不意に凶暴な感情が頭をもたげるのを感じた。

身震いするほど苦く、自分で自分の腸を抉り出しかねないような制御不能の感情――。

『とにかく、事は急を要する。北と取引するって言っても、まさか全員で亡命するわけにもいかない。とりあえず三佳は第三国に出国させるとして、あとは市ヶ谷とどう折衝するかだ』

両者の顔色を交互に窺い、親父さんが間を取り繕うように言う。こちらと目を合わせようとしない一功を一瞥したぼくは、意識して冷静な声を出した。

『でも、北の手を借りて出国させれば、三佳の身柄は北に預けたも同然になる。北本国に拘留されないとも限らないし、命の保証だって……』

『そこは持っていきようだ。北を釣る餌は他にある。ＬＰの作戦計画書と命令書だ。画像データで、お偉方のサインと判こもばっちり写ってる。倉下の手柄だ』

公安委や監視委の閣僚が署名した命令書の類いは、作戦が終了もしくは中止された場合、即座に原本が破棄される決まりだけど、市ヶ谷ではひそかにコピーを残すようにしている。あとで問題が起こった時、一方的に詰め腹を切らされないための措置で、これは長年にわたる永田町との丁々発止で自ずと培われた知恵だ。いまは電子データとして保管されるそれらのコピーを、倉下がハッキングで盗み出したと教える親父さんの話だった。常識的には外部からの侵入が不可能な閉鎖環境、何重もの防壁でプロテクトされた本部の情報回線から、倉下はいかにして件のデータを盗み出したのか。人並みの頭しか持ち合わせていない身には想像もつかず、自分の知らないところで静かに、確実に事態が進行していた現実だけを受け止めたぼくは、そっと拳を握りしめた。

『それを北の鼻先にぶら下げて、第三国で三佳が生きていける条件を整えさせる。三佳と文書がセットになれば、向こうにとっては最高の外交カードだ。北はなんとか文書も手に入れようとして、こっちの出した条件を呑む。一方、市ヶ谷はおれたちの口を封じにかかってくるだろうが、こっちに文書を握られている上、生き証人の三佳が北の保護下にあるとなっては、迂闊な手出しはできない。つまり、おれたちがイニシアチブを握れる』

最悪、文書が流出したとしても、関係者を清算してしまえばしらばっくれることができるけど、三佳が北の保護下に入り、市ヶ谷の手の届かない場所にいるとなるとそうもいかない。文書を楯に身を守りつつ、市ヶ谷との交渉を進めて、三佳を含めた全員の命の保証を取りつける。手打ちさえ済ませれば、市ヶ谷の手を借りて三佳を奪還する措置も講じられるだろう。誰かが三佳に同道し、絶えず仲間と連絡を取り合うことを、文書引き渡しの条件として北に呑ませる必要があるけど。

他にもいくつかのパターンが考えられるけど、親父さんたちが想定している落としどころはそのあたりだろう。切り札を分散して、どちらにも傾き得る振り子を作り、市ヶ谷と北の双方から譲歩を引き出す——ようは手玉に取るという話だ。少しは落ち着いてきた頭でそう考え、どこまで実現性のある絵かと考えながら、ぼくは描き手であろう男の顔色を窺った。一功は相変わらず視線を合わせようとせず、代わりに親父さんが『三佳には明日、現場で伝える』とぼくの方を見た。

『現場って……』

『五ヶ浜に潰れたゴルフ場があったろう。そこを拠点にして、浸透組の奴と交渉を進める。みんなばらばらに工場を出て……』

『親父さん』と一功が遮る声を出す。親父さんは少しあわてた様子で口を噤んだ。ぼくが眉をひそめると、不自然な咳払いをしつつ立ち上がり、『で、な』とあらたまった目を向け直す。

『おまえには、残ってもらいたいんだ』

また、なにを言われたのかわからなかった。目をしばたたき、『……どういう意味です』と聞き返したぼくの耳に、『言葉通りだ』と答えた一功の声が弾けた。

『おまえは外れてくれ』

背けた顔に影を忍ばせ、一功は言った。頭がじんと痺れ、再び床が傾くような感覚に襲われたぼくは、その顔をただただ見つめることしかできなくなった。

『言葉は悪いかもしらんが、この計画の要は、三佳をカードとして有効に使えるかどうかにある』親父さんが言う。『三佳を助けたいって、こっちの私情を見透かされたらアウトだ。彼女を北に預けるのは、自分たちの安全を確保するためだって思わせておかないと、北にも市ヶ谷にも足もとを見られる』

視界がぼやけ、一功の背後に見える非常口の案内灯がじわりと滲んだ。『本部を相手に一戦交えようっていうんだ。おまえが抜けるのは正直、痛い。だが一功の言う通り、おまえはこの手のポーカーゲームには向いてない』と続いた言い訳がましい声は、ろくに耳に入らなかった。激しく動揺する胸の底でなにかのスイッチが切り替わり、失望や落胆が怒り一色に塗り込められるのを自覚しつつ、ぼくは一功だけを視界に捉えた。

『当分は大騒ぎになるだろう。残った連中は全員、かなり厳しく聴取されると思う。だからここから先の計画は聞かない方がいい。三佳をひとりで北に預けるようなことはしないし、おれたちもとっつかまるようなヘマは……』

『感情に溺れるようなバカはいらないってわけか』

親父さんの声を無視して、叩きつけるように言った。こちらを見た一功の目に驚きの色が浮かび、あとに続いた苦渋の表情がそれを呑み込む。一線を踏み越えようとしている自分を十分に承知した上で、『自分はどうなんだよ』とぼくは重ねた。

『誰が三佳にくっついてくつもりなのか、だいたい想像がつく』

饐えた味が口の中に広がり、体中が汚染される不快な感覚を無視して、ぼくは一功の目を見つめた。いつもの底堅さを失い、支えが折れたかのごとくひと揺れした瞳を伏せると、一功は反論の声ひとつ寄越さずに顔をうつむけていった。『朋希……！』と低く怒鳴り、親父さんがすかさず二人の間に割って入る。

『おまえに黙って消えることだってできたのに、こいつは義理を通そうとしたんだ。辛いのはわかるが、少しは察してやれ』

『なにを察しろって言うんです。人をコケにしておいて、義理もなにもあったもんじゃないでしょう』

『朋希……』

『黙って消えればよかったじゃないか！　聞きたくなかったよ、こんな話……！』

　堪えきれずに出した大声が、天井に当たって跳ね返り、機械の騒音に埋もれてゆく。気圧された様子の親父さんから顔を背け、ぼくは目の縁に滲んだ雫を素早く拭った。

　理屈はわかる。一功が望んでぼくを外そうとしているのでないこともわかる。でもそれでも、これは決して従えない。あまりにも身勝手で独善的な決定だと、ぼくは声にならない声で叫び続けた。だって三佳のことだ。他の誰でもない、彼女のことなんだ。なぜぼくが外れなきゃならない。なぜ一功がすべてを決める。なぜ、なぜ、なぜ……！

『だいたい穴だらけだよ。ＬＰの件は、北の高官にとっても自分の首を絞めるスキャンダルなんだ。取引に応じる保証なんてどこにもないじゃないか』

『高官の縁戚には実力者が大勢いる。日朝交渉を左右する外交カードが入手できるとなれば、バーターでどうとでも処理できるはずだ。必ず食いついてくる』

『都合がよすぎる解釈だ。そんなの、なんの保証にもならない』

『じゃあどうしろっていうんだ！』

　唐突に張り上げられた怒声が、機械の騒音を圧して頭蓋を揺さぶった。通い組の工員が怪訝な顔でこちらを覗き込み、なんでもないというふうに手を振った親父さんがそれを追い払う間に、一功は微かに充血した目をぼくに向けてきた。

『三佳が消されるのを黙って見てろって言うのか？　市ヶ谷はおれたちを裏切ったんだぞ』

『まだわからないじゃないか。事態がもっとはっきりするまで……』

『はっきりした時には、三佳は消されてる。またそうやって逃げるつもりか』

鋭い声に胸をひと突きされ、ぼくは息を呑み込んだ。

『キャンプの頃から少しも変わってないよ、おまえは。なにも決めず、戦いもせず、ただ流されてるだけだ。それで事態がマシになったことがあるか？　なにもしなかったら奪られる一方なんだよ、おれたちは。戦わなきゃなにも手に入れられないし、なにも守れないんだ……！』

初めて一功という人間を意識した時――訓練キャンプの最中、枯葉が舞い散る山の中でも聞いた言葉だった。そう、それが一功という人間の生き方だ、とぼくは認めた。前を見ろと語りかけ、現実と闘えと教えてくれた言葉だ。

でも、それは一功のものであって、ぼくの生き方、言葉ではない。

ぼくはぼくだ。自分で自分の生き方を定める権利がある。守りたいものの守り方まで指図される謂れはない。その対象が互いに同じ存在であるなら、なおさら。ぼくはぎゅっと拳を握りしめ、『子犬を逃がすのとわけが違う』と一功を睨めつけた。

『自分でそう言ってたじゃないか』

『ああ、そうだ。だからおまえは外すと決めた。途中で立ち往生して、またピーピー泣かれたらかなわないからな』

一功もまた、追い詰められていたのだろう。限られた時間の中で立てられるだけの対策を立てて、神経が飽和状態になっていたのだろう。少し考えればわかることだし、実際、わかっていたのかもしれないけど、咄嗟に膨れ上がった激情を制御する術はなかった。ぼくは拳を繰り出し、一功の頰を殴りつけた。

わずかに頭を動かし、芯をずらして故意に受け止めたと感じられたのは、気のせいだろうか？『よせ……！』と親父さんが割って入った時には、一功の体は背後のダンボール箱に叩きつけられ、崩れた箱と一緒に床に座り込んでいた。ぼくは反撃を予期して身構えたけど、一功は立ち上がろうともせず、血の混じった唾を吐き捨ててぼくの顔を見返してきた。

手の甲で口もとを拭い、暗い、光のない瞳をこちらに据える。見たことのない寂しげな色がそこに宿り、ぼくは目を逸らすことができないまま、じりじりとあとずさった。なんで怒らない。なんでそんな目で見る。助け起こそうとした親父さんの背中が一功の瞳を隠し、呪縛が解けたのを潮に、ぼくは発作的に駆け出していた。

『朋希！』と親父さんの声が弾けたけど、無視して工場を飛び出した。目を閉じ、耳を塞ぎ、雪に足を取られて何度も転びそうになりながら、とにかく少しでも遠く工場から離れようとした。立ち止まったが最後、工場から沁み出す薄闇に搦め取られて、暗黒に引き込まれてしまう。音も色もない、世界全体がハレーションを起こしたような雪景色の中をひた走り、まとわりつく粉雪の冷たさを遠くに感じ続けた。

社員寮まで走ったところで、足を止めた。食堂のガラスごしに、三佳と増代さんの話し声が聞こえたからだった。昼食の支度をしているのだろう。皿の触れあう音や水道の音を背景にして、三佳は笑っているようだった。すでに清算の対象にされたとも知らず、明日にはすべてが終わるかもしれないとも知らずに、いつもと変わらない笑い声を響かせていた。

たまらなかった。行ってどうするという頭は麻痺したまま、ぼくは声の方に近づこうとした。その顔を見、声を直接聞くことができれば、悪夢も少しは遠ざかるという根拠のない思い込みがあった。が、『なにやってんだ？』という別の声が背後に振りかけられると、そんな思いも霧散した。

それぞれダンボール箱を抱えた勝良と倉下が、立ち止まってこちらを見ていた。なにもかも聞かされたいまとなっては、見慣れたそれらの顔も悪夢を体現するものとしか思えず、ぼくはあわてて寮の前から逃げ出した。そのまま門の方まで走り、九ヵ月のあいだ家であり続けた富士鋼業を後にした。

逃げている。一功の弁じゃないけど、ぼくは確かに逃げている。曇天から舞い落ちる粉雪の中を当てもなく走りながら、ふと思った。でも、なにから？　三佳が永遠に失われるという現実から？　それを受け入れられない自分から？　親友に裏切られ、また裏切りもした痛みから……？

なにひとつまともに考えられないまま走り続け、県道に通じる道に差しかかった時だった。急ブレーキの音が脳天をつんざき、ぼくは足を滑らせて無様に転倒した。

冷気の中で熱を放つワゴン車のフロントグリルが、すぐ目の前にあった。ぼくは尻もちをついた体を後退させ、運転席の窓から顔を覗かせた男と目を合わせた。

『どうしたんだ……?』

羽住克広は、雪の中、作業着一枚で飛び出してきた工員の姿に、驚きと不審の念を隠さなかった。得意先の建設会社社員という偽装(カバー)で、工場に出入りしている『オペレーションLP』担当のCO。三佳同様、畑違いの部署から引き抜かれ、本部と現場の調整役を担わされているケースオフィサーは、いつも通り工場の様子を見にきただけなのだろう。車には羽住の姿しかなく、防寒ジャケットを羽織った背広姿に格別変わった気配はなかった。

しかし、もとより人を騙すのを生業(なりわい)とする組織の男だ。少々砕けすぎな工場の空気を黙認し——いや、むしろ同化さえして、この九ヵ月で身近な匂いを漂わせるようになった羽住であっても、幹部であることに変わりはなく、ぼくたち下っ端APとは規範も価値観も異なる。すべての状況がひっくり返ったいま、もうその顔に身近な匂いを感じ取ることはできず、ぼくは咄嗟に目を逸らしていた。

子犬を逃がそうとした時と同じだ。気づかない振りでぼくたちの動向を窺い、先回りの手を打ってくる。車から降り、『怪我はなかったか?』と差し出された羽住の手から反射的に身を退け、ぼくは夢中で立ち上がった。丹原、と呼び止める声を振り払うようにして、当てもなく走り出した。

羽住を恐れたのではない。制御不能な感情に取り憑(つ)かれ、なにをするかわからない自分自身を恐れたのだ。自分でも説明のつかない衝動に怯え、ぼくは走り続けた。降りしきる粉雪が幾重にも層をなし、世界を白い闇で塗り込めて、行き場のない体ひとつを冷たく押し包んでいった。

※

(今日付けで謹慎が解ける。合同本部の方に顔を出せ。桜田門にはこっちから話を通しておく)

携帯電話から流れる羽住の声は、抑揚も感情も欠いた事務的なものだった。お互い、さして嬉しい話でもない。「はい」と機械的に応じながら、丹原朋希は周囲を見渡した。先刻まで目の底にちらついていた白い闇は消え去り、同じように携帯を耳に当てた無数の頭、交差点を行き交う車、少し灰色にくすんだ渋谷の街並みが、いっぺんに視界に飛び込んできた。

(局務法廷への出頭は免除されたが、臨時のメンタルチェックを受けてもらうことになる。あくまで形式上のものだ。結果がどうあれ、任務から外されるようなことはないから……心配するな)

心配ってなんだ。さすがに歯切れの悪くなった羽住の口調に、苦笑のひとつも返してやりたいと神経がさざめいたが、実際に表情を動かすには至らなかった。四日前、お台場で勝良の額を撃ち抜いた時から、神経の一部が断線している自覚はある。朋希は、昼時の喧噪に包まれた交差点を漫然と眺め続けた。

手に手に携帯を持ち、ハチ公前にたむろする無数の顔。109を境に文化村通りと道玄坂に分岐する、その両方の道路を埋め尽くす車列と、途切れない人波。いつもと変わらないハチ公口の風景だが、日頃はどこかしらの街宣車が陣取り、騒音を垂れ流している路肩には、いまは機動隊のバスの姿しかない。改札口付近では見張り台に載った警官が立哨しており、防石ヘルメットを装着した機動隊員の姿もちらほら見える。低空を飛ぶヘリが殺気立ったローター音を振りまく中、交番前に立つ初老の巡査長も険しい目を通行人に注いでいて、迂闊に道など尋ねられない風情だ。

中東テロ組織の日本標的宣言があって以降、すっかり目に馴染んだ感のある特別警備の光景だったが、警官たちの間に流れる切迫した空気、張り詰めた緊張はこれまでとは異なる。十一人の死者と、重態を含む三十七人もの重軽傷者を出した事件を眼前にして、多くの警官たちは真実、死と隣り合わせの立場にある自らを認識し始めている。事件後、『民間人に死者が出なかったのは不幸中の幸い』と語り、殉職警官への弔意を後回しにして非難された官房長官をよそに、いまこの瞬間にも銃を乱射するかもしれない犯人を警戒し、道行く人々を潜在的な脅威と捉える心根が育ちつつある。

拳銃は常時、弾丸をフル装塡することとし、誤射防止のため引き金に嚙ませた詰め物も除去。不審人物への職質は二名一組の原則を徹底し、一名は反撃に備えていつでも発砲できる態勢を整えておくこと――全国警察本部に配信された長官通達がマスコミに漏れ、左寄りの新聞や雑誌が騒いでも、気に留める者はほとんどいなくなった。国民の関心は、新宿・歌舞伎町のビル屋上に降下して以降、完全に途絶えた犯人たちの足取りであり、〝SATに射殺された〟被疑者の身元であって、他の事柄は事件に付随する枝葉でしかない。未曾有のローラー作戦で令状なしの家宅捜索が行われようが、手入れと勘違いした中国系マフィアが咄嗟に刃物を抜き、フル装備のSAT隊員に首の骨を折られようが、お馴染みの警察批判に火がつく気配はなかった。むしろ、警察や自衛隊をがんじがらめにする法体系の不備を批判し、下手に人権を叫ぼうものなら非難される空気さえあった。

平時には無責任に口にできた批判や非難が、いまや生死の重みを伴って直接わが身に返ってくる。9・11以来、北朝鮮拉致問題、イラク戦争を経て、少しずつ変わってきた日本人の心性が、ここに来て劇的に曲がり角を曲がろうとしている朧な感触があったが、それについても特にどうといった感慨を持てず、朋希は不穏な雑踏にぽつねんと立ち尽くした。

貴重な情報源になり得る勝良を射殺したのは、正当な事由があってのことか否か。並河にも見抜かれたぐらいなのだから、市ヶ谷が疑いを持つのは当然だった。合同捜査本部から外され、関東生命本社ビルで事実上の謹慎を言い渡されたのが事件の翌日。その間、事態から切り離され、市ヶ谷と桜田門の醜悪な責任転嫁合戦に関わらずに済んだのは、ささやかな幸運と言える。結局、いち早くローズダストの目論見を看破した功績と相殺され、現場復帰が認められたのだったが、朋希にはどうでもいい話だった。

自分が関わろうが関わるまいが、なんの影響もなかった。それどころか、中途半端にローズダストを追い詰め、事態を悪化させる結果になった。無関係の多くの人々、恵理まで巻き込んで傷つけてしまった。そう考えると、断線した神経がびりびりと震え、頭が砕けるまで壁に叩きつけたい衝動に駆られたが、経験上、心を閉じればやり過ごせる痛みであることを朋希は知っていた。

だから、なにも考えないし、感じない。『オペレーションLP』を破滅に導いた三人の元幹部が、残らず死んだことも。復讐を果たした〝奴〟が、いまなにを考え、次にどう出るかも。死に際、勝良の目に滲んだ涙の意味も。自分の復帰に関して、羽住がかなりの骨折りをしたのは承知だが、礼を言う筋合いの話ではないし、その気もない。朋希は、「わかりました」と話を打ち切る声を出した。そのまま携帯を切ろうとして、(丹原)と続いた羽住の声に呼び止められた。

(おまえは、間違ったことはしてない。それは忘れるな)

自分自身に言い聞かせるような声は、四年前にも聞いた覚えがあった。ずんと重みを増した胸から目を逸らし、朋希は無言で携帯を切った。

(被害者の数が多いとか少ないとか、数字の問題じゃないでしょう。日本赤軍とか神泉教とか、これまでもっと多くの被害を出したテロはありましたし、イラク戦争以来のテロ騒ぎも収まったわけじゃない。問題は、これが日本一国を狙ったテロ、おそらくは二国間の外交の延長線上にあるテロだということです。イラクの時みたいに、アメリカの切り崩しを狙った当て馬的なテロではない。すべて我が国だけで引き受けなければならない問題なんです。だとしたら、我々も覚悟を固める必要がある。いまこそ一国対応できる力を手に入れなきゃならない。相手は人さらいでも強盗でも平気でやる無法者なんです。戦争放棄だのなんだの、憲法解釈の言葉遊びにこだわってたら、次はなにをされるかわかったもんじゃありませんよ!?）

　街頭ビジョンの中で、馴染みの評論家が喋っていた。センター街の入口にあるＱフロントの街頭ビジョンには、映画の予告に続いて女ニュースキャスターのバストショット。（情報検索サービス・ダイナソーに対するサイバーテロで、いまだ障害の残るインターネットですが、警察庁は今日、同様事件の再発を防ぐために、暗号規制を柱とするネット監視法の草案を……）（先日、在日朝鮮人総連合会、朝鮮総連の本部ビルが放火された事件を受けて、全国の朝鮮民族学校に特別警備を実施している警察ですが、これに対し、過剰警備であるとの批判が国会で巻き起こり……）と次々に読み上げられるニュースを、信号待ちの人々はぽかんと聞き流している。

　映像、音声、文字。電光掲示板や、ショーウインドに投影されるプロジェクターを介して、ここではさまざまな情報が溢れ返り、反復して人の頭に刷り込まれる。『北、事件はでっちあげと日本を非難』『狙いはＴＰｅｘ（ティーペックス）　米国防シンクタンクが断定』『日本海にイージス艦集中配備　首相「お台場テロとは無関係」』『「今こそ好機と捉えよ」中根元首相　戦後の総決算の時期に来ている』『自衛隊活動いまだ高い壁　国民保護法制に基づく緊急対処事態の発令も視野に』――。

　氾濫（はんらん）する言葉、言葉、言葉。息を塞（ふさ）がれたような錯覚にとらわれ、朋希は陰鬱な曇天を見上げた。そう、確かにこの国は曲がり角を曲がろうとしている。が、その先にあるものはなんだ？

信号が変わり、人々は一斉に歩き出す。朋希はその波から取り残され、独り道端に立ち尽くす。どうしよう、三佳。こんなに言葉が溢れているのに、〝新しい言葉〟は少しも聞こえてこない。

2

「おい、アクトの会長がテレビに出てるぞ！」

誰かの発したその一声で、公安四課の大部屋がざわりと揺れた。

がたがたと慌ただしく椅子を蹴る音がそのあとに続き、部屋に残っていた課員の背中が手近なテレビに駆け寄ってゆく。ワイシャツのボタンをとめるのを中断して、並河も急ぎロッカーの前を離れた。じっとり湿った上着をひっつかみ、ロッカーの扉を後ろ足で蹴り閉め、複数の頭が群がるテレビの前に駆けつける。

（まず最初に、アクトグループの最高責任者といたしまして、これまでいっさいのマスコミ取材を固辞してきましたことをお詫びいたします。そうせざるを得ない状況が内外にありました。実を言いますと、このテレビ出演についても、自粛せよとの勧告をある方面から受けております。しかし、一連のテロ事件が明らかに弊社を標的としており、また弊社の社員のみならず、多数の警察官や一般の方々までが死傷しておられる以上、社を代表してなんらかの弁を発する責任があると考えました）

一連の事件報道が生み出したスターコメンテーター、矢島と佐伯の両者に挟まれ、若杉直純はカメラに据えた目を動かさずに言う。若干そげた頰にこの二週間あまりの焦燥が窺えるが、ひと目で最高級品とわかる背広の着こなしに隙はなく、一語一語が耳に沁み入る独特の声音も落ち着き払っている。ロッカーに常備してある予備のネクタイを締めつつ、並河は液晶ディスプレイに映えるネット財閥の主を凝視した。眼鏡のレンズごしにこちらを見返す黒い瞳は、本社ビルの講演会場で見た時と同様、中身の見えない不動の石という印象を脳裏に残した。

（いまも外には多数の警察車両が待機していまして、スタジオ内でも警備の警察官の方々が目を光らせています。まさに厳戒態勢の中での生放送という感じなんですが、若杉会長、いま現在の率直な心境はいかがですか？）

（怒り、ですね。そのひと言に尽きます。我が社が標的であるなら、犯人はなぜわたしのところに来ないのかと言いたい。社員を狙い、あまつさえ警察や無関係の方々を巻き添えにするというのは、卑劣の極みです。確かにわたしは厳重警備下に置かれていますが、それは服部社長にしても同じことだった。なぜわたしを狙わないのか。もし脅迫のつもりなら、まったくの逆効果だと言わせてもらう。わたしは断じてこのようなテロには屈しない。身命を賭けて最後まで戦い抜きます）

『緊急生出演・アクトグループ若杉会長　テロ事件の真相を激白』のテロップごしに、微かに充血した若杉の目がアップで映し出される。声、表情、すべてが怒りを訴えているのに、瞳の表面にかかった固い被膜は剝がれ落ちる気配がない。警察庁指定の最重要警護対象者がテレビに出ている現実よりなにより、その嘘寒い目の光に違和感を覚えた並河は、「インパクトでかいなあ」と傍らに発した長閑な声に振り返った。

河村だった。昨夜は泊まり込みでもしたのか、茶髪の下の顔にはめずらしく無精髭が浮き出ている。警察長官をして『歴史的な敗北』と言わしめたお台場テロ以来、部署を問わずに総動員態勢がかかっていれば、資料担当の公四課員ものんびりした顔はしていられないというところか。特にいまは、在日朝総連本部の焼き討ち事件を始め、二係が所掌する右翼関係の犯行が頻発している時だ。

目を合わせるや、河村は「サッチョウ的には、これってアリなんですか？」と探る目を向けてきた。並河は口もとをひん曲げてそれに応じた。

アリなはずはない。警護による物理的な拘束の他、若杉には政財界経由のさまざまなバイアスがかけられている。常識的にはテレビ出演など考えられないが、サッチョウはこの事態を了解しているのか否か。合同捜査本部でもみそっかす扱いの身にわかる話ではなく、並河は憮然とした顔をテレビに向け直した。

（最初の事件、赤坂フォルクスビルで爆破テロが起こったのが今月六日。その日の夜には第二の事件、青海ポセイドンシティ建設用地での爆破テロがあり、十六日には日本中を震撼させたお台場テロ事件が起こりました）

どしゃ降りのスプリンクラーの中、出口を求めて右往左往する群衆が画面に映し出される。短機関銃の眩い銃火が画面に焼きつくと、人の塊が一斉にうずくまり、逃げ遅れた何人かが弾き飛ばされるように倒れる。防犯カメラが捉えた事件現場のＶＴＲを背に、タレントもどきのアナウンサーが神妙な面持ちで続けた。

（特に最後の事件では、警察官・民間人にも多数の死傷者が出たわけですが、犯人が一貫して狙っているのはアクトグループです。すでに関連会社の社長や取締役の方々三名が犠牲になられ、お台場テロと同時に起こったサイバーテロでは、ダイナソーを始めとするコンピュータ・ネットも被害を受けました。この間、警察の捜査はなんら進展しておらず、お台場テロで射殺された犯人の身元についても、いまだ調査中としてマスコミへの発表はありません。そのためにさまざまな憶測が乱れ飛んでいるのですが、若杉会長、いかがでしょう。会長の耳には、我々が知る以上の捜査情報が入ってきているかと思います。もちろん、我々には警察の捜査を邪魔する意図はありませんが、社の代表として弁を発する責任があるとおっしゃるのであれば、会長が話してもいいと思われる範囲で、我々になにか考えるヒントを与えてはもらえないでしょうか？）

（わかりました。しかしおっしゃられたように、捜査の妨げになるのはわたしの本意ではありません。ですから、弊社の問題に関することに限定してお話しします。まず犯人の正体、目的についてですが、これについてはわたしどもも明確にはわかっておりません。ただ一点、事件が起きる数週間ほど前に、ＴＰｅｘ（ティーペックス）を買い付けたいとの打診が某国からあったと報道されておりますが、これは大筋において事実であることを認めます）

テレビの前に集まった課員らの頭が一斉に動き、倦（う）んだ吐息や舌打ちの音がそこここで漏れた。マスコミ報道に躍る北朝鮮の三文字をよそに、本命は神泉教と言い含められてきた現場の疑念が、最悪の形で実証された瞬間だった。

半ば既成事実として了解されていることでも、当事者の口から語られた衝撃は大きい。これでまた世論が動く。合同捜査本部も方針変更を余儀なくされる。顔色をなくし、（その、某国というのは……）と呻（うめ）くように言ったアナウンサーに、若杉は（ご想像にお任せします）と落ち着いた声で応じていた。

（大変な情報が飛び出してまいりましたが、佐伯さん、どうなんでしょう。では犯行グループの狙いは、ＴＰｅｘにあると考えてよいのでしょうか？）

（もしそうなら、これは信じられないほど野蛮で、幼稚な犯行だと言うしかありませんね。アクトグループは、もちろんその某国からの申し出を断ったのでしょうが、それがこのような形で報復されるというのは……。テロと言うより、暴力団の嫌がらせと言った方がまだ近い。会長、犯人からなんらかの脅迫状のようなものは届いているんですか？）

（それについては、捜査に差し障りますのでコメントは控えさせていただきますが、警察が当初よりＴＰｅｘの警備に主眼を置いていたことは事実です。ご承知の通り、ＴＰｅｘは防衛庁の導入が見送られたもので、その管理権は弊社に属しております。現存する資料は厳重なセキュリティによって守られ、いまは警察の方々が二十四時間態勢で警備をしてくれています。先日のサイバーテロで、セキュリティシステムがウィルスに感染した可能性を考慮して、システムの書き換え作業も進んでおります。一部の報道には、弊社がテロに屈して、某国との裏取引を進めるのではないかと懸念する向きもありますが、そんな事実は毛頭ありません。わたしはいま、家族と離れて、本社ビルで寝泊まりしています。身を隠した方がよいとの勧告を押してそうしているのは、テロには屈せずの意志を犯人たちに知らしめるためです。結果的に導入は見送られましたが、これはＴＰｅｘをもって国防産業に携わった者の自己責任ですし、弊社の社員もこれには賛同してくれているものと信じております）

（ですが、事件以来、アクトグループの株価は低迷しており、先日のサイバーテロでは十億単位の損害を被ったとの報道もあります。一代でインターネット財閥と呼ばれる巨大企業を築いた若杉会長としては、苦渋の日々が続いていることと思われますが、矢島さん、もしこれがＴＰｅｘ獲得を目的とする某国のテロだとするなら、日本は今後どのような対策を立てていけばいいのでしょう？）

（その前に会長にお伺いしたいのですが、会長は、現在の警察力を主体とする防備でテロを防げるとお考えですか？）

（その質問に関しては、わたしの見解よりも現実の推移が多くを語っていると思います。これは日本の警察が非力だということではなく、こうした事態に対する法的整備が不完全であることの証明でしょう。イラクの自衛隊派遣以降、国内テロを想定した法的整備は行われていて、十年前に較べれば日本の対応能力は向上しているかと思います。しかし、先ほど矢島さんもおっしゃっておられましたが、これはアルカイダのような、日米同盟の延長線上にある当て馬的なテロとは本質的に異なる。相手は匿名のテロリスト集団ではなく、特定の国家を背景に持つ武装集団です。それが日本国内にある弊社に攻撃を仕掛けてきたのです。その事実が意味するところは、もはや一企業の先行きに終始する問題ではないと考えます。武器を持って無断で国境を越えてきたのなら、それはもう戦争行為である、という認識を我々は持つべきなのではないでしょうか？

この認識を、意識的にも無意識的にも遠ざけてきた結果が、現在の混乱を招いているのだとわたしは思います。この期に及んで、某国などというもったいぶった言い回しをしなければならないのも……いえ、わたしがこの番組に出ること自体が掟破り（おきて）で、これまでいっさい口を閉じてこなければならなかったのも、日本が宣戦布告なき攻撃にさらされているのだという現実を、認めたくない人が大勢いるからです。だから相手の名前を口にできず、あくまでも犯罪と規定して警察力で対処しようとする。戦争を仕掛けられているのに、それでは敵う（かな）道理がありません。ひとつの国家として、相手に毅然と立ち向かう姿勢がなぜ取れないのか。決して容認していいことではありませんが、在日朝鮮総連に対する焼き討ち事件のようなことが起こっているのも、そうした国の不明が国民にストレスを感じさせている証明でしょう）

（先日の国会でも論議になりましたが、今後、この事態に関してアメリカ政府はどう動くとお考えですか？）

（わたしは外交の専門家ではありませんから、水面下の動きについてまではなんとも申せません。しかし利益追求を旨とする企業家の観点からすると、現状、アメリカが積極的に事態に介入してくることはないと思います。対中問題もありますし、中東一の産油国であるイラクと違って、某国には軍事介入のコストを支えるだけの経済的価値がありませんから。つまり、現時点においては、この問題に関して日米の利益が一致する点はなにもないのです。

ドイツと並んで、日本は海外における米軍の最大拠点です。ですから今後、某国の干渉がエスカレートすれば対処行動を取るでしょうが、一義とされるのは在日基地の防衛、すなわち自国の利益防衛であって、日本国民の生命と財産は二義的な意味しか持たない。

国会でも議論になった通り、確かに日本政府はイラクに自衛隊を送りましたが、それは将来的な石油確保という問題について、日米の利益が一致したから実施されたことです。決して日米同盟にこだわったからではないし、まして人道支援や国際貢献なんて話でもない。この国際政治のリアリズムを直視した上で、我々は目の前の事態に対処していく必要があると思います）

論旨がずれ始めている。これは事前に打ち合わせた流れか？　という疑念が頭をもたげたが、不思議と耳に残る若杉の声を遮るほどのものではなかった。テレビに吸い寄せられた目を動かすこともできず、並河はアップで捉えられた若杉の顔を見つめ続けた。

（他人を当てにはできないし、話し合いで解決できることは限られている。自分の問題は自分で解決しなければならない、ということです。アメリカは世界の警察だと言いますが、この十年間に彼らがしてきたことはなんです？　アルカイダのようなケチなテロリスト集団を相手に、世界中の自由が脅かされているなどと喧伝して、地球規模の戦争状態を制度化しただけでしょう。問題を解決せず、生かさず殺さずの小規模な緊張状態を維持し続けることで、彼らは自らの軍事力を誇示する場を作ってきたのです。そしてその混乱を収拾できないいまま、いままた中国との間に緊張状態を作り出している。日本の危機を尻目にして、です。かかる状況にあって、それでもアメリカの力を借りねばなにもできないというのなら、これはもう悲劇です。亡くなられた被害者の方々、ご遺族に顔向けができません。アメリカの支配構造から抜け出して、対等なパートナーとして手を結び直すためにも、この問題は日本にとって試金石になるんじゃないでしょうか？)

軽く肘をつっつかれ、「ヤバくないですか？」と声をかけられた拍子に、テレビに吸い込まれていた意識が体に戻った。並河は目をしばたたき、さりげなく顔を近づけてきた河村を見返した。

「北が本命って、合同本部の方は最初からわかってたんでしょ？　それをこんな形でリークされたんじゃ……。ここにいると、フクロにされかねませんよ」

見当違いの穴を掘らされてきた忿懣を押し殺し、殺気立った目をテレビに向ける同僚たちの顔を一瞥して、河村は小声で囁く。少しひやりとしながらも、並河は「知るか」と応じた。

「若杉がテレビに出るなんて、おれだって寝耳に水の話だ」

「他の連中はそうは思いませんよ。……どうしたんです？」

湿って色の変わった並河の上着を認め、河村は怪訝な顔になった。久々に公四のオフィスに足を運んだのは、濡れたネクタイとワイシャツを取り替えるためだが、替えのない上着ばかりはどうしようもない。並河は「水、ぶっかけられた」と短く答えた。

「誰に」

「服部宅に詰めてたSITの主任。見舞いに行ったらいきなり……。部下が死んだのは、おまえらの秘密主義のせいだとさ」

主任自らも瓦礫の下敷きになり、病院のベッドから動けない状態でなければ、コップの水をひっかけられるぐらいでは済まなかっただろう。「そりゃあ……」と呟き、河村は気まずそうに視線を逸らした。並河は並河で、その若い横顔に木下巡査部長のそれを重ね合わせ、いったんは収めた感情がじくじくと疼くのを感じた。

爆死した服部のそばにいたために、遺体はほとんど四散状態だったという。最初の事件が起こった時、文句を言いつつも自分を現場に立ち入らせてくれた木下。結局、借りは返せなかったか……。

（それは、日本の再軍備が急務であるということでしょうか？）

（そういう言い方をすると拒否反応を示す方もいらっしゃいますから、こう言い直しましょう。必要なのは、日本が自国の立場を表明し、意見を言えるようになることです。そのために最低限の力が必要なら、これは備えなければならない。たとえば、日本同様に米軍の一大拠点でありながら、イラク戦争に断固として異議を唱えたドイツ。ドイツとともにEUの旗頭であるフランスは、自分の意見を言えるだけの力を持っていたがために、アメリカにノーと言うことができました。もし日本に同じことをするだけの力があったら、歴史はその時点で変わっていたかもしれません。

再軍備とか、ナショナリズムという言葉を右翼的と捉えて、嫌悪する風潮はいい加減やめにしたいですね。それは戦後の占領政策、冷戦構造の中で培われた誤った解釈であって、右翼的であることが狂信的、タカ派的であるというイメージは間違っている。自国の伝統や美点を尊重するという本来の意味において、いまは正しく右翼的であることが求められているのではないでしょうか？　左翼思想の残滓にすがりついて、実のない平和主義を唱え続ける人がいるのだとしたら、その人こそ原理主義的な保守、悪しき右翼です。ですからいま、右翼を標榜して、在日朝鮮人の方々に不当な嫌がらせをしている一部の人たちに言いたい。すぐにそんな姑息な真似はやめて、世界に目を向けるようにと。あなた方の行為は、日本人がせっかく取り戻しかけているナショナリズムを汚し、誤解を助長する結果にしかならない。右翼という言葉にまとわりつくいかがわしさを払い、正しいナショナリズムを取り戻してこそ、いまの問題に対する力も取り戻せるのですから）

「なんにしろ、これで振り出しだ」

若杉の独演会となったテレビを眺め、河村がぽつりと漏らす。並河はちらとその顔を見遣った。

「知ってるでしょう？　神泉教の過激派信者の内偵が進んでて、何人か引っ張れそうなのがいるって。合同に引っこ抜かれた三係の連中が漏らしてたんですけど」

「いや、初耳だ」

「またまた……。上の方じゃ、任意で引っ張る準備が進んでるって聞きましたよ。それとも、マルSのバックに北がついてたってオチなのかなあ」

ローズダストと、その背後に控える北朝鮮から一般の目を遠ざけるべく、当座のカバーに使われた神泉教。そこから被疑者が特定されるという話は、部内で燻る疑念を解消するために流された噂だとしても、ひどく突飛で不穏な感触を並河に残した。

ローズダストのメンバーの顔写真を公表し、神泉教過激派信者と粉飾して公開捜査に切り替える案は以前にも出たが、現実にマルS担当の三係が特定作業に関わっている以上、それとは別件の話である可能性が高い。北の関与が常識となって世間に流布している時に、いまさらそんな噂を流してなんの意味があるのか。唐突にすぎる若杉のテレビ出演といい、なにかある。知らないところでなにかが動き出そうとしている。

並河は携帯電話を取り出し、液晶画面に目を落とした。考えなしに登録メモリーを繰り、丹原朋希の番号を表示させたところで、通話ボタンにやりかけた親指を止めた。

(わたしは、日本は敗戦によって言葉を失ったのだと思っています。言語という意味ではなく、自らを表明するための言葉をです。しかし9・11テロ以来の激動は、我々に自分の言葉を取り戻せと働きかけているように思います。戦後日本の精神的な父、いまは攻撃的で無責任な国に成り果てたアメリカに対して、それは間違っていると意見できる言葉を。イラク戦争が実証したように、アメリカはパクス・アメリカーナを実現できるだけの軍事力、言葉を持ち合わせていない。彼らはすでに、冷戦で肥え太った経済、軍事的威信を支えられなくなっていて、ソ連に十五年遅れて解体の道をたどっているのですから)

お台場テロ以降、朋希は合同捜査本部から外され、連絡は完全に途絶えている。羽住は変わらず日毎の幹部会議に顔を出しており、勝良射殺の一件が穏便に処理されそうだという話は聞いたが、朋希と直接話す機会はなく、またその気にもなれないというのが並河の本音だった。

不用意にローズダストを追い詰め、イベントの見物客でごった返すお台場を戦場にした非は、誰が負うべきか。責任転嫁の舌戦は激しく、桜田門と市ヶ谷の相克はいよいよ深く、事件の当事者としては迂闊に連絡も取れない空気があったが、それが理由ではない。あの夜、勝良の遺体の前に立ち尽くす朋希を見た時から、なにかが変わった。一度は繋がりかけたなにかが切れ、初めて会った時より分厚い壁が自分と七五三とを隔てるようになった。朋希が立てた壁か、自分の方が立てた壁か、答はおそらく半々だろうが、それを乗り越えてでも声をかける気力は、いまの並河にはちょっと持てそうにもなかった。

どだい、いまは他に気を回さねばならないことがある。その準備で忙殺されているのは確かであり、恵理の見舞いにも満足に行けないのが並河の立場ではあった。入院中の娘と向き合う時間も持てないのに、住む世界が異なる他人の相手など……。

（帝国としてのアメリカは、その役目を終えつつあります。そして日本には、ナショナリズムという名の〝風〟が吹いている。このタイミングの一致は偶然でしょうか？　わたしは、世界が変革の時を迎えているのだと思います。それぞれの国家がそれぞれの役割を果たす、パクス・アメリカーナ以後の並列化した新世界においては、日本もまた独自の言葉を持つ国家でなければならない。中国も含めて、世界は日本が健全な外交能力を取り戻すことを望んでいます。我々が言葉を発するのを待っているのです。我々にしか語れない、我々だからこそ語れる言葉。それはもしかしたら、新しい秩序のモデルを世界に提示するものになるかもしれない。その試みは、実はすでに始まっています。

この事態に対する方策を模索する一方、弊社は日本政府に協力して、アジアを中心とする対テロ閣僚会議の準備を進めています。これは従来のアジア太平洋経済協力会議（APEC）を前進させて、EUとの連携を視野に入れた新秩序の構築を目的とするもので、会場は青海の弊社ビルを提供させていただく予定です。わたしが本社ビルを離れずにいるのは、この準備に追われているためでもあります）

その場にいる全員が息を呑み、何人かがテレビの前を離れて電話に取りつく気配が伝わった。アメリカ抜きの対テロ閣僚会議、しかも重要防護施設での開催とくれば、会長ひとりの伊達（だて）や酔狂では済まされない。思い出したように電話が鳴り始め、「若杉関係の資料、担当は誰だ!?」「確認とれ、確認！」と怒号が飛び交う中、「マジかよ、このおっさん……」と呻いた河村もあわてて自分の席へ戻ってゆく。並河は急に少なくなった頭ごしにテレビを見つめ続け、周囲の動揺とはまったく別の、自分でも判然としない胸騒ぎにとらわれていた。

ナショナリズムという名の〝風〟。同じような言葉を、つい最近、別の口から聞かされたような気がする。あれは確か――。

「並河」

不意に呼びかけられ、つかまえかけた答が霧散した。並河は首をめぐらし、オフィスの戸口に立つ関口係長と顔を合わせた。

にこりともせずにこちらを見据える関口の隣には、緑川公四課長の青白い顔もある。そろって表情をこわ張らせ、黙然と突き立つばかりの二人を見返した並河は、その背後に立つ男に気づいて近寄りかけた足を止めた。

〝チヨダの校長〟千束理事官もまた、無言の目を並河に投げかけている。そろそろ開始か。午後三時二十分の時刻を腕時計に確かめ、ひとつ息を吐き出した並河は、意識して背筋をのばした。千束の視線を正面に受け止め、止めていた足を動かす。

(テロの標的とされている場所で、新世界の指針となる対テロ会議を行う。狂気の沙汰と思われるかもしれませんが、この行為に世界の、また日本の決意が明確に表れるものと信じる次第です。世界はグローバリズムに代わる新たな秩序を求めており、実直かつ優秀な警察に代表される日本の国民的資質、極めて効率的な経済システムは、それを提供できる潜在能力が日本にあることを示唆しています。いまこそ自国の文化と伝統に誇りを持ち、自らの言葉を取り戻すべき時がきているのではないでしょうか)

若杉の声が続いていた。揺れている振り子を一方に振り切らせるような、不穏なうねりをその声音に感じながら、並河は千束たちのもとに歩いていった。このさき事態がどう動こうとも、いまの自分にはやるべき仕事がある。それが公安の脂身にしかできない仕事だというなら、やってみせるしかない。それぐらいしかできないんだ、と並河は宛先不明の言い訳を胸中に紡いだ。自分の人生を背負うのが精一杯で、世界や国はもちろん、ひとりの人間を背負う力も自分にはないのだから。

※

こういうところが、粗忽者の粗忽者たる所以だ。あけぼの橋通りから続く坂を昇りきり、東京女子医大病院の正門を目の前にした朋希は、つくづく我が身の不明を痛感していた。

正門前の通りにはテレビ局の中継車やバンが並び、正門から人や車が出てくるたび、道端に待機するカメラマンたちの目が険しさを増す。携帯電話を手にするディレクターらしき男たちは、見舞客を装った偵察係や知己の医師、病院職員と連絡を取り、取材対象の動向を把握するのに余念がないのだろう。駐車場には数台のパトカーが停まり、玄関前に立哨する制服警官が目を光らせてはいるが、報道陣は敷地内にも入り込んでいる。玄関先に停めたワゴン車の運転手もそのひとりらしく、見咎(みとが)めた警備員と口論になり、駆けつけた警官が間に入る一幕も見られた。

重傷軽傷を問わず、お台場テロで負傷した民間人は、その大半が東京女子医大病院に収容されている。各テレビ局が連日のように特番を組み、現場に居合わせた者たちのコメントや、CG図解による事件経過をくり返し流していれば、被害者たちのその後を捉えたVTRは値千金の価値を持つ。少し考えればわかりそうなものなのに、病院がマスコミ包囲の渦中にある可能性を考慮せず、のこのここまで来てしまうとは。殺気立った空気に追い立てられ、とりあえず玄関前まで足を進めた朋希は、整然と並ぶ病室の窓に所在のない目を注いだ。

恵理の病室がどこにあるのかもわからず、秋晴れの陽光を映した窓がぎらりと硬質な輝きを放ち、漫然と立ち尽くす体を押し返すようにする。駅前で買った花束を握りしめながら、だいたい会ってどうする気だ、と朋希は自分に問いかけてみた。

今日付けで謹慎が解けると聞いた瞬間、一度くらい見舞いに行かねばと思い立ったのだが、なぜそういう気になったのかはわからない。恵理がお台場のイベントに出かけると言った時、是が非でも止めておけばよかったという後悔はあるものの、それはいまさら言っても始まらないことだ。いったいおまえはなにを話すつもりだ？　おまえは彼女になんの益ももたらさない。無様で、血まみれで、過去を清算する時間しか持ち合わせていないくせに。その醜い姿を彼女に、並河に見られたことを恥じているくせに。おまえはなぜ、性懲りもなく彼女の前に姿をさらそうとする？

わからない。わからないと認めた上で、しかしあの一瞬——アクアシティお台場で入江一功と対峙した一瞬、自分は銃を抜くのを後回しにして、恵理を突き飛ばしたのだと朋希は思い出した。

反撃の機会を失うとわかっていながら、あの時の自分は恵理の防御を優先した。ローズダストという過去を清算するためにのみ生き、呼吸することを許されている肉体が、いきなり反乱を起こしたかのように。すべてが突発的で、自分の行動を順序立てて説明するのも困難な一夜の中で、それだけは確かなことだ……と思う。

当時は咀嚼する間もなく、記憶の片隅に追いやられていた〝あの一瞬〟が、いま頃になって意味を訴え始める。それはつまり、自分の中に制御不能な感情が芽生えつつあるということであり、無視するにせよ押さえ込むにせよ、なんらかの対処策を講じなければならない。現場に復帰する前にその中身を検証し、同様事態の再発を防ぐ必要があったが、そんな理屈でここにいる自分が正当化できるとは思えなかった。玄関に視線を戻し、訝しげにこちらを注視する警官と目を合わせた朋希は、進退窮まった体を無意味に硬直させた。

合同捜査本部の名前を出せば病室には行けるだろうが、本部に照会され、ここに来たことが羽住に露見するのは避けたい。付き添いで来ている並河の奥さんに取り次いでもらうのにも、警官たちに身分証明をする必要がありそうだ。あれこれ考えるうちに情けない気分になり、やっぱり帰ろう……と背を向けかけた時だった。「丹原さん！」と知った声が背中を打ち、朋希はぎょっと振り返った。

制服警官の陰に隠れるようにして、奥さんのまる顔がしきりに手を振っていた。「こっちこっち、早く」と奥さんが手招きするや否や、どこからともなく現れた数人のカメラマンが玄関を囲み、隠し持っていたデジタルカメラのレンズを向ける。「撮らないで！　敷地内は撮影禁止です」と怒鳴った警備員が駆け寄り、奥さんがあわてて自動ドアの向こうに待避するのを見た朋希は、反射的に足を動かした。レンズの放列から顔をかばい、警官の脇をすり抜けて自動ドアをくぐる。

ハンドバッグで顔を隠しつつ、自動ドアのガラスごしに表の喧噪を見遣った奥さんは、「こっちよ。ついてきて」とこわ張った顔で言い、朋希の返事を待たずに歩き出した。外来受付の広いロビーを足早に横切り、エレベーターホールに向かう。ホールで立哨している警官に、「主人と一緒に働いてる人です」と耳打ちした奥さんに続いて、朋希は到着した箱に乗り込んだ。若い巡査がすかさず扉の前に立ち、あとから入ろうとした見舞客らを制止する。「申しわけありませんが、次のエレベーターに乗ってください」と言った巡査の背中を見、不満顔の客らに深々と頭を下げる奥さんを見た朋希は、意外ななりゆきに目を白黒させた。

扉が閉まり、エレベーターが動き出すと、奥さんはようやく顔を上げた。ほっと息をつき、「びっくりしたでしょう。入院してからずっとこんな調子。もうやんなっちゃう」と疲れた笑みを浮かべる。ただ頷くしかない朋希に、奥さんはこの五日間の経緯を話した。

恵理の身元、すなわち現職警察官の娘であることがマスコミに漏れ、一律に取材対象となる被害者の中において、別格の注目を浴びそうな気配があるのだという。まだ表沙汰にはなっていないが、マークしている週刊誌は一誌や二誌ではなく、病室に忍んで写真を撮ろうとした輩もいたらしい。公安筋が伝えてきた情報によると、テレビ放映は差し止められたものの、恵理と並河が映り込んだ防犯ビデオも流出しており、マスコミと警察との間で水面下の攻防が続いているのだそうだ。銃弾を受けてうずくまった娘と、我を忘れて発砲した警察官の父親を捉えた映像が、社会的にどう受け止められるか。事が警察の体面にも関わってくる話だけに、警備から弁護士の手配に至るまで、警察もなにかと気を遣ってくれてはいるが、やればやるほど逆効果ということもある――。六階でエレベーターを降り、自販機コーナーの前に朋希を誘った奥さんは、溜まった忿懣を吐き出すように一気に話し終えた。

「警察が情報を出さないもんだから、マスコミもいらいらしてるでしょう？　それで、鬱憤晴らしってこともあって狙われちゃったのよね。ほら、取り上げ方によっては、イラクの人質事件の時みたいに、被害者が叩かれるってこともあるわけじゃない？　青海でテロがあったばかりなのに、警察官の娘がお台場で遊んでたなんて不用心だのなんのって」

「そんなこと言ったら、いまはどこにも出かけられませんよ」

「あたしもそう思うけど。うちの人が私情で発砲したんじゃないかとか、いろいろあるらしいのよ。自分の子供が傷つけられたっていうのに、黙って突っ立ってる親がどこにいるの。よくぞ撃ち返した、あたしだってそうするって言いたいけど、そういうこと言われるのがいちばんまずいって、頭のいい人たちは考えるんでしょうね。恵理の将来に傷がつくようなことがあっちゃ困るし、あたしも言われた通りここに避難してるんだけど、こんなことしてたらかえって注目集めちゃうんじゃないかしら」

もはや怒る気力も尽きたという声音で、奥さんは嘆息混じりに呟く。きちんと物を言えない、何事にも正面から対せない国家のツケが、弱者に回ってきている。四年前と同じだ……と胸の底が波立ったが、どっかり居座る諦念(ていねん)の重石を衝(つ)き動かすには至らなかった。朋希は、「全然知りませんでした……」と低く呟いた。

「心的外傷後ストレス障害(PTSD)の診断って言っても、いつまでも入院してるわけにいかないし、他の患者さんたちにも迷惑でしょう？　それで、しばらくあたしの実家に行こうって話になって。でも、この状態じゃパパラッチとかが追いかけてきそうじゃない？　警察に頼んで、また大げさな警備つけられても困るし」

「はあ」

「だからね、忙しい時に悪いとは思ったんだけど、うちの人に誰か迎えを寄越してって頼んどいたの」

「え?」

「携帯でも全然つかまらなくて、伝言に吹き込んどいたんだけど。ちゃんと聞いててくれたみたいね。丹原さんが来てくれたんなら安心だわ」

「いや、自分は……」と言った時には、奥さんは花束を奪い取り、病室に向かって歩き出していた。「丹原さん、ひとり?」と足を止めずに質した奥さんに、朋希は反射的に頷いてしまった。

「じゃ、あたしは正面玄関の方で囮になるから、あなたは恵理をつれて救急センターの方から出て。受付のところで言って、タクシー呼んでもらって。看護師さんにもちゃんと頼んであるから」

問答無用、という感じだった。病んだ人いきれと消毒臭が入り混じる病院の空気をかき分け、奥さんはずんずん廊下を歩いてゆく。朋希はあわてて追いすがり、トレーを持った看護師と入れ替わりに病室に足を踏み入れた。

警備の便を考えれば、被害者は一ヵ所に集中収容するのが望ましい。入口脇に制服警官が立つ六人収容の大部屋は、軽傷の女性患者ばかりを収容しているようだったが、室内の様子を満足に確かめる間はなかった。窓際のベッドに近づくや、奥さんは「よく知ってる人が迎えに来てくれたわよ」と言い、仕切りのカーテンを一気に開けていたからだ。

すでに普段着に着替え、ベッドの上に腰かけていた恵理と目を合わせた朋希は、考える間もなく会釈をした。少し驚いた顔をしたあと、恵理も立ち上がって小さく会釈を返す。顔色は悪くなく、肩を被覆した包帯もセーターの下に隠れていて、傍目にはまったく健康体に見える。思ったより元気そうな恵理の姿を目の当たりにして、これまでの鬱々とした葛藤が溶けて流れるような、そう感じる自分が許せないような、曰く言いがたい気分を朋希は味わった。

「おばあちゃんちの電話番号、わかってるわね？　駅に着いたら連絡して、迎えにきてもらうのよ」

「ひとりで行けるわよ。子供じゃないんだから」奥さんの繰り言をやんわり受け流した恵理は、「忙しいのに、すみません」ともう一度こちらに頭を下げた。「いえ……」と応じた声が喉に詰まり、朋希は軽く咳払いをした。

「さあ、あたしもあとから行くから。お願いね、丹原さん。病院を出て、無事に電車に乗るまで。もし時間があるなら、実家まで送ってってもらいたいけど……」

「大丈夫だって。あんまり無理なこと言わないの。……そのお花、丹原さんが？」

母親が手にした花束を見、恵理が言う。退院の付き添いにきた人間が、わざわざ花を買ってくる道理はない。いまこそ本当のことを言わねばと思ったが、「カモフラージュのためよ。ねえ？」と奥さんに言われ、「じゃ、せっかくだから退院祝いにもらっちゃおうかな」と恵理が続ければ、そのチャンスはなくなっていた。奥さんから花束を受け取り、「ありがとう」と微笑んだ恵理にどうにか頷いた朋希は、真実、いたたまれない数秒間を漂った。

「じゃ、行きましょうか」と元気のいい看護師の声が発し、朋希は救われた思いで二人の間から抜け出した。恵理のショルダーバッグを担ぎ上げ、「持てますよ」という声を無視して奥さんに向き直る。「あの……」と言いかけた途端、「お願いします」と奥さんに頭を下げられ、こうなりゃヤケだとバッグを担ぎ直した。

「それじゃ、お先に」とお辞儀をした恵理に、「しっかりね」「マスコミの奴が来たら、今度こそ蹴っ飛ばしてやんな」と他の患者たちが威勢のいい声を返す。「あれ、彼氏？」「違うって」「ちょっと可愛いじゃん。今度紹介してよ」と続くやりとりに背中をくすぐられながら、朋希は足早に病室を出た。

恵理は廊下に出たところでもう一度患者たちに手を振り、立ち番の警官にも「お世話になりました」と頭を下げてから、「お待たせです」とこちらを見た。少しこわ張った笑顔に、押し隠した緊張の色を感じ取った朋希は、多少気を引き締めて廊下を歩き始めた。

看護師に続いて非常階段を降り、救急センターに続く渡り廊下に出る。おれはいったいなにをやっているんだと思う一方、なるようになれという気分もあって、朋希はいつしか細かいことを考えるのをやめにしていた。並河が本当の迎えを寄越すかもしれないが、あとで連絡を入れておけばいい。合同捜査本部に出頭しても、どうせ冷たい目にさらされるだけだ。こうして人の役に立っているらしいなら、その方がよほど有意義じゃないか……と自分を納得させようとして、ふと重苦しい気分にとらわれた。

まただ。また自分の好きに時間を使っている。〝あの一瞬〟がそうだったように、感情に支配された体が勝手に時間を使っている。おれには、過去を清算するための時間しか与えられていないはずなのに。この手で勝良を殺して、それを再確認したばかりなのに。

こんなことでは〝奴〟と戦えない。そう思い、陽光が降り注ぐ渡り廊下の窓に暗い目を向けた時、正面玄関の前に待機するマスコミ陣が朋希の視界に入った。一見してカメラマンとわかる風体の男たちが俄かに動き出し、正門脇で臨戦態勢に入ろうとしている。背広の男がテレビカメラを担いだクルーを先導し、救急センターの方を指してなにごとか叫んでいる姿も見えた。

情報が漏れたらしい。一秒前の葛藤を忘れ、窓際に寄って周辺の様子を見渡した朋希は、「あの、すいません」と先を行く看護師を呼び止めた。換気扇のダクトから湯気を立ち昇らせている一画を指さし、「あれ、厨房ですよね」と確かめる。

「センターの方も見張られてるみたいです。もし厨房を通れるなら、そこから出た方がいい」

厨房の先には、搬出入用の勝手口がある。住宅が建ち並ぶ通りに面しており、来る時にちらと見た限りではマスコミの姿はなかった。心持ち青ざめた顔の看護師に、「通れますか？」と重ねると、看護師は我に返ったように朋希を見返し、「あ、はい、大丈夫だと思います」と頷いた。そのまま病棟側に引き返し始めた看護師を見送り、不安げにこちらを見る恵理に先に行くよう促した朋希は、窓から見える建物の位置関係を把握してから殿についた。

病棟に戻り、業務用エレベーターが到着するのを待つ間、朋希はだいたい頭に入っている首都圏の地図を呼び出し、厨房を抜けたあとの脱出ルートの検討に努めた。勝手口にタクシーを呼びつけると、マスコミに気取られる恐れがある。徒歩であけぼの橋通りまで出て、タクシーをつかまえられるか？　いや、敷地を回り込んで女子医大通りに出れば、大江戸線の若松河田駅はすぐだ。そこから地下鉄に乗る手もあるが、女子医大通りはマスコミに張られている。他に適当な抜け道があったか――。

「怖いんですね」

不意に恵理が口を開き、朋希はそちらを見返した。

「こういう時の丹原さん。普段の時と、気配が全然違うみたい」

「……そうですか？」

「そうですよ」両手で抱えた花束を見下ろし、恵理は微かに笑みを浮かべた。「警察の人っていうより、いっそスパイって感じ」

呆気に取られ、朋希は恵理の横顔をまじまじと見つめた。その後、なぜか可笑しさがこみ上げてきて、なにが可笑しいのかわからないまま、つい吹き出してしまった。

「笑うとこ？」と恵理も笑った。看護師が怪訝な顔を向けるのをよそに、朋希はしばらく声を殺して笑った。ひどく久しぶりに動かした頬に血が通い、全身がほんのり温まるのを感じながら、そう言えばこの五日間、一度も笑っていなかったと気づかされた。

間もなくエレベーターが到着し、無愛想な鉄の扉が開いた。先刻よりいくぶん軽くなった足を踏み出し、朋希は恵理とともにエレベーターに乗り込んだ。

どんな作業にも手順というものがある。とりわけこの作業には、常以上の根気と体力、観察力が要求されるとわかっていた。午後四時、警視庁舎を出た並河は、まずは深呼吸をして肩の凝りをもみほぐした。両のほっぺたを軽くたたき、「よし」とひそかに気合いを入れてから、立哨警官の怪訝な顔を背に地下鉄桜田門駅の構内に降りる。

※

三分と待たずに到着した有楽町線の電車に乗り込み、池袋方面へ向かう。まだ帰宅ラッシュが始まる前の車内はさほど混んでおらず、並河は週刊誌の吊り広告などを眺めつつ漫然と時間を潰した。

金正日や、お台場テロの犯人の写真——防犯カメラの映像を引き伸ばした、ほとんど影だけの代物だ——を背景に躍る文字は、『本誌独占！　拉致被害者特別インタビュー「あの国は平気で嘘をつく」』『着々と進行するテロ計画　北朝鮮工作員さらに十名が日本上陸』等々。本当かね、と苦笑するうちに、電車は永田町、麹町、市ケ谷の駅を通り過ぎ、護国寺のホームに滑り込んだ。ドアが開いても吊り広告の文面を追い続けた並河は、発車を告げるブザーが鳴り、駅員の吹き鳴らす警笛がホームに響き渡った直後、いきなり車内から飛び出した。

押し退けられたドア付近の乗客が白い目を向けるのをよそに、電車の先頭から最後部までをざっと見渡す。あわててドアに手を突っ込み、無理やり降りようとするアホはいない。確かめてから、並河は全力で階段を駆け上がり、脇目も振らずに自動改札を抜けた。そのまま地上出口に続く通路を走り、角を曲がったところで壁際に背中を張りつける。年齢を無視した運動に、どくどくと抗議の声をあげる心臓をなだめながら、それから三分ほど、目の前を行き過ぎる人の顔をじっくり見物した。

地上に出てからは、タクシーを物色するのが次の手順だった。日本交通など、大手のタクシー会社はＮＧ。配車センターに照会されれば一発で行き先が割れ、年甲斐もなく全力疾走した意味がなくなってしまう。駅に隣接する大手出版社の客を当て込み、路肩に寄せている数台のタクシーの中から、並河は個人タクシーを選んで乗り込んだ。行き先を尋ねる初老の運転手に「後楽園」と告げ、バックミラーを凝視する。

音羽通りを南下し始めて一分弱、間に別の車を一台挟み、ぴったり張りついてくるバイクの男がミラーに映った。〝チヨダ〟か、公安一課が擁する追尾専門のバイク部隊か。いずれにせよ、ひとたび作業に入れば都内各所に伏兵を配置し、迅速な引き継ぎで対象の尻に食らいついてくる彼らを引き離すには、地下鉄でやってみせた以上の工夫が入り用になる。江戸川橋を渡り、首都高五号線の高架下にタクシーが入ったところで、並河は反対車線に観察の目を飛ばした。中央分離帯ごしに別のタクシーを見つけ、信号待ちで車が止まった瞬間に「あ、いけね」と大仰な声を出す。

「ごめん、運転手さん。会社に忘れ物してきちゃった。ここで降りるわ」

千円札を渡し、「釣りはいいから」と言い置いて車を降りる。車列を縫い、中央分離帯のガードレールをまたいだ並河は、反対車線で信号待ちをしている個人タクシーに乗り込んだ。中央分離帯は信号の切れ目まで途切れなく続いているので、尾行のバイクはすぐにはUターンできない。フルフェイスのヘルメットの下で、苦虫を嚙み潰しているに違いないバイクの男をにやりと見返してから、並河はバックミラーに意識を集中した。歩道と車道の両方に目を凝らし、二次追尾の影の発見に努める。

　タクシーのナンバーから運転手の携帯の番号を割り出し、基地局を通じておおまかな位置を特定するには、いかに〝チヨダ〟といえども時間がかかる。新たな追尾者が現れる前に、並河はタクシーを降りた。さらに三回タクシーを乗り換え、たっぷり一時間を費やして都内を迷走する。あまりやりすぎると〝本命〟との接触もおぼつかなくなる、と微かに不安を感じないではなかったが、それこそ千束同様、相手の力を見くびった物の考え方だろう。警視庁を出た時から、〝本命〟はすでに並河を監視下に置いている。こちらがすべての追尾者を振り切り、尾行点検を完成させるまで接触はお預けと見ておいた方がよく、作業はまだ始まったばかりという自覚が並河にはあった。

　本命――〝マル六の作業玉〟と接線を持つには、それぐらいの覚悟と根気がいる。まして今回は、『接線は常に一方通行で、こちらからの呼びかけには応じない』はずの大原則を破り、並河の要求に応じての接触だ。千束はいっさいの追尾・視察をつけないと約束したが、それを鵜呑みにするほど並河はお人好しではなく、〝マル六〟が自分以上にシビアで周到な怪物であることは、過去の経緯が証明している。危険を承知で接触に応じたからには、それだけの準備を整えているに違いなく、並河は覚悟を決めて何台目かのタクシーに乗り換えた。

通常、〝マル六〟が接触を求めてくる場合には、まず並河の目につきそうなところ――通勤路の途中にある電柱やポスト、満員電車で視界に入る乗客の持ち物など――に、桔梗(ききょう)の花が飾られる。並河はそれを確認すると同時に、尾行点検に完璧を期し、二十四時間以内になされる〝マル六〟との接触に備える。ちなみに〝マル六〟が桔梗を符牒(ふちょう)に選んだのは、警察庁に登録された〝マル六〟のコードが『キキョウ一』であるからに他ならず、これは門外不出のはずの協力者登録簿原本を、〝マル六〟がなんらかの形で把握していると教える示威行為だった。

お陰で一時、並河は絶えず追尾・視察の対象になり、どこに行くにも〝チヨダ〟の作業班を引き連れていたものだが、〝マル六〟は敏感にそれらの気配を察し、視察者の前では決して接触してこようとせず、尻尾もつかませなかった。無論、個人でできる話ではなく、組織単位のバックアップが存在することは明らかだが、組織の見当はついても、〝マル六〟がどのような意図で公安の作業玉になり、どんな思惑で情報を流しているのかは皆目わからない。〝マル六〟が流す情報には、その属する組織、及び国家にとって不利益にしかならないものも含まれており、すんでのところで日本の国益が救われたことも一度ならずある。それでギブ・アンド・テイクを要求されるならまだしも、〝マル六〟はなんの見返りも求めず、作業玉に徹して無償の提報を続けているのだった――もっとも、見返りに値するような情報を並河が握っている道理もないが。

畢竟(ひっきょう)、正体不明。それが〝マル六〟のすべてであり、ありとあらゆる悪あがきの末、ごり押しをして貴重な情報源を失うのは得策ではないとの判断に達した警察庁(サッチョウ)は、その正体追及を断念した。向こうに話がある時だけ呼ばれ、伝書鳩のごとく情報をもらって帰ってくるという点では、もはや作業玉とは呼べず、並河が獲得・運営しているとも言いがたい。が、〃マル六〃が並河以外の人間を運営者と認めないのも事実であり、こうして自発的接触を試みるからには、公安(ハム)の脂身でも前面に立てるしかないのがサッチョウの立場だった。

　鈴原警備企画課長と千束の特命を受け、並河が接触作業に取りかかったのは、お台場テロの混乱も冷めやらぬ三日前。かつて目印に使われたポイントに桔梗を飾り、こちらから接触の意思をアピールするという手法は、これまでにも幾度か試され、そのたびに一方通行を再確認させられてきたものだが、そこは絶えず予想を裏切ってくれる〃マル六〃のことだった。そんなやり方ではダメだと決めつける千束を嗤(わら)って、〃マル六〃は並河の期待通り、接触に応じるとの返答をきっちり送りつけてきた。

　明日、午後四時以降、都内にて接触に備えられたし――昨日、ネット喫茶経由でEメールを寄越した〃マル六〃が、なにを考えて呼びかけに応じ、どんな方法で接触してくるつもりなのかはわからない。ほぼ十二年にわたって公安・外事を煙に巻いてきた〃マル六〃の考えが、並河の頭で推し量れるものでもなかったが、最初の呼びかけから三日も待たせたのは、接触のための準備期間と見て間違いないだろう。防衛庁情報局(ダイス)が追尾に協力しているとなると厄介だが、この事案に限ってそれはあるまいと並河は見ていた。ここ数日、事件をめぐる情勢は大きく変動しており、〃マル六〃の情報源としての価値はかつてなく高まっている。〃マル六〃が知り得る、その属する国家の本音――日本の外交姿勢を左右する情報を、サッチョウが独占したがらないはずはない。事実、並河はそのために単独の隠密作業を強いられ、入院中の娘も顧みられないまま、合同捜査本部から一歩退いた四日間を過ごしてきたのだ。

今日の昼、SIT主任の見舞いに行けたのだって、たまたま近場に出向いたからだ。他にも幾通りもの接触手段を講じる作業に忙殺され、〝チヨダ〟の張り番に四六時中監視されていれば、この四日間、自由にできる時間はおれにはなかった。朋希と連絡を絶っていたのも……と考えかけ、再び言い訳をしている自分に気づいた並河は、懐の携帯電話がふと重みを増すのを感じた。

位置探知を避けるため、電源は切ってある。急に向こうから連絡があるとも思えないが、通信途絶の最中にあると、その間になにかあったのではないかと疑いたくなるのも人情だった。出がけのごたごたで聞く暇はなかったものの、何件か留守電メッセージがあったような気もする。そう言えば、恵理は今日退院の予定だと二日前に女房が話していたっけか。マスコミが病室に忍び込んでひと騒動あったそうだが、そのへんの処理は公総に任せっきりで——。

「お客さん」

窓外を流れる八丁堀のオフィス街を眺め、つかのま意識を遊離させた時だった。不意に運転手が口を開き、並河は顔を上げた。

「次の信号を曲がったところで、地下駐車場に入ります。迎えの車が着替えを用意してますから、そこで着替えてください」

抑揚のない声が鼓膜に突き通り、心臓を直撃した。並河は咄嗟にダッシュボードの乗務員証に目を走らせ、次いでルームミラーに映る運転手の顔を見た。乗り込んだ時に確かめたのと同じ、取り立てて特徴のない中年男の顔がそこにあった。

「所持品はあとでお返しします」と無表情に続けて、運転手はダッシュボードの物入れからなにかを取り出した。シフトレバーのうしろに置かれたそれは、桔梗の花だった。

来た、か。思ったより早かったなと感想を結び、並河は跳ね上がった心臓を落ち着かせるのに努めた。その間にタクシーは信号の角を左折し、ありふれたテナントビルの地下駐車場に乗り入れた。

三十台も入れば満杯になる駐車場は、出入口に防犯カメラが設置されているものの、常駐の警備員はおらず、磁気カードで開閉するバーが入出庫を管理している。ワンフロア程度の深度しかないが、電波を遮断するには十分なのだろう。運転手は慣れた手つきで読み取り器にカードを通し、白いバンの隣にタクシーを停めた。ほとんど同時にバンのスライディングドアが開き、三十前後と思しき二人の男と、五十がらみの男がタクシーの横に並び立つ。静かな殺気を放つ三十前後の二人を見上げ、いかにも一癖ありそうな五十がらみと視線を交わらせた並河は、促されるままタクシーを降りた。

タクシーの運転手も車から降り、その筋の訓練を受けているとわかる鋭い目を四方にめぐらす。バトン大の電波探知器で頭からつま先までスキャンされたあと、並河はバンの荷台に乗るよう指示され、中に用意された服に着替えさせられた。ジャケット、シャツ、スラックス、すべて新品で、サイズもぴったり合っている。色まで並河好みのものが用意されているあたりは、いかにも〝マル六〟らしい気配りだった。下着まで替えさせられたのには閉口したが、パンツのゴムの部分に発信器が仕込まれた可能性を考慮すれば、仕方のないことと言えた。豆粒大に縮小されて驚いていたのはひと昔前までで、いまや極薄のシール型発信器が出回るご時勢だ。

着替えが終わると、タクシーの運転手は紙袋に収まった並河の衣服を受け取り、車に積んで走り去った。並河は目隠しをされ、窓の塞がれたバンの荷台にあらためて押し込められた。男たちの物腰はあくまで丁重だったが、スイッチひとつで豹変する機械の冷たさが所作の端々に滲んでいた。

暗闇は時間の感覚を狂わせる。記憶しきれないほど右折と左折をくり返し、車が雑踏のさざめきから抜け出したのは三十分後か、一時間後か。段差に乗り上げた車体が上下し、傷んだアスファルトを踏むタイヤの音が聞こえて間もなく、バンは出し抜けに停車した。並河は目隠しをされたまま外に連れ出され、両脇を支える男たちの指示に従って段差を越え、階段を降りた。澱んだ水の臭いが鼻をつき、地面に転がる鉄パイプを蹴ったような気がしたが、廃れた倉庫にせよ工場にせよ、他に場所を特定できる物音はいっさい聞こえなかった。

軋む音を立ててドアが開き、しんと冷えきった空気が体を押し包んだ。並河は目隠しを外され、目の前に置かれた椅子に座るよう指示された。傍らに置かれた机の上でデスクライトが灯り、椅子の周辺にわずかな光の輪を落とすだけで、部屋の全貌は窺えない。振り返ると、男たちの背中は半ば闇に溶け込んでおり、七メートルほど離れた戸口をくぐり抜けるところだった。

ドアの閉まる音を背中に聞きながら、並河は溜め込んだ息を吐き出した。音の反響具合から、かなりの広さがある部屋らしいと当たりをつけたが、それだけだった。床に堆積した埃を借り物の靴で躙り、黴臭い空気を吸い込んだあとは、いっさいの詮索をやめて待つ時間を過ごした。

「お久しぶり」

聞き知った女の声が背後に発し、並河は微かに体を硬直させた。同時に人の気配が立ち上がり、打ちっ放しの床を踏む靴音がゆっくり近づいてくる。「去年の十一月以来だったかしら？」と続いた飾りのない声に、並河も「ああ、一年ぶりだ」と落ち着いた声を返しておいた。

「元気にしてたか？」

「人のことより、自分はどうなの？　お台場ではずいぶんなご活躍だったじゃない」

「なりゆきだよ。知ってるんだろう？」

「ま、それなりにね。よもやあなたが市ヶ谷と関わりになるとは思ってもいなかったけど」

息が触れるほど近づいた声に、香水の色がつく。並河はいつものように最大限の自制心を働かせ、首を動かさずに正面を見つめ続けた。そんな反応を楽しむかのように、声の主は並河のうなじに顔を近づけ、「メッセージ、受け取ったわ」という声を耳元に吹きかけてきた。

「百万本の薔薇ならぬ、百万本の桔梗」

机の上に桔梗の花が差し出され、白いつりがね形の花弁がデスクライトの光に映えた。並河は目だけ動かし、花を差し出す手を視界に収めようとしたが、声の主は自分の手を光にさらすミスを犯してはくれなかった。

ほんの少し首をめぐらせれば、指先くらいは拝めたかもしれない。不意をついて立ち上がり、デスクライトの光を声の主に向けることだって可能だろう。が、それはルール違反であることを並河は承知していた。声の主の顔を見たその瞬間、自分は十二年ごしの宿願を果たすのと引き替えに、おそらく生きてここを出られなくなる。体を押し包む闇は深く、広く、声の主の他にも伏せ手が溶け込んでいないとも限らない。

寡黙に、しかし確実に周囲を取り囲む威圧感を意識の外にして、並河は「どうして応じる気になったんだ？」と気楽な声を出した。「さあ、どうしてかしらね」と、声の主も砕けた調子の返事を寄越した。

「あなたがいつもする質問と同じ答……ってことにしておこうかな」

「どうしておれを選んだのか」

期せずして二人の声が重なり合い、続いて二人分の苦笑が闇をさざめかせた。その勢いに紛れて、「おれに惚れてるんじゃないかって、ひそかに期待してんだけどな」と並河は言ってみる。

「今日もご尊顔は拝せないのかい？」

「秘密が多い方が、男女の仲は長持ちするって言うわよ」

もういちど並河の耳元に息を吹きかけ、声の主は言った。その艶も、静かに漂わせた殺気も、間違いなく〝マル六の作業玉〟のものだった。並河は鼻息をつき、いまだ顔も素姓も知らない旧知の女の気配に意識を凝らした。

※

（アクトグループ代表・若杉直純会長が民放の報道番組に出演し、一連のテロ事件に〝某国〟が関与していると発言した件を受けて、先ほど警察庁が緊急記者会見を行いました。会見に臨んだ菅原警察庁長官は、若杉会長の言動は極めて軽率であると不快の念を表し、捜査に差し障るので詳細は発表できないと述べながらも、テロリストの背後に北朝鮮が関与している可能性について、警察が早期の段階からつかんでいたことを……）

（……を受けて、国会でも紛糾が続いております。代表質問を受けた狭山総理大臣は、アジア対テロ閣僚会議の開催が計画中であることを認め、まだ発表できるようなことはないと述べましたが、会議の実現には国内からテロを排除することが不可欠であり、警察法・自衛隊法の大幅改正を視野に入れたテロ対策の推進を……）

（一方、内閣府が運営するホームページにも書き込みが相次ぎ、過剰アクセスでサーバーが一時ダウンする騒ぎになりました。ＦＮＮの調べによると、書き込みの八割以上が若杉会長の発言を支持しており、中にはＴＰｅｘ導入の廃案が日本の国防政策を後退させ、テロリストにつけ込まれる発端になったとして、導入に反対した野党の責任を追及する意見も……）

（……が実施した世論調査によると、ほぼ七割の人が北朝鮮のテロ事件関与を疑っており、六割以上の人が経済制裁などの報復を行うべきと考えていることが明らかになりました。またアメリカの協力が期待できるかとの質問に対しては、五割の人が期待できない、二割の人がほとんど期待できないと回答しており、日米安全保障の枠組みが揺らいでいることが……）

桜木町駅を降り、日本一の超高層を誇る横浜ランドマークタワーに背を向けて、みなとみらい21をあとにする。人もまばらな平日の日本大通りを歩き、レンガ造りの趣を残す合同庁舎、神奈川県庁の建物を横目に海側へ向かうと、岸壁から突き出す奇妙な形状の建造物が見えてきた。

一見するとホールのようだが、屋上部分には芝生が植えられており、ガラス張りの玄関に通じるアプローチは舗装されているものの、他の部分は土を盛りつけたかのような灰茶色で統一されている。まるで小高い丘をくり抜き、入口にガラスを嵌めたといった風情だった。朋希が目を留めた時には、恵理も「なに、あれ？」と興味津々の顔つきになり、二人はどちらからともなくその建造物に足を向けた。そこは桟橋のごとく左右を海に挟まれ、店々から漏れ聞こえるニュースの声も、街宣車のスピーカーの声も届きそうにない。街に溢れる剣呑な言葉から逃れられるというのも、二人が引き寄せられた理由かもしれなかった。

近づいてみて、そこが実際に桟橋であることがわかった。国際旅客ターミナルとして、横浜港に入る大型客船の発着場所に使われている横浜大さん橋。明治の昔から海の玄関口を務めてきた旧大さん橋は十一年前に解体され、四年前にイベントホールを内包する現在の大さん橋が完成したのだという。灰茶色の表面はウッドデッキ製で、半地下構造の出入国ロビーとホールが緩やかな起伏を描き、斜面にそって本物の芝生が植えられているところは、ちょっとしたゴルフ場に見えなくもない。幅百メートル、長さ四百八十メートルにわたって海上に突き出した人工丘陵の上では、オープンカフェを意識した露店も営業しており、桟橋というより海上公園の雰囲気を漂わせていた。

「……いいんですか？」

花束を持った手を腰のうしろで組み、散策するような足取りで歩く恵理の背中を見ながら、朋希は遠慮がちの声をかけてみた。無事に病院は抜け出せたものの、まだ怪我が全治していない恵理に荷物を持たせ、ひとりで電車に乗せるのは忍びなく、結局ここまでついて来てしまった。恵理は恵理で、訪ね先の母方の実家に連絡を入れようともせず、こうして道草を食っている始末だ。

母方の実家はこの近くにあり、わざわざ迎えを出してもらう必要もないとのことだが、だからと言って寄り道が許されるのんきな状況ではない。時刻はすでに五時を回り、夕陽も陰り始めている。朋希にしてみれば多少の自戒も込めた言葉だったが、恵理はそれを見抜いたのか、「そっちこそ、いいんですか？」と即座に聞き返してきた。

「こんなところまで来ちゃって。お仕事、忙しいんでしょ？　もうひとりで大丈夫だから、つきあってくれなくてもいいんですよ」

振り返った顔を残照が照らし、黒目がちな双眸がこちらを直視する。朋希は目を逸らし、「別に……。いまは特別することもないし」と答えた。「ホントに？」と探る目を向けたあと、緩めた口もとに白い歯を覗かせた恵理は、「じゃ、いいじゃないですか」と続けて再び歩き出した。

「心配なら携帯にかけてくるだろうし。少しは羽根をのばさないと、息が――」

（ご通行中のみなさん、お騒がせしております。こちらは横浜市出身、平社党所属参議院議員の……）と街宣車のスピーカーが騒ぎ出し、恵理の声を遮った。大通りの交差点を曲がり、こちらに近づいてくるマイクロバスを見遣った朋希は、内心に嘆息した。

（日本はいま、大きな岐路に立たされています。戦争放棄、非核三原則。憲法を不磨の大典のごとく扱い、軍国日本は悪と教え込まれ、アメリカの被保護国として戦後六十年を生きてきた。平和国家を目指して歩んだその六十年が、日本に真の平和をもたらしたでしょうか？　答は否です！

なんの罪もない人たちを拉致し、武装した工作船で領海を侵犯し、挙句に今回のテロ事件。この無法な隣人の仕打ちに対して、日本はなんら効果的な対処ができず、アメリカも行動を起こそうとはしない。それどころか、中国との摩擦という、より大きな危険に引きずり込もうとしている。それもこれも、我々が敗戦の呪縛に囚われ、持つべき力を持てず、なすべきことをなせなかったからです。これをご覧ください。お年を召した方ならご存じでしょう。これは〝國〟、国という漢字の旧字です。中の小さな〝口〟は人民、その下の〝一〟は土地、〝戈(ほこ)〟は武力、外を囲っている〝囗(くにがまえ)〟は国境を表しています。この字が示す通り、古来より武力は国にとって不可欠なものなのです。我々は自衛隊という世界有数の優れた戦力を持っておりますが、現状では張り子の虎に等しく……）

〝國〟と書かれたボードを掲げて、たすき掛けの議員の熱弁は当分収まりそうになかった。マイクロバスの周囲にはちらほら人が集まり始め、山下公園に続く歩道橋にも立ち止まっている人がひとりならずいる。「……本当、息が詰まっちゃう」と恵理が呟いたのを潮に、朋希は視線を前に戻した。恵理はすでに歩き出しており、長い影が舗装されたアプローチに落ちていた。

この時は横付けされた船の姿もなく、大さん橋からは横浜港の海を一望することができた。正面には水平線に張りつく鶴見の工業地帯が見え、右手には《氷川丸》を前景にした山下埠頭と、横浜港を横断するベイブリッジの高架。左に目を向ければ新港町の埋立地が広がり、かつての赤レンガ倉庫と、横浜海上保安部の近代的な建物が同時に視界に収まる。その向こうに大観覧車が聳(そび)え、みなとみらい21の高層ビル群が立ち並ぶ光景は、お台場ほど浮き世離れはしておらず、かと言って人の生活を感じさせもしない。ブリキ細工と最新のゲーム機が混在するおもちゃ箱だ、と朋希は思った。

横浜中華街に近い山下公園に向かうのか、甲板に龍のオブジェを飾った水上バスがゆるゆる海面を滑ってゆく。懐から携帯電話を取り出し、電波状況と一緒に着信の有無を確かめた朋希は、ひとつ息をついてベンチに腰を下ろした。

合同捜査本部への出頭命令を無視したばかりか、無断で都内を離れ、職務放棄に等しい半日を過ごしているのに、羽住からは連絡のひとつもない。もう自分がいようがいまいが誰も気にしていないのかと思うと、清々したような、置き去りにされた身を持て余すような複雑な気分だったが、少なくともいまは、寝ても覚めてもローズダストという異常な心理はなりを潜めた。こうして放心していられる自分を顧みるまでもなく、それだけは確かだと朋希は認めた。

無論、まだすべてが終わったわけではない。ＴＰｅｘをめぐる攻防戦は、むしろこれからが本番と言えたが、それはローズダストにとっては単なる契約の履行――目的を達成するべく、北をスポンサーにつけるために交わした契約の履行に過ぎない。『オペレーションＬＰ』に端を発する因縁とは関わりがなく、自分と彼らの戦いはすでに勝敗が決している。彼らは所期の目的を果たし、自分はそれを防げなかった。おれも〝奴〟も、またしても死に損なったんだという冷めた諦念だけがあった。

しかし、若杉がテレビ出演し、真相の一端を暴露したらしいと知っても、神経ひとつさざめかないのはなぜだろう。漫然と海を眺めていられる落ち着きぶりはどうしたことだろう。もうどうでもいいという気になっているのか。神経の断線が行き着くところまで行って、真実の脳死に至ったのか。それとも――。

不意になにかが視界の端をよぎり、朋希はびくりと顔を上げた。いつからそこにいたのか、コーヒーの紙コップを差し出した恵理がすぐ傍らに立っていた。

「おごりです。ボディガード代」

屈託のない笑みを浮かべ、隣に腰を下ろす。またひとつ深みにはまる心もとなさを覚えながら、朋希は「……すいません。いただきます」とコップを受け取った。コーヒーをひと口すすった恵理は、「はあ、人心地ついた」と大仰にため息をつき、湯気の立つカップを両手でしっかり包み込んだ。

(我々はいつの間にか、自分の生活の安全のみを考え、権利を主張することしか知らない情けない民族になってしまったのかもしれません。それでは国の平和は守れない。危険を覚悟してこそ戦争は防げるのです。相手がこちらに危害を加えようとするなら、予防策としての先制攻撃は認める。それが平和の代償に求められる覚悟です。実のない平和憲法より、一発の爆弾が平和を守り、国を守る手段になるのだということを、我々はそろそろ認めなくちゃならない。核兵器による全滅の恐怖が、米ソの全面戦争を防いできた事例もあるのです。非核三原則で核が持てないというなら、日本にはＴＰｅｘがあるじゃありませんか。現に北朝鮮もそれを狙っているのです。盗むことしか知らない彼らと違って、我々には物を作り出す知恵と技術がある。本来、とても優れた民族なのです。過去、日本はアジアを侵略しようとしたと言うが、アジア諸国に技術を授け、経済的に自立する力を与えたのは誰です？　日本でしょう。にもかかわらず、我々は誤った歴史観を植えつけられ、せっかくの力を……)

「暴力って、すごいですよね」

遠くに流れる地元議員の演説をよそに、恵理がぽつりと呟く。朋希は無言でその横顔を見つめた。

「お台場で撃ち合いが始まった時、よくわかった。なんかこう、体も心も粉々にするローラーみたいなのがあっちこっちで回ってて、それから必死に逃げてるみたいっていうか……。考えてる余裕なんて全然なくて、体が勝手に動いてる感じだったもの」

少し前屈みになった恵理の肩口に、白い包帯が覗いていた。あの夜の無様を突きつけられた思いで、朋希はすぐに目を逸らした。

「ほら、勝海舟っているじゃないですか。前にテレビで見たんだけど、あの人、西洋式の大砲の音を聞いて、世界に目を向けなきゃって目覚めたんだって。でもそれって、西洋文明のすごさに驚いたんじゃなくて、本能的に怖いって感じたんじゃないかなあ」

「怖い？」

「そう。映画で聞くのと違って、大砲とか拳銃の音って暴力そのものって感じするでしょう？　それまでずっと鎖国してて、何百年も前の大砲の音しか知らないでいたら、きっとすごい恐怖だったと思う。だって、世界でそういうものが造られてるってことは、それがいつ自分の国に向けられるかわからないんだもの。だから必死に西洋の勉強をして、開国しなきゃって頑張って」

「……西洋化、富国強兵に励んで、大陸にも進出していった。そしてアメリカと戦って、こてんぱんにのされた」

半ば無意識にあとを引き取り、朋希は言っていた。昔、そんな話を何度もした。白い雪、重い空、黒い海、〝新しい言葉〟を探してやまない声と一緒に——。恵理は少し意外そうに朋希の顔を見、「人間のやることなんて、いまも昔も変わらないってことかな」

と小さく笑った。

「その時、前の失敗をほんのちょっと参考にできたら、少しは冷静に物事と向き合えるようになるんだろうけど。あれは失敗じゃなかったとか、一度失敗したんだからなにもしちゃいけないんだとか、すぐそっちの方に話が行っちゃうじゃないですか。そんなふうにばらばらになってる時に、ドカンって一発大砲が鳴ったら、もうなにかを考えてる暇なんてなくなっちゃう。こっちに逃げ道があるぞって誰かが言えば、みんなでそこに行くしかない。それって怖いし、なんかもったいないなって」

「もったいない……？」

「だって、暴力を目の前にしたら、人間の考えることなんてなんの意味もないってことでしょう？　あたし、難しいことはよくわかんないけど、日本がこれまで平和ボケでいられたのって、そんなに悪いことじゃないと思うし。それを元にした物の考え方ってあるんじゃないかなって。なのにいまは、日本中があの時のお台場になっちゃってる感じ。怖くて、息苦しくて、あとさき考えずにみんなで走り出してる。そっちは行き止まりかもしれないのに」

「……それ、新しい言葉だ」

なんのためらいも抵抗もなく、その言葉がすっと口をついて出た。「え？」と聞き返した恵理以上に自分が戸惑い、朋希はあわてて顔を前に戻した。

「いや、その、すごいなって思ったんです。怖い目に遭って、怪我までしてるのに、そんなふうに考えられるのは……」

「かすり傷だもん。それに、前に丹原さんが考えるヒントをくれたんですよ。いま言った、新しい言葉と古い言葉」

ひと口コーヒーを飲み、恵理も正面に顔を向けた。イルミネーションの光彩が際立ち始めた大観覧車を背景に、風船を持った子供が両親とじゃれあっているのが見えた。

「なんかヤバいとかアブないとか、本能的に感じるのってあるじゃないですか。そういうふうに感じさせる言葉って、みんな古い言葉なんだろうなって、入院中にぼんやり考えたりして。それ言った丹原さんのお友達って、多分あたしたちとそんなに変わらない歳の人でしょ？　いまの若い奴らはなにも考えてないってよく言われるけど、考えないでも感じることはできる。それを言葉にできる人って、すごいなって思って」

喉に石を詰め込まれたようだった。「いま、なにをしてるんです、その人？」と続いた恵理の声に追い打ちをかけられ、朋希は「さあ」とどうにか返事をした。

「もう、ずっと連絡を取ってないから……」

「ひょっとして、ミカさんって人？」

口に含んだばかりのコーヒーを、危うく噴き出しそうになった。恵理はこちらを軽く睨みつけ、「最初に会った時、あたしの顔見てそう言ったでしょ。ちゃんと聞こえてたんだから」と笑みを含んだ声を押しかぶせる。朋希は慄然(りつぜん)とその顔を見返した。

「そのあとも、顔を合わせるたびになんか遠い目してるような気がして。だからあたし、昔の彼女さんかなんかにあたしが似てるのかなって、勝手に妄想ふくらませてたんだけど？」

「……すいません」

他に言いようもなく、朋希は消え入る声で応じた。穴があったらただちに入り、コンクリートで埋め固めてもらいたい心境だった。あまりの消沈ぶりに意表をつかれたのか、

「謝るようなことじゃないですよ」と恵理があわてて付け足す。

「こっちこそごめんなさい。立ち入ったこと聞いちゃって。丹原さんって謎が多いもんだから、つい」

「そうかな……」

「そうですよ。いまこうしてる丹原さんと、お台場にいた時の丹原さんが同じ人とは思えないもの」

他意はないとわかっていても、それまでとは種類の違う痛みが胸に差し込んだ。コーヒーを持つ手がぴくりと震え、朋希は顔を動かさずに恵理の横顔を見た。

「父さんの仕事が仕事だから、警察の人の空気みたいなものってなんとなくわかるけど、丹原さんのはそういうのとは違う。さっきスパイみたいって言ったの、まんざら冗談でもないんですよ」

今度は笑えなかった。恵理は日没直前の透き通った空を仰ぎ、「でも、そういうのともちょっと違うんだなあ。よくわかんないけど、兵隊さんみたいっていうのか」と間を置かず続けた。

「兵隊さん……」

「そう。戦う時には戦うことしか考えない、そう訓練されてる兵隊さん。でもそれがで

きちゃうのって、丹原さんみたいな人には辛いことなんじゃないかって……」

　ここではない、遠くに向かって投げかける声に聞こえた。朋希は恵理に顔を向けた。

「新しい言葉とか、そういうことを考えたり想像できる人なんだもの。そんな人が兵隊さんになりきろうと思ったら、自分を殺すしかないんじゃないかって。きっといっぱい我慢して、痛くても痛いって言えなくなってる人なんじゃないかなってね、乙女の妄想は膨らむわけですよ」

　最後は冗談めかすようにして、恵理は彼岸に据えていた目をこちらに戻した。風に泳ぐ髪がその顔にかかり、照れ笑いを浮かべた表情をひどく艶かしくした。

「だからどうこうっていうんじゃなくて、なんて言うのかな。ああいう事件に巻き込まれて、ニュースとかで知るのとは別の世界があるんだって実感した時に、丹原さんの顔がぽんと浮かび上がってきたんです。この事件って、なんかよくわからないことが多いでしょう？　普通の事件なら、わかる人だけわかってればいいって思うけど、これで国の体制みたいなもんが変わるんだとしたら、それはあたしたちのこれからに関わってくる問題じゃないですか。だから気になったんです。丹原さんって、あたしには知らない世界の象徴みたいに見えたから……」

　ようは、自分ではなく、自分の背後に見え隠れする不透明な世界に興味を持ったということか。安堵も落胆もなく、それも恵理の聡明さの現れと冷静に受け止めた朋希は、空に合わせて暗く沈み込んでゆく海に視線を転じた。

　不透明の中身を説明する言葉はなく、また答える権利も資格も自分にはない。こうして誰もが沈黙を破れないまま、この国は曲がり角を曲がりきってしまうのだろうか？

ふとそんなことを考えるうち、「ごめんなさい、本当に。勝手なことばかり言って」と恵理があらたまった口を開いていた。

「あんな目に遭ったお陰で、おかしくなってるのかな。なんか変に気が急いちゃって……」

「いいんです。居候までさせてもらって、気になるのが当たり前ですから」

これ以上、自分の不実を他人にさらしたくないし、巻き込みたくもなかった。「でも、それももう終わりです」と重ねて、朋希はコーヒーの残りを飲み干した。

「もう、うちに来ないんですか？」

「多分……」

「……そう」

海から吹きつける冷たい風が、体を揺さぶり、胸に滞留する熱を奪って過ぎた。急に寒くなってきたと感じたのは、誰もが同じだったのだろう。桟橋のそこここに散っていた客の姿は次第に少なくなり、目の前の親子連れも帰り支度を始める。風に揺れる風船をしっかり握った子供は、まだ帰らないと頑張っているようだ。抱きかかえようとした父親の手を逃れ、子供は一目散に走り出す。こら、と怒鳴った母親が追いかけるが、その顔は笑ってしまっている。子供の歓声が芝生の上をはね回り、一緒になって動く赤い風船がゆらゆらと揺れる――。

「丹原さんって、風船っぽいですよね」

だしぬけにそんな声が発して、朋希は「風船？」と反射的に聞き返していた。ちょこまかと動く風船に目を注いだまま、恵理はこちらを見ようとはしなかった。

「目を離すと飛んでいっちゃいそうで、無理に押さえ込もうとすると割れちゃう。それに……」

「ふわふわして頼りないところ、とか？」

なにやらくすぐったく、朋希は皮肉混じりに言ってやった。「言ってない言ってない」と笑った恵理は、「でも、それもちょっとあるかな。普段の丹原さんには」と続けて対岸のビル群を見遣った。

「いつもそのままでいられたらいいのに……」

独白ともつかないその声が胸の底に落ち、思わず恵理の横顔を見た時だった。懐の携帯が無愛想な電子音をかき鳴らし、微かに灯った胸の熱を霧散させた。

相手が誰であれ、叱責を受ける理由は百通りもある。朋希は小さく深呼吸して、携帯のディスプレイを開いた。表示されたのは見覚えのない携帯の番号で、羽住のものでも並河のものでもない。それだけ確かめてから、通話ボタンを押して「はい」と吹き込む。

（動くなよ）

瞬間、全身が総毛立ち、急激な血流変化についていけない皮膚がびりびり震えた。

（ガキの持ってる風船を見てろ）という声が続いて受話口から流れ、朋希は咄嗟に目の前の親子連れを見た。刹那、乾いた音を立てて風船が割れた。

子供はぽかんと立ち止まり、母親も短い悲鳴をあげて一瞬棒立ちになる。恵理も微かに体を震わせたが、朋希を貫いた衝撃はそんなものでは済まなかった。風船が割れる音に重なり、ほんのわずかに聞こえた空気の裂ける音。気のせいではない。反射的に立ち上がりそうになるのを堪(こら)え、朋希は目だけを素早く左右に動かした。

横浜海上保安部、港湾合同庁舎、赤レンガ倉庫。約三百メートル離れた対岸の建物を順々に見据え、次いで神奈川県警や税関の建物が建ち並ぶ海岸通りに目を転じる。親子連れの位置は背後の山下埠頭からは死角になるから、そこは除外していい。大さん橋のどこかに潜んでいるとも思えない。人が多く、遮蔽物の少ない桟橋の上では隠蔽・保全(コンシールメント)が困難だ。となると、対岸の新港町か、海岸通りの建物のどれかということになるが、どこだ？　〝奴〟はどこからこちらを狙っている……？

（留美の腕前は知ってるな？　次はその女の頭だ）

余裕たっぷりといった様子で電話の声が告げる。言われるまでもなかった。間断なく吹きつける海風と薄明の中、動きの予測できない風船を一撃で仕留めてみせたのだ。人間の頭を狙い撃つのは造作もなく、それを実行するのに十分な動機も狙撃手(ガンナー)――おそらくは消音器(サイレンサー)付きのスナイパーライフルを構え、こちらを照準(ポイント)している真野留美にはある。対岸のビル群に穿(うが)たれた無数の窓に目を走らせ、そのあまりの多さと豆粒ほどの小ささに舌打ちした朋希は、狙撃ポイントの特定をあきらめて桟橋の上を見渡した。

現在位置は、大さん橋ホールの天井部分。前後左右に障壁はなく、ホールの玄関口に続く階段に駆け込むにしても、五十メートルは走らなければならない。定間隔に街灯が立ってはいるが、相手の位置もわからないのに、そんなものがなんの役に立つ？　恵理を連れて全力で走ったら……いや、留美ほどのガンナーを相手に、通用する手ではない。分の悪い賭けという以前に、いっそ自殺行為だ。

どこにも逃げ場はない――。（あきらめろ。AUG（オウグ）でポイントしてるんだ。一秒未満で弾が飛んでくるぞ）と嘲（あざけ）る声に鼓膜をなぶられ、朋希は周囲を見回すのをやめた。〝奴〟がいつ、どこからこちらを監視していたのかはともかく、自分たちはガンナーにとって絶好のロケーションに足を踏み入れてしまっている。怪訝そうにこちらを見遣る恵理に背を向け、携帯を握り直した朋希は、「……用件を言え」と低く囁いた。

（左を見ろ）

声が応じる。朋希は首をめぐらし、六十メートルほど離れた露店の方に目を向けた。そろそろ店じまいの雰囲気を漂わせる露店の脇に、着古したジャンパーを羽織った中年男が立っている。お台場で見た小太りの業界人風とは異なり、今度は痩せぎすでむさくるしい長髪の中年男。暗い場所で会ったら確実に職務質問したくなるタイプだが、どれほど優秀な警察官であっても、彼がお台場テロの主犯格だとは見抜けないし、想像もできない。いつもながら見事としか言いようがない〝奴〟の変装術だった。

ほとんど顔の判別もつかない距離と暗さだが、向こうは視線を合わせたことを敏感に察し、携帯を持っていない方の手を軽く上げてみせた。同時に、（ちょっとおれにつきあえ）と〝奴〟の声が発し、朋希は汗ばんだ携帯をぐっと握りしめた。

（そうしたら女は解放する）

「信じられるか、そんな話」

（信じた方がいい。でないとお台場の二の舞だ。その女も死ぬ）

子供のぐずる声がすぐ近くに聞こえた。「ほら、こんなことで泣くんじゃないの」と母親が言い、「また買ってやるからさ」と父親が調子を合わせる。二人に手を引かれて子供がしぶしぶ歩き出した向こうには、犬を連れた年配の夫婦らしい二人連れと、なにごとか笑い合っている女子高生の三人組。六十過ぎと見える警備員が腰をさすりさすり、彼女たちの脇をのんびり歩いてゆく。

特に目を引くものもない、ありふれた日常の風景。引き金にかけた指にほんの少し力を入れるだけで、粉々に粉砕される無防備な風景——。朋希は目を閉じ、観念の息を吐き出した。（それでいい）と感情を排した声が応答する。

（女はしばらくそこから動かすな。留美には、射界から外れそうになったら即座に撃てと言ってある。下手なことは考えるな）

電話は一方的に切れ、露店の脇からこちらを見据える一対の視線があとに残された。「お仕事ですか？」と声をかけてきた恵理の気配を背に、朋希は無言でその視線を受け止めた。

水月、烏丸、服部の三人を消しただけでは、『オペレーションＬＰ』の因縁は終わらない。〝奴〟にとっては、スポンサーとの契約より、そちらを片付けるのが優先というわけだ。十分に予測できたはずなのに、どこかでその可能性を意識の外にしていたのは、自分が徹底的に腑抜けていたからか。あるいは、こうなることを期待する心理が働いていたからか。どちらにせよ、これ以上の犠牲を出すわけにはいかない。関係のない者を巻き添えにして、おれたちの〝罪〟を増やすわけには――。

「……恵理さん」

胃酸とアドレナリンが沸騰する腹に力を込め、朋希はできる限り抑制した声で言った。

「ちょっと、用ができました。ここで待っててください」

「仕事ならいいんですよ。あとはひとりで行けますから」

「いや、ここから動かないで。おれが戻ってくるまで、ここで座って待っててください」

つい語気が強まってしまい、「でも……」と応じた恵理の顔に不安の色が差した。ちくりと痛んだ胸を無視して、「お願いします。ここにいてください」と朋希はたたみかけた。

「三十分……いや、二十分経ってもおれが戻らなかったら、下のロビーに行って、並河警部補に連絡してください。おれがローズダストに呼び出されたって言えば、意味は伝わりますから」

「ローズ……ダスト？」

「あとは警部補の指示に従って。それまではここを動いちゃダメです。いいですね」

「丹原さん、なにが……」

「いいから。いまは言うことを聞いてください」

指示に従いさえすれば、〝奴〟は恵理を傷つけることはないという確信があった。不安の色に失望ともつかない色が混ざり、「はい……」と頷いた恵理に背を向けた朋希は、力の抜けた膝を律してベンチを立った。露店の脇からこちらを見据える視線と向き合い、他のものはいっさい意識から排除するようにして、最初の一歩を踏み出す。

〝兵隊さん〟の目になっているのだろう。恵理との間にあった空気が霧散し、冷たい風に体が押し包まれた一瞬、そんな思いがちらりと脳裏をよぎったが、朋希は振り返らずに歩き続けた。最後のターゲットが近づくのを見据えて、〝奴〟は黙然と立ち尽くしている。恵理が言うように、〝そのまま〟でいることはできないし、自分はこうなることを望んでこの四年を生き長らえてきたのだ。

死をもって過去が清算される瞬間、あらかじめ用意されていた終わり――。視線を逸らさず、朋希は入江一功との距離を確実に縮めていった。

※

顔を想像してみる。清楚にして怜悧、女優顔負けのクールビューティーが像を結び、並河は口もとが緩むのを自覚する。歳は……わからない。少なくとも自分と同世代であることは間違いないが、五十の大台に乗ったばかりの身には、あまり想像したくない事実だ。彼女には、いつまでも若く、美しくあってもらいたいと思う。たとえすべてがひとり勝手な思い込みであっても。

彼女と初めて会ってから、じきに十二年が経とうとしている。始まりは、とある指定作業で潜り込んだ中国大使館主催のパーティーだった。各国の外交官や駐在武官らがワインを片手に談笑し、表面的な親交を深める一方、これも各国から派遣された公安関係者が出席者の顔をチェックし合い、場合によっては諜報接触のチャンスを窺う。〝チヨダ〟の一員として応援に駆り出され、出席者のひとりである視察対象者(マルタイ)の動向を追っていた並河は、不意に見知らぬ男に話しかけられた。その男は、自分はメッセンジャーに過ぎないと断った上で、パーティーに出席していた陸上幕僚監部の防衛駐在官を指さした。

あなた方は対象を見誤っている。そう言い残して、男は幻のように消えた。渡された外資系の防衛産業の名刺は別人のもので、パーティーの出席者リストにも該当する男の名前はなかった。ただ、半信半疑で問題の駐在官を洗ってみた結果、彼が人民解放軍総参謀部第二部――中国対外諜報機関との関係を持つ女と懇ろ(ねんご)の仲で、防衛秘密に類する情報を無意識に垂れ流している事実が判明した。

彼女が張りめぐらせる複数の〝糸〟の一本が、初めて姿を現した瞬間だった。外事警察でさえ把握していなかった情報に震撼とさせられ、謎の情報源の正体をつきとめようと躍起になるサッチョウをよそに、彼女は以後、毎回異なる〝糸〟を使い、たびたび並河に接触してくるようになった。顔も素姓も定かでない、しかしもたらす情報の要度と信頼度は他に類を見ない特別クラスの協力者――〝マル六の作業玉〟は、かくして公安の獲得協力者登録簿に記載された。仲介者の欄に記された並河の名前とともに。

ある時はホテルのラウンジで、ある時は晴海埠頭の廃倉庫で、ある時はどことも知れぬ地下室で。互いに顔を合わせないまま、並河と彼女との接触は続いた。無論、最初は大いに警戒心をかき立てられた。公安・外事が把握するリストの中に当てはまる人間はいないとはいえ、もたらされる情報の種類、言動の端々から、彼女がアメリカの情報機関――おそらくは在日ＣＩＡに連なる人間であることは予測がつく。油断すればこちらが向こうに取り込まれ、二重スパイに仕立て上げられないとも限らない。〝チヨダ〟にも疑いの目を向けられ、しばらくはノイローゼ寸前の疑心暗鬼に悩まされたものだが、彼女は一度として並河に見返りを要求しなかった。

　地下鉄テロ事件で日本中が騒然となっている時には、ロシアから日本赤軍、さらに神泉教に通じる地下水脈の情報を。日米自動車協議の最中には、日本側出席者の控室に盗聴器が仕掛けられた事実を。時に自国の利益を後回しにした情報を提供し、日本に対処の猶予時間を授けてくれる彼女の〝善意〟は、どこから来るのか。そもそもこれは彼女の意志によるものなのか、背後の組織的動機に基づく行動なのか。複数の情報機関がせめぎあうアメリカのこと、こちらにもたらされた情報が廻り廻って〝出る釘〟を打ち、全体の秩序を維持しているということなのかもしれないが、仮にそうだとしても、自分のような木端（こっぱ）警官を仲介者に選んだ謎は謎として残る。

　彼女は何者で、なぜ自分を選んだのか。明確な回答はなにひとつ得られず、異常を異常と感じる神経も麻痺しつつある昨今だが、並河なりに納得している部分もある。接触が始まって間もない頃、彼女がふと漏らした言葉。『長期的視野に基づくガス抜きってところね』とこの行為を表現した彼女の言葉が、もっとも真実に近いのではないかと想像するのだ。

彼女が接触してきた当時、永田町は自民一党支配終焉(しゅうえん)の混乱さめやらず、連立与党は早々に馬脚を現して空中分解。自民・社会・さきがけの三党から社会党出身の首相が選出されるという、これまでの常識からはあり得ない構図が完成しつつあった。一方、霞が関はアメリカ自動車産業の復活、半導体シェアの日米逆転にうろたえ、日本経済のリーディング産業が失われる恐怖に怯えながらも、経済再編に一縷(いちる)の望みを託して規制緩和を敢行。『平成不況は終わった』と祈りにも似た言葉が経済誌に掲載されるのをよそに、経済回復の見込みは一向に立たず、半ばあきらめに近い空気が日本全土を覆っていた。

バブル崩壊は、オイルショックのような〝事故〟に非ず、戦後日本経済が行き着くべくして行き着いたゴール地点――そのまま進む限り先はなく、〝変更〟はあっても〝回復〟はしない転換点であったこと。勤勉実直、国家主導の企業第一主義できた日本人には、規制緩和が推奨する〝自由〟が身に備わらず、使いこなす能力もなかったこと。それら現実が〝閉塞感〟というキーワードで括(くく)られ、日本人を窒息させてゆくさまを目の当たりにした時、彼女のような立場の人間には、今後十年のタームで日本が変質し、国のありようが根本から変わる気配が感じ取れたのではないか。戦後、アメリカの指導の下に民主主義国家として生まれ変わり、占領政策の延長とも言える枠組みの中で育ってきた国家の変質。市民革命の手続きを経ず、他人の手で主権在民の理念を注入されたという意味では、前例のない実験国家でもある日本の変質……。

冷戦の終結とともに経済大国の肩書きを失い、自らを定義する言葉を見失った日本が、この先どこに向かうのか。もはや実験を始めた側にも予測がつかず、少なくともこれまでのやり方は通用しなくなるとわかった時に、『長期的視野に基づくガス抜き』が始まった。それは北朝鮮クライシスをしてポスト冷戦の空洞を埋め、日米安保の存在意義を繋ぎ止めたワシントンの思惑とは別に、彼女たちが独自に設置した安全装置であるのかもしれない。相手の実情を知らない、知ろうともしないワシントンの政策が齟齬をきたす前に、日本に最低限の助け船を出し、暴発に至る『ガス』が溜まるのを防ぐ。彼女たちという複数形の中身は、おそらくは在日ＣＩＡの穏健派であり、リベラル派の議員官僚でありといった、〝少しは先を見据える目がある連中〟なのだろう。

そしていま、だ――。並河は、背後にたたずむ〝マル六〟の気配に意識を集中した。すぐそこにいるのに近づけない、互いに顔も合わせないひそやかな逢瀬は、それだけに想像力をかき立てずにはおかない。無味乾燥な五十男にとっては貴重な回春剤と言えたが、いまはそれを楽しむ余裕はなかった。

ローズダストのテロに端を発する現在の状況は、その場限りの瞬間風速ではなく、この十年あまりの間に醸成された空気、日本が迎えた変質の帰結としてある。彼女はいまなにを考え、この事件をどう見ているのか。質問ではちきれそうな頭を整理するうち、「若杉会長のお話、テレビで拝聴したわ」と〝マル六〟が先に沈黙を破った。並河は、闇から沁み出す声に耳を傾けた。

「なかなか興味深かったわ。テレビっていうメディアの特性を理解して、カメラ目線で感情に訴えかけてる。人気が出るでしょうね、きっと。あのショーマンシップは、日本の政治家も少しは見習うべきかもね」

「そうかい？　おれには、古い言葉にしか聞こえなかったがね」

自分でも意外な言葉が出てきて、並河は口もとをしかめた。「古い言葉？」と〝マル六〟が小首を傾げる気配が伝わる。

「そういう言い方をした奴がいるんだ。人を惑わせ、間違わせるだけの古い言葉……」

それ以上は説明しようがなく、並河は口を閉じた。なんでそんなことを憶えているのか、自分でもわからなかった。〝マル六〟はしばし黙り、デスクライトに照らされたこちらの背中をたっぷり注視してから、「言いえて妙ね」と簡潔な感想を寄越した。

「でも、古いということは伝統でもある。伝統は人を安心させる。これからどうしていいのかわからない時には、特に」

広さの判然としない室内に靴音が響き渡り、香水の微香が鼻をくすぐる。やさしく、控えめな香り。朴念仁の心も浮き立たせる〝マル六〟の香りだ。加齢とともに香水の量が増え、歩く芳香剤のごとき刺激臭を放つようになる女もいるが、彼女の香りは最初に接線を持った時から変わらない。並河はいつものように、背中に目をつけて彼女の気配を追った。

「若杉が使っている古い言葉は、もともとアメリカで作られたシナリオを改訂したものよ。北の脅威を煽って、冷戦後の日米安保を充当する。永田町で騒ぎになってる政経研一派の発言もそう。本来、日米安保拡充のために改憲を主張してきた彼らが、ここに来て自国自衛のナショナリズムに鞍替えした。やってることは同じだけど、言ってることは違う……。よくできた筋書きだと思わない？　アメリカの極東戦略のために書かれたシナリオが、本歌どりで反米節に利用されてるんだから」

筋書き、の一語にぞくりと肌が粟立った。やっていることは同じだが、言っていることは違う——既存の勢力と枠組みを利用し、煽動を仕掛ける何者かの存在。思わず振り向きそうになる衝動を押さえ込んだ並河は、「……この状況を、意図的に作り出している奴がいる」と確かめる言葉を紡いだ。

「そういうことか？」

無言が返事だった。並河は汗ばんだ拳を握りしめ、「そうなら、なんであんたはいままで黙ってたんだ？」と抑制した声を出した。

「これは、あんたらが『長期的視野』で予測してた危機そのものだろう。こうなることを防ぐためのガス抜きじゃなかったのか？」

最初の事件発生から十日以上が過ぎても、並河が自発的接触のアクションを起こすまで、〝マル六〟はなんの音信も寄越さなかった。合同捜査本部に引き抜かれたり、市ヶ谷と関わりあう羽目になったり、並河自身が接触しづらい環境に置かれていたのは確かだが、そんなことは理由にならない。「どうしてアメリカは……」と一気にまくしたてようとした並河は、「その前に、あなたはどう思ってるの？」と発した冷たい声に遮られ、続く言葉を呑み込んでいた。

「市ヶ谷と関わったからには、ローズダストが単なる北の工作員でないことは知ってるはずよ。それも含めて、あなたの感想を先に聞かせてもらいたいわ」

香水の匂いに険が混ざり、周囲を押し包む闇が不意に冷たさを増す。彼女と話していると、たまにこういう瞬間が訪れる。瞬時に冷たくなった汗を意識の外にして、並河はひとまず、「あんたがおれに要求してくるなんて、初めてだな」と軽い牽制球を投げた。〝マル六〟は身じろぎもせずにそれをかわした。

「……おれは、その北が関与してるって前提がそもそも怪しいと思ってる」

小さく息を吐き、並河は言った。〝マル六〟は無言で受けた。

「最初に聞かされた時からそうだ。こんな押し込み強盗みたいな真似して、北が進んで自滅のボタンを押すとは思えない。TPexがいくら便利で強力な代物でも、下手すりゃ国連軍が平壌になだれ込んでくるって話だ。到底、割に合わない。そのあと、ローズダストの裏を聞かされて、そういうことなら北がバーターで手を貸すのもないじゃないかって思ったけど、やっぱりおかしい。北が本当にローズダストを手なずけてるなら、もっと賢いやり方があったはずだ」

「たとえば？」

「ローズダストは、『オペレーションLP』……日本の対北諜報工作の生き証人だ。ダイスなんていうふざけた非公開組織の一員でもある。そいつらを確保できたんなら、北にとってはローズダストの存在そのものが武器になる。それを日本に送り出して、TPex強奪のテロを起こさせるってのは、いくつかある使い道の中でもいちばんリスクが大きい。そりゃ、存在そのものが爆弾みたいな連中を使えば、日本の対応は鈍くなるさ。いくら真相がわかってたって、正面きって北が黒幕だって名指しすることもできなくなる。でもローズダストがしくじったらどうなる？　北はＴＰｅｘを手に入れられないばかりか、格好の外交カードを失うことになる。あとに残るのは、テロの黒幕って悪名だけだ。それなら、ローズダストの身柄を確保して、裏交渉で日本政府を脅した方が手っ取り早いし、リスクも小さい。交渉の進め方次第じゃ、ＴＰｅｘの資料を吐き出させるのも不可能じゃなかったはずだ」

「軍の末端にいる将校が、平壌の許可を取らずに勝手に進めた計画かもしれない」

「ローズダストが使ってる装備は、どれも最新の一級品だ。北でそろえようと思えば、平壌経由のルートを頼るしかない。末端の将校が独断でできるのは支離滅裂な南進作戦ぐらいで、ここまで大がかりな作戦が準備できたとは思えない」

「北はローズダストを確保したわけじゃなくて、一時的な取引関係を結んだだけの可能性もあるわ」

「そうだとしても、装備の受け渡しや密航の手配の時に、確保するチャンスはいくらでもあった。取引に応じたように見せかけて、連中が無防備になった瞬間に確保する。おれが北の人間ならそうするし、ローズダストもそれくらいわかってるはずだ。確かに化け物みたいな連中だが、たった五人で北を手玉に取れるとは考えなかっただろう」

「でも、彼らは現に大量の装備を手にして日本に上陸した。個人単位でできることじゃない。スポンサーは間違いなく存在する。北でないとしたら、彼らの背後にいるのは誰？」

「わからん。この事件で得をするのは誰か……。たとえばこのまま国内のヒステリーが過熱して、やっぱりＴＰｅｘを導入しましょうなんて話になれば、アクトグループの狂言テロって与太も成り立たんじゃない。でもそれにしては、アクトの被った被害は大きすぎる。会長がテロとの戦いをぶち上げて、自社ビルを国際会議に提供したとしてもだ。企業収益の観点からすれば、決して得になる話じゃない。殺された三人の役員の人的損失を別にしても、費用対効果の原則が成り立たないんだ」

握り合わせた拳に顎を載せ、並河は冷たい闇に目を注いだ。ローズダストの真のスポンサー――この状況を意図的に作り出した何者か？　腹の底で燻っていた疑念と、新たに入力された情報が混ざりあい、消化不良を起こした頭がじっとり熱を帯びる間に、「なるほどね」と応じた〝マル六〟の声が背中をなでた。

「北は黒幕ではなく、むしろ記号として利用されているという点では、私たちの見解も一致してるわ」

「記号……？」

「日本の危機意識を喚起する記号。日本人を恐れさせ、怒らせ、ある一点に向けて歩かせる記号。……もういちど考えてみて。この状況が加速した先になにがあるのか。タブーがタブーでなくなり、日陰が日陰でなくなった時、得をするのは誰か」

並河に咀嚼する間を与えず、〝マル六〟は「それと、あなたひとつ大事なことを見落としている」と静かに続けた。

「北がスポンサーであろうとなかろうと、ローズダストがあまりにも簡単に入国して、その後も自由に活動している事実。非公開捜査の限界はあるにしても、公安と市ヶ谷がタッグを組んでいるにしては無防備すぎると思わない？」

「それは……」と返しかけた声が喉に詰まり、並河は慄然と口を閉じた。

ここ数年の情勢で格段に強化された海上警備をかいくぐり、大量の装備を携えて上陸を果たしたローズダスト。常に捜査陣の盲点をつき、先回りをするように行われる犯行。青海で一度、お台場で一度、あとひと息のところまで追い詰めはしたが、あれはどちらも朋希の嗅覚に頼った結果だった。土壇場の独断行動であったため、合同捜査本部と連携も取れずに――。

「……内通者がいるっていうのか？　おれたちの中に」

震える声で、並河は呟いた。そう、独断行動であったからこそ、朋希はローズダストを追い詰めることができたのだ。内通者からの情報が間に合わず、現場から離脱するタイミングを失したローズダストを。

〝マル六〟は否定も肯定もせず、背後に立ち尽くしている。周囲の闇が一段と濃く、深くなってゆく絶望を並河は味わった。

※

車は思いのほかすぐに停まった。車内に流れていた口笛もやみ、朋希は顔を上げた。すべての窓に遮光シールが貼られたバンの荷台で、長髪にニット帽という出で立ちの入江一功が軽く顎をしゃくる。朋希は無言でスライディングドアを開け、路上に降り立った。

　がらがらと賑やかな音が頭上を行き過ぎ、蛇がのたうっているかのような高架をジェットコースターが滑り落ちてゆく。その向こうに聳えるのは世界最大級の観覧車、コスモクロック21。名前の通り、巨大な鉄骨構造の中心に電光の時計盤が据えられ、きらびやかなネオンの針が秒を刻む観覧車は、いまは午後五時半を示してゆっくり回転している。エントランスに掲げられた『よこはまコスモワールド』の文字も視界に入れた朋希は、睨む目を一功に据えた。

　大さん橋のアプローチに駐車していたバンに押し込まれ、走り始めた車に揺られて五分。その間、口笛を吹くのみの一功はひと言も喋らず、朋希も押し黙ったまま虜囚の身に甘んじてきた。人けの多いみなとみらい21地区を離れるのかと思ったら、よりにもよって遊園地とは。お台場の二の舞はごめんだと思い、朋希は真意を問う目を向けたが、一功は再び顎をしゃくってみせただけだった。

　仕方なく、朋希は気後れするほど明るい園内に向かって歩き出した。ガードレールをまたぐ時、運転席にいる山辺の顔がバックミラーごしに見えたが、ろくに視線を合わせる間もなくバンは走り去ってしまった。荷台と運転席は壁で仕切られていたので、助手席に倉下がいたかどうかはわからない。多分、いなかっただろう。長距離狙撃には、周囲の見張りや風力観測を行うオブザーバーがいるに越したことはない。おそらくは留美に同行して、大さん橋上の目標を双眼鏡に収めているはずだ。あるいはターゲットが射界から外れた場合に備えて、大さん橋に潜伏中か。

我知らず、拳を握りしめていた。いまこの瞬間にも恵理が照準（ポイント）されている。留美が覗く照準器（スコープ）の十字線に捉えられている。そう思うといてもたってもいられず、一功の喉頸（のどくび）を絞め上げたい衝動に駆られたが、抵抗の素振りを見せれば即座に連絡が届き、留美は引き金を引く。グロック26と一緒に携帯電話も取り上げられていては、隙を見て本部に緊急コールを送ることもできない。謹慎中でも短銃携帯の許可が取り消されなかったのは、ローズダストとの不慮の接触に備えてのことだったが、こうなってしまえばまったく無意味だ。

バカにもほどがある。自分の好きに時間を使った結果がこれだ――。事態から切り離されたと根拠なく信じ込み、正常な思考力を麻痺させていた我が身を罵（のの）りつつ、朋希は微かに顔を動かして一功を見た。「真野はどこでポイントしてるんだ？」と問いかけ、隙のひとつも生じないかと様子を窺ったが、「弾が当たりやすいところだろ」と返ってきた声は素っ気なく、緊張している気配も感じさせなかった。

エントランスをくぐってエスカレーターを昇り、ワンダーアミューズ・ゾーンと記された建物に入る。お化け屋敷やら、宝探しやらのアトラクションを横切って進んだ先には、二フロアにまたがるゲームコーナーがあった。ずらりと並んだテレビゲームやUFOキャッチャーがけたたましい電子音をかき鳴らし、頭がちかちかするような喧噪を醸し出していたが、平日の夜では人も少なく、かえってうら寂しい印象を与える。親子連れやカップル、近在の高校生といった風情の客がちらほらいるものの、彼らはそれぞれのゲームに夢中でこちらを見ようともしない。見たとしても、壁の手配写真と長髪の中年男を見比べ、同一人物だと看破できる者はいないだろう。お台場テロの犯人四名の顔写真は、防犯カメラの映像と、目撃者の証言から割り出した似顔絵ということになっているが、実際は市ヶ谷のリストにある顔写真をCG加工したものだ。正確さでは類を見ないとはいえ、ちょうど前を通りかかった巡回途中の制服警邏も、ちらと一瞥を投げただけで朋希の脇をすり抜けていった。

一功は涼しい顔でゲームコーナーを抜け、自動券売機でアトラクションのチケットを買うと、目で行く先を示して朋希を先に歩かせた。エスカレーターを昇り、観覧車に通じる入口の前までできた朋希は、さすがに足を止めた。

「行けよ」

「……ふざけろ」

休日は行列ができるのだろう観覧車の入口は、いまは人の姿もなく、行列を仕切る手すりが立ち並ぶ待合場はがらんとしている。人目を気にする必要も余裕もなく、朋希は一功と向き合った。一功は懐から自分の携帯電話を取り出し、

「忘れるな。おれは頼んでるわけじゃないんだぜ」

引き金に直結する通話ボタンに指を載せ、目を逸らさずに言う。思わず前に出ようとして、ひたと見据える一功の視線に封じられた朋希は、瞬間的に爆発した。

「殺るんなら、さっさと殺れ！」

「その気ならとっくにそうしてる。……急げよ。人が来るぜ」

弾むような笑い声と一緒に、複数の足音が近づきつつあった。落ち着き払った一功の

目を睨み据え、両の拳を握りしめられるだけ握りしめた朋希は、口中に舌打ちして踵を返した。観覧車に至る鉄階段を昇り、順番待ちの列に並ぶ。

ほとんど待つ時間もなく、順番が回ってきた。淡々とした流れ作業に徹している係員は、男二人の奇妙な組み合わせにも関心を示すことはない。「行ってらっしゃいませ！」と機械的な声に送り出されて、朋希は派手な黄色のゴンドラに乗り込んだ。ゴンドラは六人がゆったり座れるほどの大きさがあり、ガラス面が広く、空調も行き届いている。観覧車など、子供の頃に乗った朧な記憶しかないが、いまはどこの観覧車もこんななんだろうか？　ふと考えてから、一功と向き合う形で腰を下ろした。

「一周十五分だとさ。少しは落ち着いて話せるな」

言いながら、一功はニット帽と一緒にカツラを剝ぎ取り、ウェットティッシュで手早く顔を拭う。それだけで見知った入江一功の顔貌が現れ、朋希はすぐに目を逸らしていた。底堅い瞳を間近に見たからではない。露になった左眉の傷痕に、四年前の記憶を呼び覚まされそうになったからだった。

この十数分で空はすっかり暗くなっている。みなとみらいの高層ビル群は窓の明かりや注意灯を際立たせ、地上は街灯と車のライトの放列。まだ高度が足りないので見えないが、そのうち大さん橋も視界に入るだろう。朋希は腕時計に目を走らせ、次いで大さん橋の方にさりげなく顔を向けた。あれからじきに二十分。恵理はそろそろ動くはずだが……。

「まずは礼を言っとくぜ。勝良を苦しませなかったこと」

ライトアップされた園内を見下ろし、一功が不意に口を開く。朋希は、肩がぴくりと震えるのを自覚した。

「抵抗したから、射殺した。……それだけのことだ」

予想外のところに斬り込まれた動揺を隠し、どうにか応えた。一功は微かに口もとを緩め、無理するなと嗤（わら）ったようだったが、声には出さなかった。らしくもない、疲れた顔――。翳（かげ）を刻んだ横顔を見、無意識にそう感じてしまった朋希は、すぐにまた目を逸らした。

「お台場の一件で、市ヶ谷も桜田門も方針を変えた」

錯綜するジェットコースターの高架を抜け、ゴンドラから周囲の風景が見渡せるようになった頃、朋希は言った。

「わかってるはずだ。じきに逃げ場はなくなる。最後のターゲットを仕留めて、さっさとこの国を離れたらどうだ」

「最後のターゲット？」

「おれだろ」

その時だけははっきり目を見据えて、朋希は言った。しばらく見返し、ふっと薄い笑みを口もとに刻んだ一功は、「おまえは殺さない」と応じて窓外に視線を飛ばした。

「おまえには、生きて苦しみ続ける義務がある」

視線の先に、観覧車の鉄骨ごしに見え始めた大さん橋があった。多層構造の側面に人工的な光を灯す桟橋は、電飾でかざられた《氷川丸》を背景に、それ自体が巨大な船舶であるかのように暗い海面に突き出している。一功がそこになにを見ているのかは考えるまでもなく、朋希は「彼女は無関係だ。手を出すな」と怒鳴っていた。直前で自制心を取り戻さなかったら、前後を忘れて飛びかかっているところだった。

「落ち着け。おまえが出てきたせいで、ただでさえ余計な血が流れてんだ。これ以上、無駄弾を使うのはおれたちの本意じゃない」

「おれのせい……？」

「いまのところ、なんとかシナリオ通りに進んではいるがな。本当はもっとスマートに行く予定だった。こないだのお台場は最低だ。ああならないように、おまえとのカタは青海でつけるつもりだったんだが……」

なにかが引っかかる感触があったが、つかまえる前に霧散してしまい、行き場のない忿懣だけが胸の底に残された。朋希は椅子に座り直し、「スマートな復讐なんてあるもんか」と吐き捨てた。

「北をスポンサーにつけて、見返りにＴＰｅｘだなんて……。始めから打算ずくの話だ。いまさら最低もなにもないだろう」

「バカだよ、おまえは。本当に」

憐れむ声音が投げつけられ、ひやりとするものを感じた。窓外を見つめたまま、「ま、それがいいところでもあるがな」と遠い声で付け足した一功は、その瞳をいきなりこちらへと向けた。

「水月、烏丸、服部。あいつらを殺すためだけに、おれたちがこんなことをしてるって本気で考えてるのか？」

「……どういう意味だ」

「意味なんかない。おまえはどう思ってるんだ？　あの三人が、三佳（みか）を……ＬＰの要員を殺したと思ってるのか？」

ゴンドラがぐらりと揺れたように感じ、朋希は椅子に手をついた。一功は窓に顔を戻し、「あいつらは結果であって、原因じゃない」と続けた。

「ＬＰを潰したのは、この国の状況だ。日朝交渉が実現するなら、ＬＰは即座に中止する。外交はバカしあい、ハッタリのかましあいだって覚悟も持てずに、そうやって揚げ足を取られないことだけを考える永田町。そういうバカでも、従うのが仕事と割りきってる市ヶ谷。馴れあって許しあって、目先の辻褄（つじつま）合わせにしか目がいかない。それで不都合が起こっても、誰も責任を取らないし、自分と関係づけて考えることさえできない」

街全体が光で埋め尽くされたみなとみらいを見下ろし、一功の瞳には底深い怒りの色があった。朋希は声もなくその横顔を見つめた。

「あの三人の行動が、ＬＰ要員を死に追いやったのは事実だ。それは許せることじゃない。だが連中は、市ヶ谷を抜ける時に門外不出のＴＰｅｘの資料を持ち出した。そして内局の発注枠を裁量して、アクトグループ内でそれを完成させた。……この意味、考えたことがあるか？」

「意味って……」

「あの三人がどれほどうまく立ち回ったって、そこまで好きにやれるもんじゃない。協力者がいたんだよ。アクト、市ヶ谷、永田町の中に複数の協力者が。そいつらは、LPの中止を決めた日本の弱腰外交に怒っていた。日朝交渉自体、アメリカとの顔つなぎを期待した北の呼びかけで始まった話だ。イラクとの二正面作戦は避けたいアメリカの意向もあれば、日本は一も二もなくそれに飛びついた。当時の寺西政権としても、経済問題から国民の目を逸らす格好のイベントになるしな」

「いったいなんの話だ……」

「そこに日本って国家の意志はない。ただのパシリでしかなかったって話だ。そんな状況に不満を持ってる連中がいて、あの三人もその一部だったとしたら？　LPの中止命令が出た時、現場を犠牲にしてでも作戦を引き延ばしたのは、大鐘とアクトとの提携を取りつけるためだよな。でも、それが私欲だけじゃなくて、TPex開発の箱を作るための工作だったとしたら？　この国に、理性をもたらすだけの力を備えさせるために」

「理性をもたらすだけの……力？」

「人間の理性は、力の均衡によってのみ喚起される。核開発で脅しをかけてくるような相手と向き合うには、こっちにも相応の力がいる。TPexがそれだ。あの三人は、アクトや永田町の連中とつるんで、本来なら市ヶ谷で眠ってるはずだったTPexを世に出した。全部が欲得ずくの行動じゃなかったのかもしれないってことだ。でなけりゃ、おれたちが手を下すまでもなく消されてたろう」

初めて聞く話――いや、まったく想像外の話だった。アクトグループと大鐘グループの提携も、そのために作戦中止命令が握り潰され、ＬＰの現場要員が犠牲になったことも、水月たち三人の幹部の私利私欲のせいではなかった？　大鐘を通じて韓国財閥から資金を調達し、市ヶ谷から持ち出した資料をもとにＴＰｅｘを開発、完成させる。すべてはＴＰｅｘありきの話……？

　わからなかった。わかるのは、市ヶ谷が水月たちの背任を黙認し、ＴＰｅｘの持ち出しまで看過した〝特殊な状況〟の中身が、それで朧げながら説明がつくということ。そう語る一功の目には、復讐を果たした者の空虚も放心もなく、いまだ燃え続ける仄暗(ほのぐら)い炎が宿っていること。「でも、そうまでしてお膳立てを整えたＴＰｅｘも、結局はオジャンだ」と続いた一功の言葉を、朋希は半ば呆然と受け止めた。

「わけわかんねえよな。拉致被害者が帰ってくれば逆上して、主権だ国家だって騒ぎ出す。それでいて、戦争放棄の平和国家だからＴＰｅｘはいらないって言う。でも自衛隊は海外に送り出して、人質事件みたいなことが起こると、一晩で賛成派と反対派の数が入れ替わっちまう。マスコミは、政府も北もアメリカもみんなこき下ろして、自分だけは公明正大でございって顔だ。自己責任が流行語になってるって聞いた時はウケたよ。昨日の自分に責任も取れない連中が、どの口で言ってるんだか……」

　じきに頂点に差しかかるゴンドラの中、嗤う一功の背後で無数の灯火が揺れていた。そのひとつひとつに人の生活があり、百万の喜怒哀楽を照らして揺れる街の灯――。

「あの三人と同じだ。誰も悪意があってやってることじゃない。ひとりひとりはマジメで、大半は善人で、家族やら仕事やらを大事にしてるんだろうさ。だがそうして自覚なく悪をなす連中が、ＬＰを潰し、三佳を殺した」

瞳の底で炎が爆ぜ、ぎらりと凶暴な光を放った一功の目が朋希を射る。その光は烈しく、鋭く、背後の街の灯をすべて呑み込んでしまうのではないかと思えた。

「そういう連中をのさばらせている、この国の状況。それがローズダストのファイナル・ターゲットだ」

※

「そこまでわかっていて、なんであんたらはいままでなにもしなかったんだ……！」

無言の重圧に耐えきれず、夢中で吐き出した怒声が闇の被膜に搦め取られてゆく。北朝鮮という〝恐怖の記号〟を利用し、意図的にこの状況を作り出した何者か。その何者かと結託し、捜査情報を垂れ流しにしてきた内通者の存在――。

信じがたい、しかしそう考えれば辻褄の合う話に全身の肌を粟立たせつつ、並河は冷たい闇と同化した〝マル六〟の気配を探った。目を閉じ、意識してゆっくり息を吸い込んでから、「答えてくれ。今度はあんたの番だぞ」と抑制した声を押しかぶせる。

「それが、サッチョウが聞きたがってる質問の主旨……と考えていいのかしら？」

「そんなことはどうでもいい。おれが知りたいんだ」

再び振り切れそうになった感情の針を押さえつけながら、並河は言った。嘘ではなかった。〝マル六〟と出会いさえしなければ、警察組織の歪んだ権力志向――千束という男に象徴されるゴキブリ出世主義に取り込まれ、ひとりの人間を死に追いやる醜態をさらすことはなかった。〝チヨダ〟から排斥され、公安の脂身と蔑まれても組織にしがみつき、自らの不明を恥じ続ける現在の自分もいなかった。並河と〝マル六〟との関係は、そうした個人的な犠牲の上に成り立ち、支えられてきたのであって、単に職業的な必要で成立しているものではないはずだった。

その結果が日米両国の本音を伝える場として機能し、曲がりなりにも〝ガス抜き〟の役割を果たしているのなら、それは継続しなければならない。伊達や酔狂でこうしているわけではない、という思いを言外に込めて、並河は〝マル六〟の返答を待った。〝マル六〟はしばし押し黙り、ハイヒールの足音を二つ三つ暗闇の中に響かせてから、「変わったわね、並河警部補」と口を開いた。

「初めて会った頃に戻ったみたい。市ヶ谷とつきあうようになって、環境が変わったせいかしらね？」

揶揄する口調に、甘い香水の匂いが混ざった。脇の下をつっつかれたようなくすぐったさを振り払い、並河は「はぐらかしなさんな」と硬い声を出した。

「北の関与が事実でないとしても、世論は反米・脱米に傾いてる。この上、ＴＰｅｘの導入が実現すれば、アメリカの極東戦略がひっくり返る可能性だってあるんだ。それは長期的視野なんてもんじゃない、いま目の前にある危機じゃないのか？」

「それは違うわ。短期的視野においては、アメリカが損をすることはない。ＴＰｅｘの導入はむしろ望ましいことと言える」

香水の匂いがすっと退き、どことも知れない地下室の饐(す)えた冷気が戻ってくる。並河は首を動かさずに〝マル六〟の動きを追った。

「安保協定の取り決めに従って、導入された装備の技術は自動的に米軍にも供与されるもの。ＴＰｅｘの元になった技術はもともと米軍が開発したものだけど、エクストラの部分は日本のオリジナル。国防総省(ペンタゴン)も注目してるわ」

「米軍が開発した……？」

「そう。二液混合式の高性能爆薬、Ｔプラス。ただ、まだまだ解決しなければならない問題があってね。米軍では実戦配備の目途が立たなかった。その資料を手に入れた市ヶ谷が研究を引き継いで、三液混合式のＴプラス・エクストラ……ＴＰｅｘを完成させた。あくまで理論だけだけど」

含んだ言いように聞こえた。市ヶ谷が完成させた理論は理論でしかない。「……本来、表に出るべきものではなかった？」と口の中に自問した並河は、ＴＰｅｘという火種が世に出た経緯をあらためて反芻(はんすう)した。

理論を実践し、傘下の火薬製造会社が開発したかのように粉飾して、起爆実験にまで持ち込んだのはアクトグループ。アクトグループにその理論をもたらしたのは、水月、烏丸、服部の三者――『オペレーションＬＰ』で市ヶ谷を欺き、現場要員の犠牲と引き替えにグループ役員の座を手に入れた元幹部たち。彼らとアクトグループの間にもたれた密約は、当事者間だけで成立する類いのものではあるまい。装備開発には防衛庁からの発注枠が不可欠だし、市ヶ谷がこれまで三人を野放しにしてきた理由も不明のままだ。

まるで市ヶ谷を含む防衛庁が彼ら三人の行動を容認し、それどころか協力しているかのような構図――。

「つまり、あの三人の裏切りとアクトへの天下りは、TPexを表に出すために仕組まれた出来レースだった。市ヶ谷だけじゃない、政界や財界も嚙んでる大がかりな絵の一部……」

だが、起爆実験映像が流出し、国民感情を逆なでしたことで、TPex導入は土壇場で頓挫した。すでに製造工場などのインフラ整備を開始していたアクトの経営は傾き、国防政策も後退。そこにローズダストが現れた。表向きには、水月たち三人に裏切りの代償を支払わせる復讐鬼として。実質的には、北の脅威を身にまとい、平和ボケした国民に恐怖のなんたるかを告げる〝記号〟として。

「その絵を描いた奴が、意図的にこの状況を作り出している。ローズダストを使って、おれたちの中に内通者まで送り込んで。そういうことなのか？」

〝マル六〟は答えなかった。ずんと重みを増した胃袋を感じながら、並河は「だったらなおさらだ。なぜアメリカは動かない」と声を荒らげた。

「短期的に見りゃ損はないって話はわかった。だが長期的にはどうなる。安保脱退なんて話になったら、技術供与もなにもなくなる。在日基地って足場がぐらつけば、中国との睨みあいにも影響が出てくるぞ」

仮説が真実なら、〝この状況を作り出している何者か〟の意図は、TPexの導入復活などという目先の問題に留まらない。それをきっかけに始まる日本という国家の変質

──あるいは変節──の促進。無言を続ける〝マル六〟にひやりとしたものを感じつつ、並河は慎重に言葉を継いだ。

「この十年で日本は相当変わったが、あんたたちの国も変わった。イラクに続いて、今度は春暁危機なんて話が聞こえてくりゃ、おれだって日米同盟なんかやめちまえって気になる」

米中紛争のもとになった春暁危機は、その名の通り、東シナ海にある中国の天然ガス田「春暁」付近で起こった。エネルギー権益をめぐる日中間の係争に、独立問題を抱えた台湾が加わり、横槍に怒った中国が台湾ガス田を威力包囲。牽制に出向いた米太平洋艦隊と偶発的な戦闘に陥った結果、機銃の流れ弾を浴びた春暁ガス田は火災に見舞われ、操業停止に追い込まれる羽目になった。以後、同海域では両国の牽制合戦が続いており、冷気に閉ざされた米中関係を象徴する場になったのだが、そもそも中国が威力包囲の挙に出たのは、米新政権の出方を窺うリトマス試験紙だったという説もある。

悪評高かったネオコン政権に代わり、民主党から選出された新大統領の資質はいかなるものか。アジアにおいては現状維持を一義とし、中東民主化を優先する前政権路線を引き継ぐのか。はたまた人道主義の名目で台湾問題に肩入れし、中国になにがしかの干渉をしてくるのか。答は現実が示した通りだが、中東での小競り合いを繰り広げつつ、なお中国への強硬姿勢も崩さないアメリカの動向には、もはや政権の資質だけでは判じられない硬さがある。9・11を境にはっきり露呈した国家の資質──西洋多民族国家が宿命的に持つ硬さ。世界の警察を自任する顔と、自国の安全保障を唯一絶対のものとする顔を時々に使い分け、国益の範囲を極東にまで押し拡げながら、究極的には責任を取ろうとしない。極めて実践主義的である一方、根底に稚気めいたエゴを併せ持つ者の硬さ……。

「北が核実験なんてカードを切ってきたのも、米中睨みあいの構図につけ込んでのことだ。北が関与してようがしてまいが、今回の事件もその延長線上にある。さんざん巻き込んでおいて、我関せずってのは少々冷たすぎやしないか？　このままじゃ本当に行くところまで行っちまいかねない。それはあんたが望む未来じゃないはずだ。教えてくれ。あんたの国はなにを考えているのか」

「……本当、まっすぐな人ね」

ぽつりと漏れた声が背中に当たり、反響もせずに闇に吸い込まれた。反射的に振り返りそうになった並河を制して、「いまの話って、突き詰めれば感情の話よね？」と〝マル六〟の声が続いた。

「イラク戦争にしろ対北政策にしろ、おれたちは我慢してつきあってきたのに、おまえたちはなにもしてくれないじゃないかっていう。たとえばアメリカが日本を大事にする素振りを見せて、今回の事件でも即座に対処行動を起こしていれば、きっとこうはなってなかった。むしろアメリカに対する好感度がアップして、対中問題にしても別の気運が盛り上がっていたかもしれない」

「ああ……」

「でも、ワシントンにはそれが理解できない。中東や中国の問題があれば、今回の事件は静観するしかなかったことは事実。でも本当の問題は別のところにある。読み違いをしてるのよ」

「読み違い？」

「これまでもベトナムやイラクでさんざんやってきた読み違い。外交はプラグマティックに進めるべきで、表面上の礼を尽くせば節を通す必要はないって考えてる。自分たちがスタンダードだって大前提があるからでしょうね。相手の気質や歴史、文化に理解は示しても、本質的には理解はできない。理解したいようにしか理解しない、と言った方が正確かもね」

ため息ともつかない吐息を漏らし、〝マル六〟が腕を組む気配が背後に伝わる。並河はこわ張った尻を椅子に据え直した。

「たとえば日本人に対しては、義理と礼節を重んじるサムライの国か、損得勘定でしか動かないエコノミック・アニマル。もしくは手先が器用で勤勉な民族って見方があって、最高学府のレベルでも認識の統合はできていない。そのどれもが本当で、相反する要素を感情の袋で包んでるって機微まではわからないのよ。それこそ傲慢な言い方かもしれないけど、その国の研究者でもなければそんな暇はないの。日本の人だって、タイやシンガポールの歴史とか国民気質なんてろくに知らないでしょう？」

「そうだな。アメリカにとって、日本は百以上ある国のひとつに過ぎない。でも日本にとっては……」

「そう。そこに読み違いの原因がある。移民の国アメリカは、異なる者をすり合わせてひとつの国家にするために、あらゆるものを単純化、共通分母化してこなければならなかった。そのわかりやすさがグローバル・スタンダードになり得たわけだけど、一方で他の国にもそれを押しつけて、相手の身になって考える回路を捨ててきた節がある。言い換えれば、相手が誰であれ、自分と同じ程度には世故に長けていて、保身の術もあると期待している。つまり、大人として認めているってことでもあるのだけど。日本人の目からは、それが冷たすぎる父親の姿に映ってしまう」

「冷たすぎる父親……」

「自由と民主主義を持ち込んで、豊かさの味を覚えさせて、日米安保をもって戦後の国際社会、東西冷戦を生き抜く構造を作り上げた。外務省の基本テーゼは、いまだに『アメリカには逆らうな』。裏でなにがあろうと、アメリカが戦後日本の精神的な父親であったことに変わりはない。いまの行き違いは、親子って関係に対する双方の認識の違いも影響してるのかもしれないわね。アメリカでは、親と子は別の人格っていう認識が根づいている。でも日本では、子は親のために尽くし、親は子のために己をなげうつものだって考え方がまだまだ根強い」

「だが、アメリカは冷戦以後も日本を極東戦略の要にしてきた。親離れできないように仕向けといて、子供のケンカに手を貸す義理はない、か？　ずいぶん勝手な言い種に聞こえるな」

「だとしても、そのやり方を受け入れたのは日本人の意志。自己責任だって、ワシントンのお偉方は言うでしょうね」

〝マル六〟の弁は、冷酷なまでに明快だった。いや、そう感じるのも日本人ならではの感性で、彼女には突き放している自覚はないのかもしれない。おそらくは日本人の風貌を持ち、日本人として生活しているはずの〝マル六〟だが、その思考回路は完全にアメリカ人のそれだ。

職業上培われた怜悧さとは異なる、それこそ日本人が本質的に理解できない合理精神の発露。「……なるほど。行き違うわけだ」と並河は認めた。都合のいい時だけ保護者面をして、肝心な時は突き放す。その言い種は、確かに無理解な親に憤る子供のものだ。仮にも主権国家が、他の国家に対して向けるべき感情ではない。

問題は、その行き違いを意図的に拡大し、反米感情を煽り立て、日本の変質を後押しする〝何者か〟の存在だった。並河は、いつもなら決して動かさない首をわずかにめぐらし、「こういう時のためのガス抜きだろう？」と〝マル六〟が潜む闇を睨み据えた。

「いままであんたが動かなかった理由、そろそろ教えてもらいたいもんだな」

すべての事情がわかっているなら、マスコミを通じてリークするなり、外交ルートで政府に釘を刺しておくなり、世論が盛り上がる前に打つべき手はいくらでもあった。〝マル六〟は闇の中で身じろぎし、「……私たちは判断材料を提供するだけで、決定する権限は持たない」と、常になく歯切れの悪い返事を寄越した。

「ずっと昔、昭和の初め頃にね。日本の人口増加率を調査して、将来の危機を予測したアメリカの学者がいたの。日本では、明治から昭和に至る六十年の間に人口が倍増している。国土は狭く、資源も乏しい。おまけに列強各国が関税を敷いて、自国産業保護のために外国製品の輸入を規制していれば、日本がイギリスみたいな工業立国になれる目はない。日本が増え続ける口を養うには、生活水準を下げるか、産児制限をするか、朝鮮半島や台湾への入植を増やすしかない。あるいは、資源のある大陸に進出して新領土を獲得するか。当時の常識からすれば、日本がどの道を歩むかは考えるまでもないことよね？　でもアメリカは、特になんの対応策も講じなかった。関税を引き下げるとか、産児制限を奨励するとか、ガス抜きの方法はいくらでもあったでしょうに、やったことと言えばたったひとつ。ロンドン会議で軍縮条約を押しつけて、日本の戦力増強を阻止した。……つまり、戦争の準備」

頭から冷や水をかけられた思いだった。凍りついた並河にかまう様子もなく、〝マル六〟は続けた。

「ガス抜きどころか、もっと圧をかけて暴発を促してしまう。多くの利害が絡みあう政治の場においては、時にそういう過ちがまかり通ることもある。個人がなにを叫んでも届かないし、止められもしない」

「でも、これは誰かが仕組んだ筋書きで、日本の意志ってわけじゃない。まだ止めようがあるはずだ……！」

「言ったでしょう？　始まりがなんであっても、その道を選んだのは日本人の責任だって。ワシントンはそう考える」

冷ややかな声音が全身に突き通り、並河は絶句した。

「推測も含めて、私は現状を報告している。でも報告を受け取った側がどう判断するかはわからない。ただひとつ言えるのは、向こうはあなたたちが想像する以上に危惧(きぐ)を感じている。これまで黙認されてきた私たちの行動が、ここにきて規制を受けるようになったのがその証拠」

「危惧ってなんだ。日本が軍事国家にでもなって、また領土戦争をおっ始めるって危惧か？　相互依存経済が世界規模で確立してるってのに、そんなバカな……」

「少しでも可能性があるなら、備えておくのが国家の安全保障よ。それに、ワシントンが危惧しているのはそんなことじゃない。あなたが言った通り、世界戦略における極東の要石(かなめいし)が失われるかどうかっていう、目先の問題。共通の利益を追求できなくなった以上、それはもう同盟国ではなく、潜在的な敵性国家に分類される」

「ほとんどの日本人には、そんな自覚はない。場の空気に流されてるだけだってわかっててもか」

「それでも、発信された言葉は言葉よ。深読みしろって要求は筋違いだし、いまのワシントンにはそうするだけの余裕がない。『肥大した帝国の維持』に汲々(きゅうきゅう)としているんだから」

つい先刻、テレビを通じて発信された『言葉』を引用して、〝マル六〟は話を締めくくった。こちらはもはや返す言葉もなく、並河は正面に戻した顔をうつむけていった。

アメリカは、日本を敵性国家と見做(みな)しつつある。少なくとも、そうなった場合のシナリオはあらかじめ準備されている。双方に言い分があり、考え方があり、誰ひとり争いを望む者がいなくても、発信された言葉は言葉として受け止められ、表れた結果は結果として機能する。「……ガス抜きの段階は、もう終わりってことか」と並河は呟いた。

〝マル六〟は否定も肯定もしなかった。

「あんたはそれでいいのか？　こうやって話せばわかりあえるのに、こんなことで……」

「私とあなたならね。でも、みんなが同じように考えるかしら？　サッチョウや市ヶ谷、永田町のお偉方たち。古い言葉を語るこの国の人たち」

不意に空気が動き、〝マル六〟の声が微かに遠ざかったような気がした。「おい……」と呼びかけた声がかすれ、並河は思わず首を動かした。

「日本がその道を歩むのなら、合衆国は相応の態度を取るしかない。それが質問に対する答。〝チヨダ〟の校長によろしくね」

それまで闇の中に潜んでいた気配が立ち上がり、〝マル六〟の気配ともども遠ざかってゆく。ひとり取り残される恐怖に駆られた並河は、「待ってくれ！　まだ聞きたいことがあるんだ」と身も世もなく叫んでいた。

「事件の黒幕、内通者の情報、他にも……」

「答は、もうあなたが知ってるはずよ」

ハイヒールがこつこつと硬い足音を鳴らし、〝マル六〟との間に拡がる距離を闇の底に刻みつける。それはそのまま、二つの異なる国が離れてゆく音のように並河には聞こえた。

「忘れないで。〝ガス抜き〟の装置はまだ死んだわけじゃない。あなたが、私の選んだあなたでいる限り」

「つまらない謎かけはよせ！　おれは……」

　堪えきれずに叫び、中腰になった刹那、扉の閉まる重い音が室内に響き渡った。

　それが最後だった。音も気配も去り、〝マル六〟は消えた。並河は悄然と椅子に腰を落とし、傍らのデスクに置き去られた桔梗を見下ろした。絶望が鉛になって腹にしこり、立ち上がる気力も持てないこちらをよそに、白い花弁は清冽な輝きを放ってデスクライトの下にあった。

※

　よこはまコスモワールドから運河沿いの堤防に降り、国際橋の下をくぐって少し歩くと、新港パークと呼ばれる公園にたどり着く。新港地区の一画、運河と海の両方に面した岸壁を緑地化し、ベンチを並べただけの簡素な公園だ。

　観覧車を降りたあと、一功は足の赴くままといった風情で新港パークに向かった。変装を解いたきり、素顔をさらして平然と歩く背中を追って、朋希も公園に足を踏み入れた。

　極端に街灯の少ない薄闇の中、照明でライトアップされた展望用ベンチが丘の斜面に沿って並べられ、それ自体が光のオブジェのように青白い光を放っている。岸壁には他に光を投げかけるものはなく、水平線上に並ぶ鶴見工業地帯の橙色の灯や、対岸から突き出たシーバス乗り場の建物がひどく眩しく映えたが、最大の光源はみなとみらい地区に聳える高層ビル群だった。

スイカを切り分けたといった形状のグランドインターコンチネンタルホテル、三つのビルが棟続きになったクイーンズスクエア、ひときわ巨大な高層を際立たせる横浜ランドマークタワー。窓という窓を輝かせ、建物全体が発光しているのではないかと思わせる高層ビル群は、暗い運河を挟んで煌々とした光を投げかけ、同時に公園内の闇をいっそう深くもしていた。

時刻は午後六時過ぎ、しかも平日とあっては、人の目は眩い明かりにこそ引き付けられ、特に見るものもない公園に足を向ける者はいない。散策を楽しむには遅すぎ、人目を忍ぶ男女が出没するには早すぎるこの時間、公園にいるのは夜釣りでもしようかという老人くらいで、それにしても吹きさらしの岸壁には近づこうとしない。釣竿とクーラーボックスを担ぎ、とろとろと堤防を歩く老人を見送った朋希は、先を歩く一功の背中に視線を据え直した。

広域手配中の犯人が素顔をさらして歩くには、適当なロケーションなのだろう。一功は周囲を警戒する気配もなく、気ままに歩くうしろ姿は日常の空気に馴染んでさえいる。恵理は無事に保護されたのか。人質を取ってまで自分を呼び出した一功の真意はなにか。質したいことは山ほどあったが、あまりにも無防備な背中を見ていると、どう声をかけたらいいのかわからなくなってくる。そもそもこれは現実なのか？　ローズダストのリーダー、もう二度と会うことはないと思っていた男が、目の前を歩いている。あるいは一連の事件そのものが幻で、目前の無防備な背中こそが現実？　だとしたら、四年前のあの日々は……？　想像外の事態の連続に脳が作動不良を引き起こしたのか、朋希はふと、長い悪夢の中にいるような錯覚にとらわれた。

目を覚ますと、そこは新潟の工場の宿舎で、左眉に傷のない一功がおり、朝食の準備に忙しい三佳がいる。他の仲間たちも三々五々起きてきて、自分は誰とだって自由に話し、なんの含みもない顔を見交わすことができるのだ。誰を傷つけることもなく、釈明できない罪に苛（さいな）まれることもなく――。

「冷えてきたな」

岸壁の手すりの前で立ち止まり、一功は口を開いた。確かに冷たい海風を感じながら、朋希は顔を上げた。

「でも、モンゴルやシベリアの寒さに馴れちまうと、生あったかいくらいだ。きついぜ、向こうの冬は。新潟なんて目じゃない」

微かに顔を振り向けた一功の左眉には、やはり傷痕があった。見続けるのが辛く、目を伏せた朋希は、「……もう、よせよ」と呟いていた。

「サッチョウと市ヶ谷が総出で固めてるのに、いまからＴＰｅｘを奪うなんて自殺行為だ。これ以上の犠牲を出す前に、日本を離れろ。スポンサーに契約違反を問われたって、まだその方が生き延びるチャンスはある」

わずかに細めた目を唯一の反応にして、一功は黒い海面に顔を戻した。提灯（ちょうちん）を鈴なりにした屋形船が運河を通り過ぎ、ディーゼルの騒音をまき散らしたのを潮に、朋希は押さえつけてきた感情をその背中に叩きつけた。

「あの三人を殺したからって、なにかが報われたか？　なにかが変わったか？　無関係の人を傷つけて、殺して、おれたちと同じ怨みを増やしただけだ。もうやめろよ、こんな無意味なこと。まだ気が済まないって言うなら、この場でおれを殺して気を済ませろ。そして……二度と、この国に帰ってくるな……」

「何度も言わせるな。おまえを殺すつもりはない。おれたちの邪魔をしない限りな」

最後はかすれてしまった声を無造作に遮り、一功は言った。「おまえもそれがわかってるから、市ヶ谷の犬になっておれたちの前に現れたんだろ。楽になるために」と続いた声音に胸をひと突きされ、無意識に両の拳を握りしめた朋希は、反駁の言葉もなくその場に立ち尽くした。

「でもな、やめとけ。おまえはそういう柄じゃない」

遠ざかる屋形船の灯を見送り、再び海面に目を向けた一功の声が風音に混ざる。朋希はその背中を見つめた。

「いくらつっぱったって、おまえは他人の善意ってやつを信じてるんだよ。だから人と関わることをやめられない」

「彼女のことを言ってるなら、誤解するな。あれは……」

「おまえこそ勘違いすんな。別に責めてるわけじゃない。おれとおまえは違うって話をしてるだけだ」

子供をいなすような口調で言うと、一功はポケットに突っ込んでいた手を手すりに置いた。

「それに、言ったろ。スポンサーだのＴＰｅｘだの、そんなものはどうだっていい。ローズダストのファイナル・ターゲットは、この国の状況そのものだって」

「そんなの……！　たった四人で、なにができるって言うんだ」

「そうか？　ちょっとかき回してやっただけで、ずいぶん状況は変わったぜ」

振り向き、にやと笑いかけた一功の背後で、水平線に張りつく橙色の灯火が燃えていた。朋希は我知らず体を引いた。

「あっちこっちで国粋主義の松明(たいまつ)が灯って、後生大事にしてきた平和国家の肩書きを燃しちまおうって勢いだ。色気づいたガキが、それまで大事にしてたおもちゃを捨てるみたいに……。おれに言わせりゃ、単にヒステリーを起こしてるとしか思えないがな。これで主権意識が目覚めて、真の独立国家に生まれ変わるって考える能天気な奴もいる。おれたちは、そいつに呼ばれてこの国に帰ってきた。ついでに、あの三人からケジメも取れるんだ。乗らない手はないだろう？」

「ついで……？」

あの三人への復讐を、三佳の仇討ちをついでと言うのか？　信じられない思いで一功の顔を見返し、次いで先刻聞いた言葉の断片を反芻した朋希は、不意に肌が粟立つのを感じた。

『あの三人は結果であって、原因じゃない』『ＬＰを潰したのは、この国の状況だ』。なら、ローズダストの真の目的は。送り出したのではなく、彼らをこの国に呼び寄せたのだというスポンサーの正体は――。

「個人的な興味もあった。この五、六年で日本の意識も少しは変わったって言うが、無責任な平和主義、問題先送りの体質はなにも変わっていない。一晩で三割が七割になる国、北の核開発を横目にしながら、国民感情でＴＰｅｘの導入を潰す国だ。だが、日本が直接攻撃の対象になったらどうなる？　正体不明、でも九割九分、北の仕業だってわかるテロが起きて、すべての日本人の喉元に刃が突きつけられる。頼みの綱のアメリカは知らん顔で、自分の身は自分で守るしかないと知らされる……。腹切り場。これ以上は退がれない、先送りもできない正念場ってやつだ。その時、それでもこの国は平和国家の理念とやらを守り通すのか。それともガキのファンタジーでしたって認めて、ゴミ箱行きにするのか。昨日までの自分を簡単に捨てられる連中のことだ、結果は見るまでもなかったのかもしれない。……でも、そんな国にでも希望を託して、幻に実を入れてゆく術もあるって信じた奴もいる。そいつに免じて、一応は確かめてみようと思った」

遠い目を水平線の彼方に飛ばし、一功は街の灯に背を向けた。手すりの上に置いた拳がきつく握りしめられているのを見、ここではない、別の海辺で聞いた軽やかな声を思い出した朋希は、「その答は、もう出た」と続いた現実の声をなす術なく受け止めた。

「幻はどこまで行っても幻でしかなかった。永田町も、マスコミも、国民の安全より庁益とやらを優先させる市ヶ谷と桜田門も……。なにも変わらないし、変わりようもない。ま、お陰でおれたちは好きに動き回れたんだから、文句も言えないけどな。桜田門が下手な意地を張らずに、市ヶ谷に警護を任しておけば、服部の巻き添えで無駄に死人が出るようなことはなかった」

なぜそう言いきれる？　朋希は思わず顔を上げたが、声は出せなかった。胸の警告ランプが灯り、聞き流すな、考えろと直感が叫んだものの、頭を働かせる余裕もなかった。目前の肉体から押し寄せる怨嗟の波動に圧倒され、搦め取られないように踏ん張るだけで精一杯だった。

「企業の論理、役所の論理が優先で、人間の論理は後回し。考えない、決められない、責任も取れないのないない尽くしで、棚上げしてきた問題の重さに誰もが押し潰されてる。そういう連中は、少し揺さぶってやればこの通り踊り出す。自分で考える頭がないから、人が作った音色に簡単に引きずられる……」

ヘリの羽音が近づき、冷たい夜気を微震させた。ナイトクルーズの民間ヘリは営業を自粛しているから、警察か自衛隊の機体かもしれない。その時は確かめる神経も働かず、一功の目を見据え続けた朋希は、「……古い言葉だ、そんなの」と搾り出した。

「絶望っていう古い言葉。三佳は、そう言っていた」

塞がらない胸の傷口に出血を促すのを承知で、意識してその名を口にした。一功は冷笑を消してそれに応えた。

「そんな理屈に従って、いいように使われて、それでおまえはいいのか？　誰がおまえたちを呼び寄せた。ローズダストの真のスポンサー……古い言葉を垂れ流してるのは誰だ？」

汗でぬるついた拳を握りしめ、朋希は一功との距離を一歩縮めた。一功は口もとに冷笑を取り戻し、「あいつは、古い言葉も喋れない」と低く喉を鳴らした。

「他人の言葉を真似てるだけのオウムだ。ナショナリズムの〝風〟だの、日本独自の言葉だの……。それでこの国を目覚めさせるってんだから、笑うよ」

頭上を行き過ぎたヘリを見上げもせず、一功は手すりにもたれかかりながら続ける。

瞬間、全身に電気が走り、頭の中でなにかが爆発する感覚を朋希は味わった。

そう、それなら全部の辻褄が合う。と言うより、そうでなければ最初から不可能な計画だったのだ。ローズダストの豊富すぎる活動資金、支援母体があるとしか思えない神出鬼没ぶり、発信者が特定できないネットの怪情報。すべては――。

「とにかく、そのオウムが作った音色に引きずられて、日本中が踊り出してるってわけだ。先頭で踊ってるのは、永田町に桜田門、それに市ヶ谷。最初は止めようとしてた連中が、いまじゃ音色がやむのを恐れてる。組織の論理ってやつにあと押しされて、このまま行き着くところまで行こうって腹だろう。踊り続けた先にあるものがなにか、ろくに知りもしないで……」

ベンチの照明が発する青白い光を瞳に映し、一功は吐き捨てる声を重ねた。朋希には、その仄暗い光が一功の内面から湧き出しているもののように見えた。

「だから、その結果は受け止めてもらう。政府、企業、マスコミ、国民――この国の状況を作り出した、すべての者たちに」

夜陰に浮き立つ高層ビル群を見据え、一功の顔貌には阿修羅の形相が浮かび上がっていた。ぞくりと悪寒が走り抜けた体を律し、朋希は「……なにを考えてる」と質した。

「スポンサーの計画に乗ってるだけじゃないな？　いったいなにをする気だ。なにが狙いだ……！」

「なんで気にする？　守る義理のある国でもないだろう」

動じる気配も見せず、一功は冷静に切り返してくる。朋希は黙ってその顔を見つめ続けた。人質を取ってまで自分と会おうとした理由が、もし自らの所信表明のためであるなら——そうするだけの因縁が自分との間にはあると考えているなら、それは最後まで聞き出さなければならない。たとえこの場で殺しあうことになっても、そうするのが自分の義務だという衝動に近い思い込みがあった。他の誰でもない、一功は自分に話をしにきたのだから、と。

再び屋形船が行き過ぎ、海を渡る風が遠い警笛の音を運んだ。互いに目を逸らさず、一歩も退こうとしない睨みあいは、先に目を伏せた一功によって打ち切られ、「おれたちが、なんでローズダストって名乗ってるかわかるか？」という問いが朋希の耳朶を打った。

「見せてやるよ。じきに、東京の空にローズダストが舞う。本当のオペレーション・ローズダストの始まりだ。それを見れば、この国の連中も思い知る。犠牲になった連中も少しは浮かばれるさ」

「ローズダストが……舞う？」

「誰にも止められない。あの時の子犬と一緒だ。でかい図体をした連中がいくらとおせんぼしたって、おれたちは足もとをすり抜ける。どんなに狭いところ……下水管やダクトの中だってな」

一功がそこまで言った時、待ち構えていたように携帯電話がくぐもった電子音を鳴らした。ぴくりと体を震わせた朋希から目を離さず、携帯を耳に当てた一功は、「わかった」と短く応じてディスプレイを折りたたんだ。

「あの女は保護されたそうだ。いま県警のビルに入った」

一瞬、なにを言われたのかわからなかった。恵理のことかと思いつき、その存在を意識の外にしていた自分に愕然とした朋希は、ひょいと眼前に突き出されたものを見て息を呑んだ。

携帯と、アンクルホルスターに収まったグロック26が一功の手の上にあった。「確かめてみろよ。向こうも心配してるぜ」といった声に促され、朋希はその両方を受け取った。馴染んだ重みが手首に伝わり、それまでとは種類の異なる衝撃が胸の底に走った。

「じゃあな」

棒立ちになったこちらをよそに、一功は背を向けて歩き出した。あまりのことに声も出ず、金縛りにあったかのごとく立ち尽くした朋希は、「待て！」と渾身の力で叫んだ。

「答えろ。東京の空にローズダストが舞うって、どういう意味だ。次の狙いはなんだ」

叫んだ勢いで振り返り、立ち止まった一功の背中を視界に収める。少しだけ顔を動かし、ふっと笑みを浮かべた一功は、なにも言わずに歩き始めた。朋希は携帯とアンクルホルスターを地面に投げ出し、手に残ったグロックのスライドを引いた。

弾が装塡したままであることは、渡された時の重みで確かめている。薬室に初弾が送り込まれる硬質な音が響き渡り、一功の足が止まった。

「……バカにするなよ」

両手保持でグロックを構え、五メートルと離れていない背中に銃口を向ける。一功は、

「やめとけ。留美が狙ってるかもしれないぜ」と背中で言った。そんな脅しをかけるまでもなく、引き金が引かれることはないと知り抜いている背中だった。

「質問に答えろ！」

トリガーに指をのせ、朋希はもういちど叫んだ。脅しが本当で、次の瞬間にこの頭を吹き飛ばされたってかまいはしない。このまま一功を行かせるわけにはいかないと胸中に念じて、その背中にグロックの狙いを定めた。目さえ見なければ、ただの人型だと思えば、撃てる。殺さずとも、足を撃ち抜いて無力化することだってできる。入江一功だと思わなければ。ローズダストのリーダー、〝奴〟という敵だと思えば――。

「撃てよ」

一功の声がそう言い、向き直った瞳がこちらを直視する。朋希は、筒先の照星が震えるのを知覚した。

「おれを殺すことが、たったひとつの償いなんだろ？」

闇夜を染めるコスモクロック21のネオンを背に、一功はゆっくり近づいてくる。おまえも銃を抜け、抜いてくれ、と朋希は願った。そうすればトリガーを引ける。勝良の時のように、考える前に体が反応してくれる。

「それとも、なにか守らなきゃならないもんでもできたか？　戦って守るだけの価値のあるものが」

一歩一歩、確実に距離を縮める一功の双眸が鋭い光を放つ。模擬短刀で殺しあいをさせられた時、本気で戦えと訴えてきた目。底に敷き詰めた悲哀を憎悪で燃やし、己を支え続ける一功の目だった。額を伝った汗が目に入り、朋希はぎゅっと目を閉じた。両手の震えを押さえ込み、両目を見開いた刹那、鈍い衝撃が銃口から全身に伝わった。

銃口に自らの胸を押し当てた一功の顔が、すぐ目の前にあった。なにもできない無様を嗤い、「そういう奴だよ、おまえは」と言った声が胸の底に突き通り、汗とは違う水分が視界に滲むのを朋希は感じた。

「この国の連中と同じだ。おまえに守れるものなんかない」

銃口にのしかかっていた圧迫が外れ、背を向けた一功が離れる一歩を踏み出す。憤怒、悔恨、恐怖、絶望。出口なく滞留する感情の渦がその刹那に逆流し、朋希は絶叫とともにトリガーを引いた。

銃声が夜気を引き裂いて轟き、ほとんど反響もせずに暗い海原に拡散する。風が硝煙を流し、火薬の臭いを消し去るのを遠くに感じながら、朋希は虚空に向けた銃口を下ろした。

一功はもう振り向こうともせず、公園の木々が作り出す濃い闇の中に溶け込んでゆく。前に踏み出そうとした足がもつれ、朋希はその場に膝をついた。

そのまま両手もつくと、ひとつ、二つと滴った雫が、地べたに小さな染みを作っていった。もう追いつけない。一緒には走れない。自分のものとは思えない嗚咽(おえつ)の声がくぐもり、朋希は濡れた顔をしばらく地面に向け続けた。

3

すべては、来た時と逆の手順で行われた。再び目隠しをされ、どこともわからない地下室から運び出される。表で待機していたバンに乗り、暗闇の中で一時間あまりを過ごすと、バンは八丁堀の地下駐車場に戻っている。そこには例のタクシーも戻っており、預かっていた並河の私物を仲間に渡すや、再び風のように走り去ってゆく……といった具合に。

照会したところで件のタクシーは存在せず、また即座に手配しても捕捉できるとは限らないだろう。どこぞの倉庫か人けのない駐車場に入り、十分後に出てきた時にはナンバーはもちろん、色も乗り手も異なる普通乗用車に生まれ変わっている。そういうことが当たり前にできる連中だ。運よくドライバーの身柄を押さえられたとしても、口を割らせるのはまず不可能と見た方がいい。黙秘を続けるうちに、どこからともなく手が回り、釈放された途端に失踪——もしくはなんらかの理由で急死する。視察員を何十人張りつけようと、定められた摂理の歯車は止められない。〝マル六〟は貴重な糸の一本を失い、こちらは〝マル六〟の信用を失って、より多くのペナルティを支払わされるのは警察の方だ。

それゆえ、並河はバンの車内で黙々と着替えるのに専念した。いったんぬいだ下着をまた身につけるのには抵抗があったが、すべての返却を求められるのはわかっていたので、我慢して元のトランクスを穿いた。そうして自分の服に戻り、貸し衣装を回収したバンが走り去ると、なにごともなかったかのような静寂が無人の駐車場に降りた。唯一、腕時計の針だけが三時間近く動いており、〝マル六〟と過ごした時間が現実であることを告げていた。

いや、なによりの証拠は、鉛を呑み込んだ腹の重さと、すっかり入れ替えられた頭の中身か。身分証と拳銃を所定の位置に収め、地下駐車場をあとにした並河は、帰宅ラッシュも過ぎた夜のオフィス街にたたずんだ。まだ頭の整理がつかず、とりあえず携帯電話の電源を入れようとして、すんでのところで思い留まった。

答は、もうあなたが知っているはず——。耳に残った〝マル六〟の声を反芻し、携帯を懐に戻す。電源を入れたが最後、血眼でこちらを捜し回っている〝チヨダ〟に所在を把握される恐れがある。合同捜査本部、桜田門、市ヶ谷。すべてとの繋がりが断ち切れ、いまだ〝マル六〟と接触中だと思われている現在の状況を、利用しない手はない。なにに、という目的語を明確化するのは避けて、並河はひとまずその場を離れた。

地下鉄の駅に向かって歩く背広組のひとりになり、ぱんぱんに腫れ上がった脳味噌に思考を促す。ローズダストの真実、アメリカの思惑、この状況を意図的に作り出している何者かと、彼と結託して捜査情報を垂れ流す内通者。それらの言葉が泡のごとく浮かび上がっては消え、考える必要はない、やるかやらないかだとの結論が導き出されるまでに、さほどの時間はかからなかった。どちらとも決めかねたまま歩き続け、路上に突き立つ電話ボックスの前で足を止めた並河は、やれやれと内心に嘆息した。

携帯電話の普及が極まった昨今、公衆電話を見つけるのは難しい。無意識にその前で立ち止まった自分は、どうやらそれを探して歩き回っていたらしく、すでに実行の決意を固めているということのようだった。我ながら損な性分だと思いつつ、並河はボックスに入り、最低限の行動計画を組み立ててから受話器を取り上げた。諳じている電話番号を押し、最後のダイヤルボタンに指をかけたところで、いいのか？　と遅すぎる自問にとらわれた。

七五三に引きずられて……というこれまでの言い訳はきかない、正真正銘の独断専行になる。本庁勤務から外されるどころか、今度こそ職を失う結果になりかねないが、個人的に信用できる官僚クラスの上司がいるわけでなし、他に有効な手を思いつくものでもない。迷った挙句、並河は目を閉じて最後のボタンを押した。ハムの脂身が、いまさら保身を気にしてどうする。詮ない強がりを胸に、呼び出し音が途絶えるのを待った。

「もしもし、おれだ。いまちょっと話せるか？　実はな、ちょいと手を貸してもらいたいことがあるんだ」

（またなんかヤバい話じゃないでしょうね）

公安四課のオフィスでパソコンに向き合っていたらしい河村は、言葉とは裏腹に期待に弾んだ声を返してきた。右翼犯罪の多発で忙殺されているとはいっても、しょせん資料整理は資料整理。〝チヨダ〟の視察員にへばりつかれる経験をしてもめげず、同期を頼って情報収集に励んでいる河村が、一つ返事で食いついてくるのは予想のうちだった。

並河は素知らぬ振りで受け流し、「おまえ、パソコンに詳しいだろ」と意識して気楽な声を出した。

「メールアドレスとかをいじって、発信元を粉飾したりするのってできるか？……そうか。じゃあこれから言うことをメモしてくれ。調査案件も二、三ある」

すべての依頼を伝え終えるまでに、十円玉が二枚消えた。目的を悟られて、河村を泥沼に巻き込むわけにはいかない。あくまでも気楽を装い、大した話ではないと印象づけたつもりだったが、河村もバカではなかった。最初は頻繁に返ってきた相槌が、中盤ではほとんど聞こえなくなり、しまいには（これって……）と不安げな声を寄越すようになった。

（ヤバくないですか、マジで。これじゃまるで……）

「責任は、おれが取る」

思わず硬い声で遮ってしまってから、並河は咳払いを挟んで続けた。「社のためになることだ。褒められこそすれ、あとで問題になるようなことはないさ。おまえは、おれの指示に従っただけってことにしておきゃいい」

（しかし……）

「大丈夫だ。頼んだぞ。連絡はまたこっちから入れる。おれから電話があったことは、くれぐれも内密にな」

まだなにか言いたげな河村を無視して、並河は受話器を置いた。小銭が戻ってくる音を聞きながら、大丈夫だ、と今度は自分に言い聞かせるようにする。

河村が首尾よく依頼をこなしてくれれば、問題のひとつは解決する。正確には、〝マル六〟が言う『並河が知っているはずの答』が明らかになる。そこから、すべての真相に繋がる糸口をつかむこともできるだろう。間違いなら、それはそれで懸念の種が消えるだけのことだ。そうであってほしい、と祈りにも似た思いを抱いて、並河は電話機に頭を押しつけた。

　荷が重いことだ、と思う。まったく見ず知らずの他人ならともかく、自分は〝あの男〟の人となりを多少なりと承知している。頑なな鉄面皮の裏にさまざまな感情を隠し、絶え間ない自責の念で心のバランスを取っているような顔。その自責の中身が、こちらの想像する通りのものだったとしたら――。

　いや、まだわからない。予断は禁物だと肝に銘じて、並河は顔を上げた。いまわかっているのは、こうする以外に道はないということ。一刻も早く確かめ、対処しなければならない問題であるということ。たとえ、確かめたくない事実であっても。

「でなけりゃ、おれたちはそろって地獄に堕ちる……」

　桜田門も、市ヶ谷も、日本という国家そのものも。目の前を行き過ぎる複数の顔を眺め、並河は呟いた。どんな事件が起こっていようと、世間では当たり前の日常が続いてゆく――二週間前にはぼんやりとあった感慨は、いまはもうなかった。事件の裏で、この日常を根底から覆し、あと戻りできない方向に走らせる策動が静かに始まっている。そこそこに勤勉で、そこそこに怠惰。忍従と弛緩をくり返し、ささやかな幸福に一抹の意義を見出す日常が、不可視の黒い影に塗り込められようとしている。

　家路を急ぐ人々は、電話ボックスから倦んだ視線を投げかける中年男を一瞥もせず、地下鉄の駅に吸い込まれていった。

※

それから約二時間後、警視庁公安部公安総務課のオフィスで、管理官宛に一通のＥメールが届いた。一般回線を介して送付されたそれは、アドレスを見る限り、都内に複数ある分室から発信されたものと知れた。

通常、警察各部署のコンピュータ通信は、全国都道府県警察を繋ぐ専用回線・Ｐ－ＷＡＮによって行われる。これはインターネットにも乗り入れていない閉鎖ネットワークで、より高い隠密性が求められる公安部門に至っては、Ｐ－ＷＡＮとも隔絶した完全閉鎖型ＬＡＮが用いられている。まして全国公安警察の牙城（がじょう）、警視庁公安部の懐刀（ふところがたな）である公安総務課ともなれば、その電子情報の保守は厳重を極める。専用ＬＡＮへのアクセスは十数桁のパスワードで管理され、一般回線における情報のやりとりなど論外だったが、こと分室との通信に関してはその限りではなかった。

古びて借り手がつかなくなった賃貸マンションの一室、倉庫内の使われていない事務所、テナントビルの一画に適当な社名を掲げたペーパーカンパニー。そこには常駐の警察官もおらず、そもそも警察を匂わせる何物も存在しない。分室とは名ばかり、アジトと呼んだ方が相応（ふさわ）しい公安部の秘密拠点は、警察（サツ）回りの記者にも憶えられていない顔ぶれが、庁舎内でデスクを構えるには憚（はばか）られる事案を扱う際に機能する。近隣住民はもちろん、大家に対しても身分を秘匿する場合がほとんどで、P—WANなど専用回線の設置は望みようもない。通信には一般回線を使うほかなく、定期的な盗聴対策と、プログラムの暗号化でカバーするしかないのが現実だった。

もっとも、真に保秘が要求される事項は直接対面で伝えられるので、一般回線で送られてくるメールはほとんどが純粋な業務連絡にすぎない。他にも複数の分室を直轄する管理官は、電話の合間にメールを開き、読み始めた。その内容は、一般回線で送られてくるには少々ヘビーな内容だった。

——AF事案において、ビル管理者が関知していない地下駐車場の記録映像が存在することを確認。十月一日より事件当日まで、連日十九時から翌十時までの映像を記録したDVDが計三枚存在する。本日午後、当分室員が非公式に一部を検分した。

当該記録映像は、同ビルに入居する㈱三光商事代表取締役・藤田正和が私的に撮影したもの。一部の社員に、退社時刻を粉飾し、実際より多く残業時間を申告している疑いがあったため、監視を目的に密かに撮影していたとのこと。カメラは市販のデジタルカメラで、B—2立体駐車装置に駐車した社用車の窓に設置。A区画一帯の映像が記録されている。

事件の影響で車は損壊、カメラも破壊されたが、映像は三階の社長室内にあるDVDレコーダーにて受信・記録されていたため、消失を免れた。同社長は監視の事実が発覚することを恐れ、記録映像の存在を隠蔽。これまで捜査資料として提供されることはなかったが、同社社長秘書・江木澄子との接触を通じ、当分室員がこれの存在を把握。持ち出し・コピーは断られたものの、本日午後から夕方にかけ、社長不在の折に検分に成功した。なお、当分室員はマスコミ関係者を名乗り、当該映像の検分に際して身分はいっさい明かしていない。

当分室員の検分によると、《R》に該当する人物は確認できず。ただし、A—6立体駐車装置付近にて、不審な挙動の男性が複数回映り込んでおり、これは既収の防犯カメラ映像では未確認の人物であるとのこと。単なる偶然とも考えられるが、防犯カメラの死角をついて行動していた可能性もあり、同ビル勤務者のリストと対照しての人定作業が必要と思料する。

ついては、当該記録映像の押収が不可欠であると考える。その方法・今後の対応について指示を請う。

AFは、最初の爆破テロが起こった赤坂フォルクスビル。《R》は犯行グループの俗称、ローズダストを指す。ようは同ビルの店子にいささか偏執的な社長がいて、彼は社員の水増し残業の実態を調べるべく、ビル管理業者に内密で事件現場の地下駐車場を隠し撮りしていた。一方、その秘書は元から口が軽いのか、あるいは事件が拡大するさまを見て罪の意識を感じたのか、はたまた分室員が苦労してタラシ込んだのか、とにかくそういう映像記録があると分室員に密告。分室員が無理を言って拝ませてもらうと、そこには事件と関連があるともないとも言えない男が映っていた。詳細は押収しなければわからないが、警察が当該映像記録の存在を察知した経緯を粉飾しつつ――よもやマスコミを騙って秘書を籠絡したとは言えない――、法的措置を行うにはどうするか？　という話だった。

一読して、厄介だなと管理官は思った。問題の人物が事件に関与しているかどうかは別にしても、普通に考えれば瓢箪から駒の手柄だ。さっそく分室の指定作業班長と連絡を取り合い、押収の算段を整えるところだが、現状は普通には推移していない。物証を積み重ね、立件に持ち込む通常の捜査方法は、今回の事件においては足枷にこそなれ、事件解決に至る道筋にはならないことを管理官は知っていた。上層部、すなわちこれが市ヶ谷という日本の暗部から生まれ、拡大した事態であることを知る者たちは、とうの昔に法的な解決をあきらめている。問題は、いかにしてローズダストを捕捉し、闇に葬る算段を整えるかであって、ここで事件現場の未発見映像を入手したところで歓迎する者はいない。喜ぶのは、いまだ事件現場に這いつくばり、地道に物証の採取を続け、検挙後の公判に備えている赤坂署特捜本部の連中ぐらいだろう。

労多くして得るものなし。唯一の救いは、自分は中間管理職に過ぎず、最終的なジャッジを下す人間は他にいるということだった。その管理官は、件のメールを公安部長に転送した。総務課の組織は完全な縦割り機構で、十数人いる他の管理官がなにをしているか、彼らの直轄する分室がなんの作業に就いているか、総務課長ですら把握していない。すべてを把握するのは、公安部長と、公総内部に人員を擁する〝チヨダ〟の校長のみ。課長の頭ごしに部長に報告するのは、通例のことだった。

転送メールを受け取った公安部長の反応は、管理官のそれと大差なかった。考えるまでもなく、骨折りに値する情報ではないと判じた公安部長は、一週間前に発布された長官通達に則り、問題のメールを合同捜査本部の首脳クラスに一斉転送した。

関係各部署が収集したすべての情報は、公安部を窓口として合同捜査本部に即報すること。長官通達に続き、四局長連名通達として子細に規定された取り決めは、十一年前の地下鉄テロ事件の際、船頭多くして船山に登る弊害を味わった警察庁が、円滑な組織運用を期して自らに課した最低限のルールだった。結果、件のメールは警察側首脳陣は無論のこと、ダイス側にも転送された。大半の者はこの情報に戸惑い、もしくは看過し、誰か他の者が処理してくれることを期待した。実際、誰にとっても益にも害にもならない情報だったのだ——あるひとりの男を除いては。

その男は、件のメールを発信した分室の活動状況を調べ、赤坂フォルクスビルの現在の警備態勢を調べた。そして、問題の記録映像がある三光商事に電話をかけ、社員が全員帰宅したあとであることを確かめると、なにげないふうを装って席を立った。

捜査員やサツ回りの記者連が休みなく廊下を行き来し、入れ替わり立ち替わり出入りしている警視庁庁舎を抜け出すのは、さして難しいことではなかった。職員用通用口から外に出た男は、機動隊の車両を横目に警察総合庁舎脇の歩道をたどり、地下鉄霞ケ関駅に通じる階段を降りた。千代田線に乗れば、赤坂駅まではわずか二駅。赤坂フォルクスビルまで歩く時間、現地での作業時間を計算に入れても、一時間と少しで戻ってこられる自信があった。

件のメールが、実は同じ警視庁庁舎内から発信された、メールアドレスを粉飾した代物であることには、気づきようがなかった。

※

(現本より各移動。三機四中隊の到着は予定通り。正面玄関前に駐車中のPCはただちに移動、車両到着に備えられたい)

(国際交流館前、ウエストプロムナード上に迷彩服を着た不審者がいるとの通報。近い局、どうぞ)

(遊撃三、船の科学館前)

(現本了解。遊撃三、現場へ。不審者は年齢四十歳くらい、坊主頭で旗らしきものを持っており……)

路肩駐車したパトカーから無線の声が漏れ出し、夜気をひそやかに震わせていた。耳を澄ましたのも一瞬、背後から近づく人の気配を察した朋希は、声をかけられる前に立ち止まった。

そっと近寄って、いきなり職務質問をかけるつもりでいたのだろう。制服の巡査長は、急に振り返った朋希と顔を合わせると、少しぎょっとした表情になった。うしろに控える若い巡査の緊張した面持ちを見、巡査長に視線を戻した朋希は、その口が開くより先に懐の身分証入れを突き出した。

革製の身分証入れには、防衛庁情報本部の所属を示すＩＤカードと、警察庁の併任嘱託職員であることを証明するカード、警視庁庁舎通行証の三つが収まっている。チェーンで懐と繋がったそれをまじまじと見つめ、カードの写真と朋希の顔を何度も見較べた巡査長は、口を半開きにして一歩あとずさった。とりあえず背後の巡査に頷いてみせてから、若すぎる本庁職員に不審と戸惑いの入り混じった目を向け直す。朋希は、「通報、入ってるみたいですよ」とパトカーを指さし、身分証を懐に戻した。

「え？　ああ……」と曖昧に応じ、パトカーに取りついた巡査長を尻目に、朋希は再び人気のない歩道を歩き始めた。台場駅を降りてからこっち、職質かけに遭遇したのはこれで三度目。いずれも即座に身分証を提示し、声をかけるタイミングを与えずにやり過ごしてきたが、これからも同じ手が通用するとは限らない。照会するのなんのと言われ、合同捜査本部に連絡されたら面倒なことになる。ゆりかもめの高架ごしに目的の建物を見据え、その上空を通過するヘリの航空灯を目で追った朋希は、足の動きを多少早めた。

いま、その建物は最重要防護施設に指定され、内部には現地警備本部が設置されている。建物の警備を担当するのは、大隊長指揮のもと布陣した警視庁第二機動隊。屋上へリポートから外周に至るまで、文字通り蟻の這い入る隙間もない警備網を構築する。同じく湾岸地帯を担当する第九機動隊からは三つの中隊が出向、車両と徒歩の両面で遊撃警備を実施しており、周辺の検問には第五機動隊麾下の中隊が当たる。増派された地域課の警察官が付近の遊興施設や公園を巡回し、不審者の発見に目を光らせる一方、海上では水上警察署が擁する警備艇、海上保安庁第三管区の巡視艇がパトロールを行い、海からの接近・襲撃に備える。レインボーブリッジの橋脚安全確保のため、二機と九機所属の水難救助隊も展開中のはずだ。配置は明かされていないが、防護施設周辺には第六機動隊特科中隊ことSATも出張り、テロリストの急襲に備えてフル装備で待機しているに違いない。

その間に間に、ダイスが放ったAPが入り込み、ヘリボーンの態勢を整えたSOF要員が有事に備える。いまや国会議事堂周辺をしのぐ厳重な警備下に置かれ、石を投げれば警官かAPに当たろうという臨海副都心で、誰にも見咎められずに最重要防護施設に近づくのは不可能に近い。テレポートブリッジを渡って行けば人混みに紛れられたものを、人気も街灯も少ない地上路を選んだのは失敗だったかもな、と朋希は微かに反省した。防護施設の最寄り駅を使わなかったのは、改札口にずらりと並び、乗降客のボディチェックを実施する機動隊とかち合うのを避けたのがひとつ。お台場を離れると途端に暗くなる地上路を歩き、一帯の警備状況を自分の目で確かめたかったのがひとつだが、それだけではない。少し歩いて、新鮮な酸素を頭に取り入れたかった。これから起こそうとしている行動に対して、冷静に可否を下せるだけの思考力を取り戻したかった……と言った方が正確か。どちらにせよ、そのためにはひとり無心に夜道を歩き、頭を冷やす時間が必要だったのだ。

京浜東北線から山手線、ゆりかもめと乗り継ぎ、横浜からここに来るまでに一時間半近く。考える時間は十分にあったはずだが、腹の底でふつふつとたぎり、油断すれば溢(あふ)れ出しそうなマグマを押さえ込むのに精一杯で、電車の中ではろくに頭を働かせる余裕がなかった。こうして歩いているいまも、それは変わらず——むしろ外気が取り込まれ、マグマが発するガスと化合したことで、噴火の圧がいっそう増した感覚がある。入江一功が残した言葉、視線。煮えたぎるマグマの表面にそれらが浮かんでは消え、確かめなければならない、と訴える自分の声がそこに重なる。

確かめて、もしそれが真実であるなら、その時は……。そこから先は言葉にならず、手のひらに爪が食い込むほど拳を握りしめた刹那、携帯電話の呼び出し音が朋希の耳朶を打った。

メールの着信音だった。朋希は立ち止まり、少し迷った末に携帯のディスプレイを開いた。『連絡ください』という件名の下に、唯一登録してあるメールアドレスの表示。開封すると、『風船さんへ』という最初の一文が目に飛び込んできた。

『まだ県警にいます。父さんとは連絡が取れません。今どこにいますか？　メールでなくてもかまわないので連絡ください。こちらの携帯の番号は……』

名前を書かないのは、どういう状況にあるかわからないこちらを慮ってのことだろう。同時に、『風船さん』という符牒を使って、間違いなく彼女自身が送信していることを教えてもいる。いかにも恵理らしい聡明さが感じ取れる文章を眺め、これで三通目のメールをメモリーに登録した朋希は、携帯を手にしばし立ち尽くした。

あれから二時間近く経っているのに、いまだに並河との連絡がつかないのはどういうわけか。恵理を置き去りにしてきた我が身の不実は脇に除けて、まずはそんな思いが浮かび上がってくる。音信不通が四日も続けば、いま現在の並河の様子を推測する術はないが、携帯に出られないほど忙殺されているとも思えない。電源を切ったまま、忘れっぱなしにしてるなんて話じゃないだろうな。徒然に考え、ふと並河の怒鳴り声や奥さんのまる顔、恵理の笑い声といったものを思い出した朋希は、最後にそれらが集まる〝家〟の匂いも思い出し、ちりりと胸が疼くのを感じた。

十日の間、玄関をくぐるたびに嗅いできた匂い。料理の油が壁や柱に染み込み、複数の体臭と渾然一体になって醸し出される匂い。何十年と積み重ねられた生活の重みと温もりを伝える、自分には無縁な匂い――。遠い過去のように思える数日前までの日常に立ち返り、腹の灼熱がすっと引きかけた時だった。複数のヘッドライトが背後で瞬き、朋希は咄嗟に止めていた足を動かした。

天井のパトランプを点滅させ、パトカーに先導された機動隊の輸送車が二台、無遠慮なエンジン音を響かせて傍らの道路を走り過ぎてゆく。先刻の無線が言っていた通り、第三機動隊の一個中隊が到着したのだろう。午後九時過ぎを指す腕時計の針を見、防護施設に視線を飛ばした朋希は、一瞬前の疼きを忘れて足を早めた。

輸送車は百メートルほど先の交差点を曲がり、防護施設へと近づく。複数のパトランプがゆりかもめの高架に反射し、施設前の通りに駐車していたパトカーが移動する気配が伝わる。増派か、当番隊の交替かは定かでないが、引き継ぎやらなにやらで現場はしばらくごたつく。慌ただしい最中に紛れ込めば、以後の行動もやりやすくなるだろう。もはや内省はなく、実行に必要な神経のみを作動させた朋希は、交差点で検問を敷く機動隊員らの動向を観察した。走り出したいのを堪え、彼らを警戒させない程度に歩調を緩めようとして、携帯を握りしめたままであることに気づいた。

懐にしまいかけ、もう一度ディスプレイを覗き込む。『風船さんへ』『連絡ください』の文字を読み返した朋希は、再び足を止めてしまった。

返信作成のボタンに親指をのせ、すぐに外す。なにをやっているんだと思いながら、朋希は最重要防護施設――アクトグループ本社ビルに視線を戻した。正面からはHの字に見える特異な形状のビルは、ガラス張りの表面にパトランプと警備用ライトの光を乱反射させ、黙然と佇立していた。

※

外国製の化粧品を主に取り扱っているのだろう。箱詰めされたサンプルが至るところに置かれ、デスクの上にまで溢れていた。フロア半分を借り切ったオフィスはそれなりに広く、従業員数五十人の会社には十分な面積のはずだが、ダンボール箱の山が通路を塞いでいるので圧迫感を覚える。本来は応接室に使われる小部屋にもダンボール箱が詰め込まれ、会議室も半分近くが物置同然というありさまだった。

都心の一等地にオフィスを構える代償に、倉庫代をケチった結果がこれだ。目が闇に慣れるまで待ち、無人のオフィスをざっと見渡した並河は、資料から想像される通りのたたずまいに満足した。事件以後、赤坂フォルクスビルに入居する法人は等しく調査され、この三光商事も会社概要以上の資料が収集されている。見えっぱりで猜疑心が強く、このところの経営難でぴりぴりしている社長は、地下駐車場が木端微塵に吹き飛んだ当日、安全点検のため立ち入りを禁じた消防の職員に食ってかかり、周囲の捜査員に取り押さえられる一幕もあったという。保険の額では損失をカバーできないので、商品サンプルなどの荷物を運び出させろと、社員を従えて相当粘ったらしい。そういう御仁なら、社員からの人望も薄かろうし、残業状況が申請通りのものかどうか、地下駐車場で隠し撮りをしていたとしても不自然ではあるまい。ひとり得心して、並河はダンボール箱の隙間に身を潜めた。まだ焦げ臭さの残る空気を感じながら、じっと待つ時間を過ごす。

建物の安全点検が終わり、ひと通りの採証作業も済んだビルに忍び込むのは、さほど難しいことではなかった。警察手帳をちらつかせて夜勤番の警備員に近づき、世間話で茶を濁しつつ、警備室から離れるよう誘導して建物の中へ。まだ瓦礫の撤去作業も終わらない地下駐車場に降りられさえすれば、壊れた自動ドアから建物に侵入するのは造作もない。不審に思った警備員が検索巡回に来ると厄介だが、その時はその時と腹を括って、並河は目を閉じた。睡魔のひとつも襲ってくるかと思ったが、こわ張った神経がほぐれる気配はなく、酒でもなければ居眠りのしようもなかった。

赤坂通りを走り抜ける車の数も少なくなり、耳鳴りがしそうな静けさが周囲を押し包んでいた。永田町一帯を周回するヘリの羽音が定期的に近づき、張り替えられて間もないガラスを微震させては過ぎてゆく。緊急車両のサイレンとともに、この羽音が夜の都心の一部になって久しい。ひそやかに、しかし間断なく張り詰めた空気。安全神話は文字通りの神話になり、もう誰もそれに違和感を覚えなくなった。こうしてなんとなく現状を受け入れ、一時の激情と忘却をくり返すうちに、この国は少しずつ位相を変えてゆくのだろう。平和ボケの反動、そうなることが成熟した国家への道であるという、一方の論理に引きずられて——。考えるともなしに考え、冷えてきた空気にコートの前をかき合わせた時、ドアの開く微かな物音が並河の鼓膜を震わせた。

目を開け、息をひそめる。警備員でないことは、最小限の物音しか立てず、するりとオフィスに入り込んだ気配の挙動が示していた。気配はほとんど空気も揺らさずに歩き、迷う素振りもなく社長室の前に立つと、鍵をこじ開ける隠微な音をオフィス内に響かせる。三十秒と経たずにその音はやみ、ドアの開く小さな音に続いて、ペンライトの発する光が戸口からこぼれるようになった。並河は息を吸い込み、ダンボール箱の山を抜け出してそっと立ち上がった。

足音を忍ばせ、慎重に社長室の前に回り込む。ブラインドごしに差し込む街灯のわずかな明かりが、手にしたペンライトを左右に振り、室内を見渡す長身の背中を浮き立たせていた。その姿は、なにを言っても留守宅を物色するコソ泥のものとしか思えず、並河は不意に怒りがこみ上げてくるのを感じた。

あんたが、よりにもよってあんたが、そんな情けない姿をおれに見せてくれるな。傍らのデスクライトに手をのばした並河は、視線を察した長身が振り返るより早くライトをつけた。

パッと音がするような光が闇を裂き、長身の顔を直撃する。咄嗟に手でかばった男から目を逸らさず、並河は一歩前に進み出た。

「……やっぱり、あんただったか」

ひどくしわがれた声が出て、並河はいったん口を噤んだ。光に目を細めつつも、羽住克広はゆっくり手を下ろし、驚愕を消し去った無表情をこちらに向けた。瞬時に状況を悟りながらも、悟ったことを迂闊に相手に感づかせない。この男一流の鉄面皮だった。

「前から気になってはいたんだ。ローズダストの日本上陸を察知してた割には、最初のマル害……水月の警護がザルすぎたんじゃないかって。ローズダストの動機を考えりゃ、勤務先が標的になることは十分に予想できたはずだからな」

無用になったペンライトを消し、羽住は否定も肯定もしない目で応じた。並河はデスクライトの首をつかんだまま、戸口ごしに立つ長身を睨み上げた。

「にもかかわらず、市ヶ谷はここの警備をろくすっぽしてなかった。……だが、そうか？　見えていたのに、見えない振りをしていた。わざと警備に穴を開けた奴がいて、そいつは爆弾が仕掛けられたことも知っていたんじゃないか？　いや、それどころかローズダストに手を貸して、防犯カメラの位置やら水月の動向やら、情報提供をしてたってことも……」

もしそうなら、現場に想定外のカメラが存在し、挙動不審な男が映り込んでいたという情報は、その者――内通者にとって十分な脅威になる。そこに映っているのが、自分であったとしたら。挙動不審と取られるヘマをしたつもりはないが、万一ということもある。しかもその映像記録は、明日にも合同捜査本部に押収されるかもしれないのだ。

内通者の疑心暗鬼は、今晩中にその記録を盗み出し、抹消することによってのみ解消される。それゆえ、羽住は自らここに足を運ばなければならなかった。その情報が、河村が部内に流した偽メールであることを知らずに。すべて内通者をあぶり出すための作り話で、そんな記録は存在しないとも知らずに。

内通者の存在を示唆された時から、わかっていたことではあった。初期からローズダストに協力し、合同捜査本部の情報をリアルタイムで流せる者となれば、数は自ずと限られてくる。その中から、ローズダストと個人的な因縁を持ち得る者を割り出すのは、さして困難な話ではない。入江一功と丹原朋希との間には因縁があり、朋希と羽住の間にも上下関係だけでは推し量れない微妙な空気がある。AイコールB、BイコールCであるなら、AイコールCという考え方も成り立つのではないか？　ほとんど直感だけの当て推量であっても、『答はあなたが知っているはず』なのだから……。

「〝マル六の作業玉〟からの提報ですか？」

寸毫(すんごう)の感情も窺(うかが)わせない目と声で、羽住が言う。あらゆる汚濁と不条理を甘受し、呑み込むのが自分の義務だとでも言いたげな目。憐憫(れんびん)も同情もなく、ただ互いに背負っているものがあると了解しあえるような、いつもと変わらない羽住の目だった。発火寸前まで高まっていた胸の熱が一気に高まり、並河は「関係ねえ！」と爆発していた。

「あんた、おれに言っただろ。市ヶ谷と桜田門の掛け橋になってもらいたいって。丹原を頼むとも言ったよな。いまのあいつには、自分で自分を殺しかねないような危うさがある。……あれは、あんたの本音だろう？」

怒鳴った勢いでデスクライトが下を向き、舞い戻った闇が羽住の顔を隠す。並河は、「そう言えるあんたが、なんで内通者だ」と押しかぶせた。

「あいつが血まみれになって、昔のダチまで殺して、必死でローズダストを追っかけてるのを横目にしながら、ぬけぬけと捜査情報を垂れ流しにしてた。丹原だけじゃない。この事件で何人の警官が死んで、何人の人間が旦那や父親を亡くしたと思う。どんな事情があるか知らないが、これはひとりの人間が背負える類いの罪や責任じゃない」

羽住は初めて視線を逸らし、微かに顔をうつむけた。並河はデスクライトを引き上げ、その顔に容赦なく光を浴びせかけた。

「言い訳ぐらいしろ！　なんで内通者になった。あんたを雇ってるのは誰だ。北がスポンサーだなんて与太話は、もう賞味期限切れだぞ。喋っちまえ」

再び視線を合わせた羽住の口もとに、それとわからない程度に苦渋の色が浮かんだ。並河はさらに一歩詰め寄り、「この絵を描いた奴の名前、そいつらの組織と構成。桜田門と市ヶ谷に入り込んでるシンパの数、名前、役職。なにが動機で、なにが目的なのか」と一気にたたみかけた。

「口で訊いてるうちに答えといた方がいいぞ。おれはいま頭にきてるんだ」

デスクライトを離し、腰のホルスターに収めたニューナンブの銃把(グリップ)に手を置く。脅しではなかった。常に自責の念を溜め込んでいると思えるこの目、これは背信の渦中にある者のうしろめたさでしかなかったのか。そこに過去の痛みへと通じる深い穴を見出し、勝手に共感していた自分が間抜けだったというだけのことか。黙秘されたまま、上に引き渡して有耶無耶になるなんて結末はご免だと思い、並河は本気の目を羽住に向けた。

羽住は低く吐息を漏らし、「残念です」と口を開いた。

「こうなるはずではなかった。あなたが、もっと当たり前に自分を大事にする人であったら、こんなことには……」

残念、という言葉が示す通り、自他ともに憐れむような声音だった。瞬間、周囲の空気がひやりと冷たくなった錯覚にとらわれ、並河は生唾を飲み下した。

「並河警部補。まだこのことを誰にも話していないのなら、すぐにこの場を立ち去った方がいい。そしていっさい口を閉ざしていることです。他に、あなたが助かる道はない」

しんと冷えた空気をその立ち姿にまとい、羽住は静かに言った。脅しでも虚勢でもない、ただ現実を伝えるだけといった声に、並河は「これはまた、想像を絶するお言葉が返ってきたな」と精一杯の皮肉を返した。

「お気遣いはありがたいが、あんたの支離滅裂にこれ以上つきあってる暇はないんだ」

「警部補ひとりの力でどうにかできるような問題じゃない。関わらないのが賢明です」

「黙れ！　バカにするのも大概にしろ。勝手に人を巻き込んでおいて……」

「あなたが事態に関わった頃、最初の事件があった直後は、まだ他の可能性もあった。でもいまは違う」

思わずというふうに語気を強めると、羽住はすぐに並河から視線を逸らした。「たった二週間で、我々が想定した以上に事態は動いた。もうこの流れを変えることはできない。流れに抗おうとしていた者たちも、現状を容認する方向でまとまりつつある。いま流れに逆らうのは自殺行為だ」

「あんたは、それでいいのか？」並河は羽住を見据えて質した。羽住は伏せた目を合わせようとしない視線にかまわず、羽住を見据えて質した。

を微かに上げた。

「喉元すぎれば熱さ忘れるで、放っておけばこの空気も自然と薄まるだろうよ。だがこの絵を描いた奴は、それぐらい見越して手を打ってるんだろう？　次から次へと煮え湯を飲ませて、日本がこの場に留まっていられないようにするために」

タブーがタブーでなくなり、日陰が日陰ではなくなる――呪いのような〝マル六〟の声を耳の底に再生しつつ、並河は続けた。

「これからも犠牲者は増える。その果てに待ち受けるものがなにか、あんたならわかってるはずだ。それでもいいのか？　あんたもしょせんは、古い言葉に取り憑かれた人間のひとりってわけか？」

「古い……言葉」

ぽつりと呟き、羽住は顔を上げた。そのひと言が鍵になり、本人も存在を忘れていた箱の蓋がぽんと開いて、押さえる間もなく中身が飛び出したといった表情だった。「懐かしい響きです。……丹原が？」と尋ねた顔は微笑さえ浮かべており、並河は反射的に頷いてしまった。

「あいつは、本当にあなたに心を開いていたようだ。その言葉をまた口にするなんて」

そう言うと、羽住は長身を屈めるようにして社長室の戸口をくぐり、手近な椅子の背もたれに手を置いた。その挙動からは敵意も緊張も感じ取れず、並河は「どうだかな」と相手をして、次の出方を窺うしかなくなった。

「人形みたいだった奴が、少しは話せる奴になってったのは確かだ。でもそれも……」

屋上で鳴り響いた一発の銃声、額に穴の開いた勝良義和の死に顔、再び人形に戻ってしまった目――。怒りとも失望ともつかない感情が去来し、口が塞がれる恐怖を感じた並河は、「ま、たかが二週間かそこらのつきあいだ」と言って、それら記憶の断片を隅に追い散らした。

「あんたの方がつきあいはよっぽど長い。ああ見えて、あんたのことは信用してたんじゃないか？」

それをあんたは裏切った。そう続けようとして、「それはありません」と即座に返ってきた声に封じられた。まっすぐこちらを見つめる羽住の顔を、並河は少し気圧（けお）された思いで見返した。

「わたしと丹原は、同じ罪を犯しています。共犯意識があったとしても、信頼関係にはなり得ない」

「罪……？」

「古い言葉と、新しい言葉。そういう言い方で世界を切り取り、この国の未来を語ろうとした命を、消し去ってしまった罪です」

椅子の背もたれに置いた手をきつく握りしめ、羽住は再び並河から視線を逸らした。

「そしてそれは、水月、烏丸、服部の三人に連座する罪でもある。……ローズダストに殺されるべきは、わたしの方です」

吐き捨てた勢いで椅子を引き出した羽住は、その上に力なく座り込んだ。並河はそれを見下ろし、「『オペレーションLP』……。作戦中止に伴う事故で死んだ現場要員」と低く呟いた。虚空を照らすデスクライトの光条の下、薄闇に溶け込んだ羽住の肩は泣いているように見えた。

「入江と丹原が、共に愛した女。ローズダストって言葉を遺した女のことか」

他の推測はなかった。両の手のひらを握り合わせ、顔を上げようとしない羽住に一歩近づいた並河は、「だったら、なんであんたはこんなことに加担した！」と怒声を張り上げた。

「入江にしてもだ。その女の仇討ちをするだけならまだしも、スポンサーの言いなりになって、日本中に敵意をばらまいて、古い言葉で塗り込めて。まるっきり本末転倒じゃ――」

「彼女は死んだ。新しい言葉も生まれなかった」

遮る視線と声が薄闇の中で閃き、並河は突き飛ばされた思いであとずさった。

「すべて幻に過ぎないなら……せめて、過ちの根は断たなければならない。古い言葉にすがってでも、この国の無能と軟弱は討つ。そうすることで、LPの過ちもくり返されずに済む……」

臓腑を引き搾り、滴り落ちた苦渋の液が言葉になって降り積もってゆく。そんな感じだった。「おれにできる、たったひとつの償い……か」と呟き、並河は羽住から目を逸らした。

「入江に銃を向けた時、丹原はそう言っていた。同じ罪でも、償い方は人それぞれらしいな」

羽住は小さく鼻息を漏らし、失笑とも取れない表情を伏せた顔に刻んだ。朋希の憔悴も、羽住の背信も、ローズダストの憎悪も、すべては『オペレーションLP』に端を発している。三人の元幹部が企てた背任劇というだけでは説明のつかない、現状を作り出す素になった悲劇。複数の利権と思惑が絡みあい、個人の事情が介入する余地のない硬質な面を向ける一方で、ひどく生々しい感情のせめぎあいが底の方に見え隠れする。複雑さと単純さを併せ持ち、関わった人間を等しく呪い続ける悲劇――。

「そこまであんたらを縛りつけてる罪……。LPの過ちってのはいったいなんだ？　四年前になにがあった？」

だから並河は、いまできるたったひとつの質問を口にした。羽住は薄い笑みを口もとに刻み、「つまらない話ですよ」と答えた。

「誰もが、自分にとっていちばん大切なものを守ろうとした。そして、守りきれずに失ってしまった……。それだけの話です」

※

天井の高い、小振りなプラネタリウムのような空間だった。円形に広がる部屋の直径は、約十メートル。壁は内側に向かって緩い弧を描き、床面積よりひと回り小さい円形の天井を支えている。照明は小型の常夜灯タイプが複数、天井の円周に沿って点々と設置されているが、いずれも明度を抑えてあるらしい。二階分以上の高さから照らすには十分な明るさとは言えず、琥珀色の薄暮といった明かりが部屋全体を満たしていた。

それでもさほど暗く感じないのは、壁面に埋め込まれたモニター群が照明を反射し、電源の消えた画面をぼんやり光らせているせいだろう。ＣＲＴか液晶か、とにかく三十インチ大のモニターが数百台、壁のほぼ半面をびっしり埋め尽くしており、蜂の巣に似た格子柄を作り出している。床にはコントロールパネル兼用のデスクと、一脚の椅子が存在するのみ。デスクの背後に位置する壁にはモニターがなく、装飾ともパネルの継ぎ目ともつかないラインが複雑な幾何学模様を描き出す。廊下や他の部屋に通じるドアはそちら側の壁にあるが、ドアノブが接触感知式のパネルになっている上、ドア自体が壁の継ぎ目に合わせて巧妙に配置してあるので、一見したところでは判然としない。油断すると、自分がどこから入ってきたのかもわからなくなるありさまだった。

つまり、この部屋の構造は限りなく隠し部屋に近い。これだけのスペース、設備をそろえておきながら、椅子はたったひとつしかない隠し部屋。その椅子に座れば、壁一面のモニターを一望することができる。あらゆる放送局が流す番組、あらゆる個人・団体が発信するネット情報を任意に呼び出し、世界中の情報を同時に眺めることもできるだろう。天上の神が、刻々と変化する下界の相を見下ろすかのように——。革製の椅子に手を触れ、無機質な目をモニター群に注ぐ部屋の主の姿を想像した朋希は、ぞっとするものを感じてすぐに手を引っ込めた。

心身をリラックスさせるプライベート空間、ビジネス情報を収集するための作戦室……そんなものではない。これは玉座だ。情報化社会と呼ばれる世界を飛び交う何億もの声、感情、打算、欲望。それらを俯瞰（ふかん）し、流れを見極め、次なる干渉の一手を思索する。閉じているようで開かれていて、開かれているようで閉じている。ネットワーク世界に君臨する神の部屋、デジタル宮殿の玉座だ。空調の音しか聞こえない静寂が全身を浸し、気管が圧迫されるような恐怖を感じた朋希は、軽く頭を振って不穏な想像を追い払った。

合同捜査本部員の肩書きを使い、アクトグループ本社ビルに侵入して三十分弱。現地警備本部に行くと見せかけて、非常階段口に滑り込み、防犯カメラを避けつつ上層階まで来たのはいいが、この部屋に入り込んだのは計算外だった。このフロアに重点的に配置されている個人警護官——警護課所属のＳＰとかち合いそうになり、咄嗟に逃げ込んだ先がこの部屋だったのだ。警備用に作成された建物の見取図は頭に入っているし、円形の奇妙な構造の部屋が存在することも承知していたとはいえ、よもやこんな造りとは思いも寄らなかった。目的の場所が同じフロアにあることは確かだが、下手に飛び出すと警戒中のＳＰと鉢合わせしないとも限らない。壁際に寄り、外の様子を探ろうとドアに耳を近づけた朋希は、それがまったく無駄な行為であることに気づいて小さく舌打ちした。

ドアは二重構造になっており、音も気配も完全に遮断されている。パネルに触れると廊下側のドアも連動して開いてしまうから、隙を窺うこともできないわけだ。ドアらしい継ぎ目は他にもあるが、これは調整室に通じるドアか？　この部屋の主が予測通りの相手なら、目的の場所に直結する隠し扉ぐらいあるかもしれない。いっそ片っ端から開けてみるかと考え、継ぎ目ともドア枠ともつかない幾何学模様を凝視した朋希は、軽いめまいを覚えて頭を振った。

ダメだ、落ち着け。ドアに発報装置が設置されている可能性もあるし、ＳＰの動向がわからないのに迂闊に動き回るのは危険だ。これまで発見されずに来られたこと自体、僥倖なのだ。ここで焦って、せっかくのチャンスを棒に振るわけには――。

ブン、と低い振動が空気を震わせ、朋希はぎょっと立ち竦んだ。続いて天井の照明が消え、部屋が闇に包まれると、それまでとは種類の異なる光が壁から滲み出した。

壁に埋め込まれたモニターというモニターが作動し、無数の映像の反射光が部屋を満たす。それらはいくつかがまとまってひとつの映像を形成したり、それぞれが別個の映像を流したりして、めまぐるしく入れ替わる映像のモザイク模様を現出し始めた。同時に百もの声が四方八方からわき上がり、光と音の洪水を棒立ちの朋希に浴びせかけた。

（サイバーテロの防止を目的とするネット監視法は、言論の自由を侵害するものであるとして、有識者を中心とする民間団体が国会前でデモを行いました）

（北朝鮮には日本を占領する意図も能力もないんですよ。今回のテロにしたって、言わばコソ泥みたいなものだし、第一まだ北朝鮮の犯行と決まったわけじゃない。自暴自棄になっての暴発っていうのはあくまで可能性です。ひとつの可能性に惑わされて、平和憲法の理念を危機にさらすのはいかがなものか。防衛長官の先制攻撃容認論は、憲法と自衛隊法の不可分性を侵害するもので……）

（戦争反対。私たちの守ってきた財産が、いま失われようとしています。憲法改悪に対して、私たちは断固戦います）

（まずはね、差別や失業をなくすことです。居場所が見つかれば、外国人犯罪も少年犯罪も減るんです。警察力の強化で治安回復を目指す前に、まず彼らに居場所を……）

（なんかー、国民の権利を蔑ろにして、自分たちだけ勝手やってるって感じ？　そんなことより景気よくしてくんないとさー……）

（有事法制によると、総理とわずか五人の閣僚だけで、武力攻撃に関する決定が行えるようになっている。たった六人で戦争をするかどうかが決められてしまうんです。多国籍軍への自衛隊参加を独断したことといい、いまや民主主義の原則が無視されて……）

　壁全体が光り、うねり、喋っている。この国を縛りつけてきた古い言葉――いま世間を煽動する古い言葉とは対になる、もうひとつの古い言葉を語って聞かせている。ほとんど暴力に等しい映像の洪水にさらされ、身を隠すのも忘れて立ち尽くした朋希は、モニター群の奥に潜む作意に意識を凝らした。

　偏った思想を公共の意見であるかのように垂れ流すニュース、無責任な感情論を振りまくワイドショー、横暴な軍部という構図でしか戦争を語れない反戦映画、国民をバカにしているとしか思えない政党宣伝。悪意に満ちた映像の奔流の奥で、この部屋の主が自分を見つめている。怒れ、いら立てと煽り立てながら、自分の様子を観察し、反応を窺っている。

「無知は恐ろしい。そう思わないか？」

五官を押しひしげる音と映像の中でも、その肉声は明瞭に響いた。モニターの向こうで何人が同時に喋っていようと、生身が発する声の響きは判別がつく。朋希は声の発した方に目を動かし、コントロールパネルのうしろに立つ人影を視界に入れた。

「国家間戦争でさえテロの形態をとって現れる現在、必要なのは被害を最小限に食い止める即応力の確立だ。武力攻撃は、そのオプションのひとつとしてある。火事を消すのに、消防車を出す出さないで国会を召集していられる余裕があるかね？　君にはわかりきっている話だろうが」

この部屋の主――若杉直純は、そう言って眼鏡の下の目を朋希に据えた。テロとの戦いを公言し、本社ビルで籠城中の男らしく、セーターにスラックスというくつろいだ姿をしんと立たせている。モニターとスピーカーの狂騒に紛れて、室内に入ってきたのだろう。執務室と直結するらしいドアはすでに閉められており、壁との見分けがつかなくなっていた。

「戦争反対。人権擁護。すべて戦後進歩主義、左翼主義の残骸だ。もう誰もその実効性を信じていないのに、こうした思潮を振りまく輩は少なくない。全共闘世代の子供が社会の一線に立つ時代だ。無意識に親の世代の影響を受けているんだろう。どんな弱小でも、父親が応援していた野球チームのファンになってしまうのと同じ心理だ。戦争反対の理念を守るために『戦う』。このレトリックの矛盾に、彼らはいつ気づくのか……」

若杉が操作したのか、音の奔流は消え、ちかちかと入れ替わるモニターの映像だけが残された。二十四時間態勢で身辺警護に当たっているSPが、この騒ぎを看過するはずがない——意図的に人払いでもされていない限り。落ち着き払った若杉の顔を窺い、モニター群に視線を戻した朋希は、自分は忍び込んだのではなく、誘い込まれたのだと理解した。

「そうした残滓が、義務を果たさずに権利のみを謳い、そのくせ依存性の強い大衆志向と合致して、怠惰であることを容認する社会構造を作り上げる。マスコミは問題の本質をオミットして、ショーアップされた事件や人物で部数と視聴率を稼ぐ。劇場型政治、観客民主主義の行き着く先は、見たいものしか見ない、知りたいことしか知ろうとしない無知層の拡大だ。それはもう人ではない。国家というシステムにわいた蛆虫だよ」

「あなたは、それを利用した」

腹に力を込め、朋希は遮る一声を発した。若杉は口を閉じ、冷気のような視線を朋希の背中に据える。

「マスコミが取り上げ続ける派手な事件、誰もが注目せずにはいられない恐怖を演出して、国民の目を一ヵ所に集めた。そして自分が望む状況を作り出した……！」

背中にからみつく悪寒を振り払い、朋希は若杉を正面に見据えた。若杉は瞬きひとつせず、「会ったね」とだけ言った。以前、階下のイベントホールで演壇を挟んで向き合った時と変わらない。インターネット財閥の創始者にして首魁、アクトグループ会長の泰然とした顔がそこにあった。

いや——違う。外見は同じでも、いまここにいる若杉直純ではない。表情は能面さながら動かず、立ち居は傲岸不遜な本質を隠しもせず、目は物を見る冷たさを放ってこちらを威圧し続ける。完璧に感情を制御した者の手強さ、デジタル宮殿の玉座につく支配者の凄みが、その全身から沁み出している。

「ＴＰｅｘ導入のための狂言テロ……。前に、冗談半分でそう推理した人がいた。そんな単純な話なら苦労はないって、取り合わなかったけど」

「単純な方が真実ということもある」

唇の端をにやと吊り上げ、若杉は嗤った。眼球も他の筋肉もいっさい動かさない、機械仕掛けの不気味な笑みだった。やはり、間違いない。確信に差し込む一パーセントの疑念が霧散し、朋希は握りしめた拳にいっそうの力を込めた。

訓練キャンプ時代から、同じ言葉を入江一功が何度となく口にしていた。『日本独自の言葉』というお馴染みのフレーズも、『新しい言葉』の単なる言い換えだ。一功が言っていた通り、この男は他人の言葉を真似るオウムでしかない。そしてオウムが言葉を憶えるには、それを話す者との恒常的接触が不可欠になる。

もはや疑う余地はなかった。若杉こそ、ローズダストの真実のスポンサー。北朝鮮工作員のテロという恐怖の音色を奏で、日本中を踊らせている煽動者——。

「だが、実際の事情はもう少し複雑だ。ＴＰｅｘは入り組んだピースのひとつに過ぎない。我々の目的はもっと別のところにある」

殺気を込めた視線を風と受け流し、若杉は不思議と耳に残る独特の声で言う。〝我々〟

という言い方にざわと神経が騒いだものの、朋希は無表情を維持して若杉の動向を見守った。

「それに、君はわたしが国民を煽動したと思っているようだが、それも間違いだ。どれほど巧みな論者であっても、その志向がまったくない者を同調させることはできない。一連の事件で世論が動いたのは、その素地がすでにできあがっていたからだ。わたしはそれを後押しして、進行を阻害する小石を取り除いたに過ぎない」

若杉の手がコントロールパネルの上を走り、モニターの映像がさっとひとなでしたように次々切り替わってゆく。北の弾道ミサイル打ち上げ、不審船騒動、9・11テロのニュース映像などを映し出すモニター群は、世紀の変わり目をまたいで演じられた狂奔のモザイクだった。平壌宣言、拉致被害者の帰国、初の実戦を経験した海上保安庁。アフガン侵攻を皮切りに、終わりなき対テロ戦争に突入していったアメリカ……。

「勤勉な君にはあらためて説明するまでもないだろう。苛酷な自然環境を征服するところから始まり、長い戦乱によって鍛えられてきた西洋文明は、究極的にはスタンドアローンの文明だ。異文化を珍重はしても、協調して発展することはできない。すべての並列化、多様化を認めた欧州連合の無力に収斂するか、9・11以後のアメリカが体現する征服主義に陥るかのどちらかだ」

そこでモニターは一斉に切り替わり、今度は白黒の映像が壁面を埋めた。B—29から空撮した都市の爆撃風景。広島に顕現した禍々しいキノコ雲。終戦。闇市の混沌、労働争議に集まる群衆、朝鮮特需にわく工場を映し出したモニター群は、次第にカラーの映像を織り混ぜ始め、東京オリンピックや新幹線の開通、大阪万博の模様などを羅列する。『もはや戦後ではない』『所得倍増計画』といった荒々しいテロップ。カー、クーラー、カラーテレビの３Ｃを三種の神器と呼び、消費大国として肥大してゆく戦後日本の映像史。

「誤解されがちな点だが、我々日本人はアメリカとの戦争に敗けて、その支配を受け入れたのではない。軍事力に屈伏したのが始まりであっても、まったく相容れない相手であったらこうはならなかった。彼らの押しつける資本主義、民主主義による編成が国家にとって妥当であるとして、その文脈の中でアメリカの覇権を受け入れたのだ。つまり価値観、制度、文化の威信を認めて、戦後社会の指針、世界のリーダーとしてのアメリカを受け入れた」

バブルの狂騒と終焉。停滞の中に沈み込む日本をよそに、アメリカはイラク戦争へと突き進む。イラクという国家は数日と経たずに瓦解し、各部族による個別闘争が熱狂と打算、憎悪と倦怠を一緒くたにしてくり返される。国家の概念を端から持ち合わせていない中東の民に、旧来の国家間戦争の図式を当てはめて泥沼に落ち込んだアメリカ。親米保守を唯一の外交政策にして、ともに汚濁へと身を沈めた日本。自衛隊派遣、人質事件。見たくないものを見せられ、知りたくないものを知らされた日本人の戸惑いとヒステリー。自己弁明のためにのみ駆使される反戦節、寄らば大樹の発想で喧伝される対米追随論。

「だから、そのリーダーが馬脚を現し、征服主義に陥る西洋文明の悪癖を露呈した以上、我々は戦後日本の価値観を見直さなければならない。自らの文化基盤の上に立ち返り、主権国家の意志をもってアメリカの傘下から抜け出す必要がある」

それまで個別に映像を流していたモニターが、十面単位で結合し、巨大な画面を三つ、四つと形成する。永久凍土に覆われた白銀の大地、そこに突き立つ無数のボーリング装置。鉄骨とパイプを剝き出しにした巨大な建造物がその背後に聳え、防寒着と安全ヘルメットで身を固めた作業員の立ち働く姿が映し出される。ヘリから撮影したらしい映像には、見渡す限りの銀世界を背景に、煙突から黒煙を噴き出す石油プラントの全景が捉えられていた。作業員の背中にプリントされたマークは、外資系の石油会社のもの。ITバブルの最中にアクトグループが買収した企業のひとつ——。

「真の独立自治には、自給自足が前提となる。基本的に石油資源を持たない日本の場合、特に重要なのがエネルギー政策だ。たとえば日露戦争に勝利した時、樺太の産油地を確実に押さえることができたらどうなっていたか。禁輸措置で石油を断たれたからといって、無謀な日米戦争に突き進まずとも済んだかもしれない。戦後、中東の安い石油ばかり買いあさらずに、積極的に油田開発を行っていたら？　中東依存が九割を超えるような状況にはならず、イラク戦争に対しても別のオプションが考えられた。少なくとも、彼の地に親米政権が誕生するのを当て込んで、あわてて自衛隊を送り出す無様は避けられただろう。海底油田探索で出遅れて、貴重な資源を中国に吸い上げられる無様も回避することができた。

これは、我が社が東シベリアで建造中の石油プラントだ。メタンハイドレートの採掘計画も並行して進んでいる。土壇場で中国にすり寄ったロシアに梯子(はしご)を外されて、いまは資金繰りの問題から工事が中断しているがね。パイプラインの敷設は目途が立ったし、完成の暁(あかつき)には中東依存率は五割まで引き下げられる。原発の供給量を増やしてこれと組み合わせれば、日本のエネルギー政策はアジア圏内でほぼ完結する。石油確保のために、君たち自衛官が利用されることもなくなるというわけだ」

「でも、それには工事再開の資金を調達しなければならない」

モニター群に背を向け、朋希は若杉の顔を直視した。若杉は眼鏡の下の目をすっと細めた。

「韓国財閥と提携してＴＰｅｘ開発の箱を作り、その利益分を油田開発に充当する。ＴＰｅｘによる国防政策の革命と、エネルギー政策の転換を同時に進める一石二鳥……。しかもそれは、ひとつひとつが断片でしかないために全貌が見えにくい。君臨すれども統治はせず。傘下企業に独立自治を促すアクトグループの体制が、意志の在り処を粉飾するように働く」

ここにあるモニター群と同じだった。ひとつひとつが個別に機能しつつ、結合して大きな画面を形成することもできる。たとえばＴＰｅｘの開発は、それだけではアメリカにとっても韓国にとっても害にはならない。日米安保の枠組みがある以上、開発データは自動的に米軍にも供与され、北朝鮮に対する抑止力という当面のオーダーも充当される。国民感情とは別に、親米保守勢力が実権を握っている韓国にしても同じことだ。現に韓国財閥の雄・大鐘(テジョン)グループは、それを前提にアクトグループと提携し、ＴＰｅｘのプラント建設に事実上の出資をしている。が、そうして生み出された利ザヤは、廻り廻ってシベリアの油田開発に回され、日本の自給自足体制を確立する推進剤として役立てられる。その繋がりを知ったら、アメリカも韓国も警戒心を抱くだろう。韓国政府は大鐘にアクトとの提携を打ち切るよう働きかけ、アメリカは実際的な手段を用いて計画を潰しにかかってくるだろうが、最初から疑いの目を持って見ない限り、TPex開発と油田開発が繋げて考えられる可能性は低い。どちらもアクトグループの傘下企業が個別に行っていることであって、両者を統合する意志は存在しない。アクトグループを調べれば調べるほど、逆にその結論が導き出される。ITバブルの崩壊で痛い目を見たネット財閥が、慣れない実業に進出してでたらめをやっている。傍(はた)からはそのようにしか見えず、またそのように振る舞う術を若杉は心得ている。

景気のいい計画を打ち出しては株価を吊り上げ、自転車操業の含み益でグループを肥大させた詐欺師もどきの商売人。テロの標的にされれば断固抗戦を訴え、国粋主義まがいの演説をぶつお調子者の道化師。だがその実体は——。

「つまり、これはアクトグループっていう一企業に終始する話じゃない。アクトグループを苗床にした、脱日米安保を最終目的とする国家改造計画。……それが、あなたの狙いか」

一功から聞かされた言葉、これまでの不自然な経緯、四年前まで溯(さかのぼ)る犠牲と流血。そのすべてを胸に、朋希は敵を見る目を若杉に据えた。若杉は薄い唇をにやと歪(ゆが)め、「君たち市ヶ谷の人間は、実に頭の回転が早い」と愉快そうに応えた。

「驚嘆に値するよ。実のないスパイ稼業なんぞやめて、君もうちで働いてみないか？」

「あの三人みたいに、人柱になれと？」

水月、烏丸、服部。『オペレーションＬＰ』の現場要員を犠牲にし、大鐘との提携を段取り、ＴＰｅｘの資料を手土産にアクトグループに天下った三人のダイス幹部たち。ＴＰｅｘ開発の箱作りに失敗したあとは、ローズダストの生け贄に差し出され、箱を完成させるための人柱にされた者たち。若杉は、「彼らにはその程度の価値しかなかった」と事もなげに言った。

「以前から我々の〝集まり〟に加わっていてね。大鐘グループを引っ張ってきたり、ＴＰｅｘ開発の算段を整えたり、最初はそれなりに使いでがあったが、しょせんは金と地位が欲しいだけの官僚上がりだ。頭は固いし、我々の〝集まり〟に名を連ねるには不純でありすぎる。ＴＰｅｘの導入中止が決まってからは、完全にお荷物だった。その点、君はまだ若いから鍛えがいがある」

「我々の〝集まり〟……？」

「名前は特にない。会員名簿や規約があるわけでもない。共通の目的のために、それぞれがそれぞれの場所で必要な役割を果たす。自然発生的にできた〝集まり〟だ。いろいろな人間が参加しているよ。企業家、政治家、銀行家。医師、弁護士、官僚……。無論、君たちの中にもいる」

言いながら、若杉はデスクの前の椅子に腰を下ろした。眼鏡のレンズにモニターの光が映え、玉座に収まった機械人形の印象を強くした。

「親米保守という重力に囚われ、思考停止に陥った政治、外交。グローバリズムを平成不況の救世主のごとく受け入れ、それまで培ってきた日本型スキルを投げ捨てた経済界。なんでもかんでもアメリカに右に倣えで、自らの言葉を持とうとしない。そういう体制の変革を志向する者たちだ。ひとりひとりが歯車になり、嚙み合い、我々の計画を前進させる。全体でひとつの巨大な推進装置だ」

「けど、その装置には欠陥があった。ＴＰｅｘ……。日本人は、その存在を拒否した」

結果、製造プラントの建設は中止され、アクトグループの株価は低迷した。建設予定地を宅地開発に切り替え、青海ポセイドンシティなどとぶち上げてみたところで、しょせんは焼け石に水。歯車のひとつが停止したことで、シベリア油田開発に資金を回すどころか、連鎖するシステム全体が焦げつき始めた。

若杉は眉ひとつ動かさず、「浅薄な妨害工作だよ」と言った。

「起爆実験映像の流出、マスコミのバッシング。我々の〝集まり〟に無用な危惧を抱く連中の仕業だ」

「でも、それで導入中止にまで持ち込んだのは国民の声だ。誰かの意志が働いてたわけじゃない」

「国民？　義務も責任も果たさず、文句を言う口だけは持っているこいつらのことかね？」

若杉の手がコントロールパネルをひとなでし、モニターの映像が右から左へと次々に切り替わっていった。街頭インタビューで捉えられた複数の顔、署名運動、デモ活動。ネットの掲示板に書き込まれた誹謗中傷の数々。代替案なき反対、批判、非難。矮小な自我を満足させるためだけに積み重ねられる言葉……。

「君の言うことはひとつだけ当たっている。そこに意志はない。時々の流れに巻かれて、右へ左へと揺れ動くだけの塵だ。我々の計画を快く思わない者たちは、その特性を利用してTPex導入を廃案に持ち込んだ。我々が同じことをして、逆の結果を導き出したとしても責められる謂れはないだろう」

「人が死んでるんだぞ！　それをなんとも思わないのか」

室内に渦巻く無数の声を振り払い、朋希は叫ぶように言った。若杉は玉座に体を沈めたまま、無言でその声を受け止めた。

「あの三人だけじゃない。爆発に巻き込まれた警官、銃撃戦で死んだSATの隊員。LPの要員だって……」

この計画さえなかったら、あるいは。水月たちの背信もなく、現場要員が置き去りにされることもなく、罪悪の重さに押しひしげられるいまという時間もなく——。その先は言葉にならず、あるだけの怒りを視線に込めるしかない朋希に、若杉は「その悲劇こそ、現代日本の不実が生んだものだ」と静かに応じた。

「覚悟もモラルもなく、個々の欲望と打算のみが国政を歪め、末端にその帳尻合わせを求める。打倒すべき共通の敵だ。それを理解しているから、ローズダストも我々の呼びかけに応じた」

「共通の、敵……」

「あの三人への復讐など、小さな話だ。彼らには真の敵が見えている。実に優秀な兵士たちだよ。ほんの少し手助けしただけで、見事に我々が望む状況を作り上げた」

背後のモニター群が再び切り替わり、この二週間あまりのニュース映像を映し出す。黒煙を噴き上げる赤坂フォルクスビル。同じ日の夜、青海の建設現場に咲いた爆発のキノコ雲。北朝鮮工作員の犯行を臭わせる一連の書き込み。政府の無策をあげつらい、危機説を垂れ流すマスコミ。世論が沸騰する中、多数の警官を巻き添えに爆破された服部邸と、期を同じくして始まったサイバーテロ。そして、お台場で巻き起こった銃撃戦。

「警察もダイスも愚者の集団ではない。彼らはとうの昔に真相に気づいている。だが、実行犯が元ダイスの人間である以上、真相を公表することはできない。昂る一方の国内世論を沈静化する術もない。正確には、そうする必要が彼らにはない」

　恐怖は憎悪に転化し、脆弱な自己への批判は糾弾に転じる。平和国家なんて絵空事で、持つべき力を持てないようにしてきたのは誰だ。行き過ぎた人権主義で犯罪者を野放しにしてきたのは誰だ。昨日までの自分を顧みることなく、我先に攻撃する側に回ろうとする大衆心理が、続く映像と文字のシャッフルをモニター群に現出させる。『戦後日本の歪みをいまこそ正すべき』『ネット監視法を軸に警察法改定着手』『機能する自衛隊へ　在日米軍に頼らぬ自衛軍構想』『対テロ情報を一元化　警察庁・防衛庁を中心とする情報機関設立準備へ』『北に断固たる制裁を　高まる国民の声』『改憲に向けて議論活発化　危機の事前排除を視野に』……。

「日米安保に縛られぬ、自国完結した防衛力の整備。対テロ、対スパイを目的とした警察力の強化。平和国家の虚妄に踏みつけにされてきたダイスにしろ、内務省の復活を宿願とする警察にしろ、望んでやまなかったものを手に入れるチャンスが目の前にある。それだけではない。親米保守の思考回路で敗戦以後の屈辱を紛らわし、主権なき国家の舵取りを任されてきた日本政府そのものにとって、この状況は有益だ」

最初は踊りを止めようとしていた者たちが、いまや音色がやむのを恐れている——。一功の声が閃き、朋希はモニターから若杉に視線を移した。

「最初の花火さえ打ち上げてしまえば、誰にも止められないし、止める必要もなくなる。事態はそのように動いている。それは、君にとっても望ましい推移のはずだが？」

「望ましい……？」

「『オペレーションLP』があのような帰結を迎えたのも、自分ではなにも決められない日本外交に原因がある。あの三人を殺したところで、犠牲になった現場要員の魂は浮かばれない。現状の改革こそが真の弔いになる。ローズダストは、その了解のもとに我々に協力している。君はどうする？」

即答できる質問ではなく、そもそもなにを答えたらいいのかもわからずに、朋希は若杉の視線を避けた。国の威信を担保し、発言力を保証するのは力。その力を手に入れるための、この計画——LPの犠牲をくり返さないために？　でも、それは……。

「まだ計画は始まったばかりだが、この狂乱を境に日本は変わる。真の主権国家として生まれ変わるだけでなく、アジア圏を包括する新文明の盟主国にもなり得る。歪められた歴史を正し、先人たちが持ち合わせていた美徳と伝統を取り戻しさえすれば」

「狂った妄想だ。そんなことのために……」

「そうかな？　発展途上の日本がアメリカを求めたように、指針となる牽引力をアジア諸国は求めている。二十一世紀型の大東亜共栄圏はあり得る。その実証を怠ってきた敗戦国根性は、平和国家の虚妄とともに棄て去るべきだ」

ちりちりと静電気の爆ぜる音を響かせ、モニター群が別の映像に埋められてゆく。親が子を殺し、子供が子供を殺す事件のニュース映像。『凶悪化する少年犯罪』『戦後最低の出生率』『子供を育てられない親たち』。日常の一部になり、ことさら異常とも捉えられなくなった異常の数々から、朋希は無意識に目を逸らしていた。

「君にも覚えがあるだろう。いまの日本は、国土が許容する人口のキャパシティを超えている。権利を持つに値しない者にまで権利を持たせ、生きるに値しない者まで生かしてきた不幸だ」

若杉の声が重なる。市ヶ谷にもシンパがいるなら、入局以前の自分の経歴も知悉しているということか。お棺に収められた姉の死に顔、〝事故死〟した叔父の顔がふと脳裏をよぎり、朋希は焦点がぼやけ始めた目を若杉に向けた。

「外に出ていかなくては、日本は人のかたちをした肉の塊に押し潰される。個性と自由で着飾ったエゴの塊に」

でも、そうして放り込まれた市ヶ谷で、自分は希望に繋がる言葉を聞いたのではなかったか。幻惑するように乱舞するモニターの光を浴びながら、朋希は自問してみる。いまはもう失われてしまったものでも、自分は間違いなくそれを聞き、感じた。絶望だけではない、と教える言葉を。あの岸壁に舞い上がった波の花――ローズダストのように淡く、儚く、形になり切らない希望の萌芽を。

「自らを律して、日本独自の言葉を取り戻す。君もそれを望んでいるはずだ」

そう、望んでいた。彼女も、一功も、望んでいた。けどそれは、こんなふうに暴力でタブーを取り除き、強引に前に進ませることではない。もっと緩やかに、穏やかに、正されるべきが正されることを望んでいた。

「犠牲を犠牲として終わらせるか、新しい時代の礎とするかは、生者の心がけ次第だ。死んでいった者たちも……」

「違う！」

その一声が口からほとばしり、全身を押し包むモニター群の圧迫が一時的に霧散した。目を閉じ、開いた朋希は、多少は明確になった視界に若杉の無表情を捉え直した。

「あなたの言ってることは、過去の言葉の寄せ集めだ。歴史に埋もれた古い言葉だ。独自の言葉でも、新しい言葉でもない」

失笑の吐息を漏らし、若杉は玉座に沈めた体を微かに上下させた。「では、新しい言葉とはなんだ？」と返ってきた問いには、一笑に付すという言葉通りの響きがあった。

「戦後六十年の歴史がそれを生み出したか？」

「ローズダスト」

ほとんど反射的に答えると、若杉の顔面から失笑が消え、レンズの下の目が訝しげに細められた。朋希はその目をまっすぐ見返し、若杉との距離を一歩縮めた。

「あなたはなにもわかってない。その言葉の意味も、重さも、やさしさも。そう名乗っている男の胸の中身も」

異なる二つの思いを繫げ、融和させ、新たな認識へと昇華させる言葉。自分と一功、すでに亡い魂だけがその意味を知り、口にすることを許されている言葉。内奥でたぎるマグマに衝き動かされ、朋希は一歩、また一歩と玉座に近づく足を踏みしめていった。

「あいつは、あなたが笛を吹いたからって踊るような奴じゃない。もっと別の、危険なことを考えている。あなたの計画こそ、あいつに利用されてるんだ」

じきに、東京の空にローズダストが舞う――。そう言った時の一功の横顔を胸に、朋希はコントロールパネルの前で立ち止まった。若杉は空洞のような目でじっと聞き入ったあと、「なるほど」と応じて背もたれに体重を預けた。

「持ちつもたれつ、互いに利用しあっているというわけだ。それでいいでは……」

そこで唐突に言葉を切り、若杉は口を閉じた。その顔にグロック26の銃口を向けたまま、朋希は「いますぐローズダストと連絡を取れ」と低く命じた。

「残りの作戦はキャンセル。即時撤収して、国外に逃亡するように命じろ。脱出の算段は用意してあるはずだ」

「断ったら？　わたしを逮捕でもするか？」

「そんな面倒なことはしない」

両手保持したグロックの筒先に若杉の能面を捉えつつ、朋希は答えた。脅しではなかった。必要なら、他に手がないなら、引き金(トリガー)を引く。そのあと、どうなろうと知ったことではない。そのためにここまで来たのだと再確認しながら、「それと、もうひとつ」と朋希は続けた。

「いま話したことを、アクトグループのネットワークを通じて公表しろ。一から十まで、なにもかもだ」

「そんなことをしたら、警察も市ヶ谷も共倒れになるぞ。政府だって転覆する。君の命もなくなる」

「かまわない。それでこれ以上の間違いが防げるなら」

グロックの照星(サイト)の向こうで、若杉は相変わらず一片の動揺も示さず、機械仕掛けの静けさと冷たさで朋希を見返し続けた。人を単位と割り切り、感情もデータのひとつと断じて論理を煮詰めた先には、自分の命にすら無頓着な情動の静止が訪れるということか？　体温も感じさせない若杉の顔を見、グロックを持つ手が汗ばむのを感じた朋希は、「残念だ」と不意に若杉が呟くのを聞いた。

「よい資質を持ってはいるが、君は感情でものを考えすぎる。厳しさのないやさしさは、人も自分も殺すだけだと知っておいた方がいい」

刹那、頭の中で危険信号が一斉に点(とも)り、朋希は若杉に集中させていた意識を周囲に振り向けた。それが間違いだった。

「面接は終了だ」

その隙に素早く動いた若杉の手が、デスクの下にのびる。発報ボタンが押されたとわかり、咄嗟に若杉に飛びかかろうとした時には、壁のドアが勢いよく開かれていた。

三十八口径のリボルバー拳銃を手にしたSPが、二つのドアから同時に飛び込んでくる。朋希はコントロールパネルを乗り越え、若杉の胸倉をつかもうと手をのばしたが、SPのひとりがその前に覆いかぶさる方が早かった。

若杉の顔がSPの背中に隠れ、椅子ごと押しやられて視界から消える。即座にトリガーを引けなかった自分に舌打ちする間もなく、もうひとりのSPが繰り出してきた腕が朋希の右手首を捕らえた。グロックごと手首をつかみ、そのまま床に引き倒そうとする。コントロールパネルの上に乗り出した不安定な体勢を利用して、朋希は左手でパネルの縁をつかみ、SPの力を受け流しつつ体の向きを変えた。同時に蹴り出した膝をSPの脇腹に直撃させ、力が抜けた一瞬に手を振り払う。背中から床に落ちたあと、よろけたSPの鳩尾（みぞおち）にさらに両足を叩き込んだ朋希は、その勢いと腹筋のバネを使ってひと息に立ち上がった。

SPに伴われて戸口をくぐろうとしている若杉が、眼鏡ごしに冷たい視線を投げて寄越す。ここで取り逃がせば、取り返しのつかないことになる。朋希はグロックを持ち上げ、SPの肩ごしに見え隠れするその顔に銃口を向けた。

銃声が轟き、銃口からほとばしった銃火（マズルフラッシュ）が薄闇を圧して膨れ上がる。壁に散った着弾の火花を見ることなく、朋希は背後から体当たりしてきたSPに床に押しつけられた。屈強な体軀にのしかかられた骨身が軋（きし）み、内臓がはみ出るような衝撃にさらされながらも、素早く体を回転させて相手の重心をずらす。

すべて若杉が企てたことだ、この男こそが黒幕だと叫ぶ声は声にならず、朋希はひたすら身を捩ってＳＰをはねのけた。横から飛びかかってきた別のＳＰをかわし、若杉を追って床を蹴る。閉まりかけたドアに取りつき、力任せに開いたところで、ドアの向こうに立つ大柄の背広に視界を塞がれた。

ぎょっと身を引きかけた瞬間、大柄の手にしたスプレー缶が眼前に突きつけられ、ケミカルメースの噴霧が朋希の顔面に浴びせかけられた。息を吸い込んだ一瞬を狙って吹きかける、耐性訓練さえ無効にする絶妙のタイミングの噴射だった。辛子の塊を喉に押し込まれたような刺激が気管から脳天に突き通り、朋希はたまらず腰を折った。直後、神経を寸断する鋭い衝撃が首筋に走り、涙で滲んだ視界がすっと暗くなった。リボルバーのグリップか、特殊警棒で殴りつけられたのだろう。すとんと膝が床に落ちた途端、複数の屈強な腕に押さえつけられ、朋希はうつ伏せに倒れた。すかさずグロックを蹴り飛ばされ、踏みつけられた手首がゴリッと嫌な音を立てる。腰上にのしかかられた膝に体の自由を奪われながらも、朋希は目茶苦茶に手足を動かして拘束から逃れようとした。こんなことをしている場合じゃない、あいつを、若杉を。咳き込み、噴きこぼれる涙を拭うことも叶わずに内心に絶叫した時、これまでに倍する衝撃が鼻筋を直撃した。

誰かの爪先が、朋希の顔面にめり込んだのだった。天地を支える柱が折れたかのごとき音と激痛が弾け、ぶわっと溢れ出た涙が視界を塞いだ。そのまま床に頭を押しつけた朋希は、音と光が急速に遠のいてゆくのを感じた。

遠くでドアがロックされる微かな音が響き、閉ざされた壁の厚みを朋希に伝えた。

※

懺悔（ざんげ）という行為が、罪を告白し、赦（ゆる）しを請うものであるなら、これは懺悔とは言えないだろう。それが赦されない罪であることを、告白者はあらかじめ知っている。自分を赦せるのは自分自身をおいて他になく、無為な懺悔も自らを痛めつける方法のひとつと理解した上で、己の罪のありようを淡々と告白する。赦しを請えない罪だと自覚し続けることが、唯一の贖罪（しょくざい）であるかのように――。長い述懐を聞き終えて、並河は自分の心身まで重みを増したような、立ち続けるのも困難な疲労感と脱力感を味わっていた。

羽住は三本目のタバコに火をつけ、黙然と紫煙をくゆらせている。灰に覆われた燃えさしが、明かりの落ちた無人のオフィスを照らすでもなく、仄暗（ほのぐら）い橙色をぼんやり灯していた。そうして内面の痛みを紛らわし紛らわし、この男は四年あまりの時間を過ごしてきたのかもしれない。酒の空き瓶が並んでいた朋希の部屋を思い浮かべ、その程度にしか壊れられない二人の男の生真面目さ、不器用さにも思い至った並河は、嘆息と一緒に手近な椅子を引き寄せた。

些細（ささい）な感情の行き違い。稚気めいた嫉妬と誤解、ほんの少しの打算が招いた悲劇。羽住が語った『オペレーションLP』にまつわる罪とは、おおむねそのようなものだった。作戦を中止に追いやった日本の政治状況も、それに不満を持つある〝集まり〟の策動も、彼らの手先であった三人の幹部たちの背信も。事態を取り巻く外枠は外枠でしかなく、結局は個人に還元される愛憎のもつれが四年前の悲劇を招いた。守るべきを守れず、むしろ自らの手でそれを壊してしまった罪の意識を背負い、逼塞の闇に落ち込んだ丹原朋希。生き残った仲間とともに国外に逃亡し、暗い怨念を抱いて再び日本の土を踏んだ入江一功。朋希の側に立って罪を共有する一方、入江たちローズダストを招き寄せたスポンサーと通じ、内通者の立場に甘んじてきた羽住。そのどれにも必然があり、安易な同情を寄せつけない絶望がある。なりゆきで事態に関わっただけの自分には立ち入れない、底も見通せない絶望の淵を確かめながら、並河は引き寄せた椅子に腰を下ろした。

これ以上、先に進む権利は自分にはないし、進みたいとも思わない。まだ不明な点は多く、名前を伏せて語られたスポンサーの正体も未確定のままだが、前後の経緯から推し量ればおおよその察しはつく。それも含めて、自分の手には余る……と並河は結論していた。ここは警察組織の一員という前提に立ち返り、内通者を摘発できただけでよしとするしかない。どだい、この場でいくら問い詰めたところで、羽住はもうこれ以上のことを喋りはしないだろう。言い訳のように付け足してから、並河は懐のポケットをまさぐり、電源の落ちた携帯電話をつかんだ。

「……ひとつだけ教えてくれ」

だから、そんな言葉が口をついて出たのは、自分でも意外なことだった。羽住は微かに顔を動かし、並河の顔を見た。

「ネットの怪情報、ネタ元はあんただろう？　なんであんな書き方をしたんだ」

聞いてどうする。胸の底に自問しつつ、並河も羽住と視線を合わせた。ブラインドごしに差し込む街灯の明かりが逆光になり、その表情はろくに判別できなかった。

「公安レベルの情報を流すだけで、世論の誘導には十分だったはずだ。なのに、市ヶ谷の人間じゃなきゃわからない情報まで垂れ流して……。あれじゃ、合同本部の中に内通者がいるって教えてるようなもんだ」

すべての捜査情報を提供するよう要求されていたとしても、羽住の知識と経験があれば調節はいくらでもできた。流す情報に任意の色をつけ、出所を粉飾するのも容易だっただろう。羽住は短くなったタバコをもうひと喫いし、灰皿代わりの空き缶に押しつけた。

「あんた、誰かに気づいてもらいたかったんじゃないのか？　おれに桜田門と市ヶ谷の掛け橋になれって言ったのだって――」

「もう済んだことです」

いつもの鉄面皮で遮り、羽住は視線を逸らした。差し出した手をはねつけられた痛みとともに、ほっと安堵している胸のうちを自覚した並河は、「……そうか」と応じて携帯を取り出した。

「事情はわかった……とは言わんよ。正直、おれの手には余る話だ。続きはうちの重役連に話してくれ」

椅子から立ち上がり、携帯の電源を入れる。電話帳のメモリーを呼び出そうとして、「並河さん」とかけられた声に止められた。

「最後の忠告です。やめておいた方がいい」

こちらをまっすぐ見据えて、羽住は言った。脅すでも懇願するでもない、無色透明な視線と声音だった。並河は、「あんたも丹原も、ここ一番って時には必ず〝さん〟付けだな」と言った。

「でも、あんまり期待されても困る。他人様の人生を背負えるほど、おれは大きい人間じゃないんだ」

口の中にざらついた感触が残り、それを振り切るために並河は羽住に背を向けた。メモリーの中から公安総務課長の直通番号を呼び出し、なにも考えずに通話ボタンを押す。息を詰めて呼び出し音を聞き、相手が出るや「こちら並河です」と吹き込んだ並河は、開口一番、(いままでどこに行ってたんだ!)と怒鳴った公総課長の声に耳をつんざかれた。

〝マル六の作業玉〟との接触作業については、千束を通して公総課長の耳にも入っている。追尾を巻かれた上、この時間まで音信不通となれば、総がかりで並河を捜索している〝チヨダ〟の面々とも、公総課長の心中が穏やかである道理はない。嫌味のひとつも言われることは覚悟していたが、(いまどこにいる)と間髪入れずに重ねられた声には、それだけでは説明のつかない切迫した色があった。

「赤坂です。実は……」

(すぐに戻れ。緊急事態だ)

微かな懸念が不安に変わり、並河は「なにごとです?」と質した。公総課長は少し言

い澱む気配を見せ、

（《R》関係の被疑者を拘束した。現逮だ。アクト本社に侵入して、会長を襲おうとしたところを取り押さえられた）

鈍器で頭を殴られる、とはこのことだった。あり得ない、と叫んだ頭が空白になり、並河は反射的に「誰です？」と聞き返していた。しばしの沈黙を挟んだあと、（リストに挙がってる奴じゃない）という低い声が携帯のスピーカーを震わせた。

（……身内だ）

そのひと言が頭の中で爆発し、並河は思わず羽住を振り返った。ただならぬ空気を感じ取ったのか、羽住も椅子から立ち上がり、問う目を並河に注いできた。

「身内……？」

（君、丹原三曹と最後に会ったのはいつだ？）

「お台場の時以来ですが……」

答えた直後、まさかという思いが電流になって全身を駆け抜け、並河は棒立ちになった。その思いが言葉になるのを待たず、（とにかく、すぐに戻れ）と公総課長は含んだ声で続けた。

（当面はカク秘扱いとする。くれぐれも記者連に感づかれるな）

極秘の上を行くカク秘という響きに、桜田門の混乱ぶりが滲んでいたが、考えられたのはそれだけだった。一方的に切れた携帯を手に、並河はその場に立ち尽くした。

「……どういうことだ」と我知らずこぼれ落ちた声が、問う目を注ぎ続ける羽住に向けられたものなのか、自分自身に向けられたものなのかもわからなかった。

「丹原が……若杉を襲って、拘束された」

羽住の顔色がはっきりと変わり、絶句する気配が伝わったが、演技かどうかを判別する頭は働かなかった。気がついた時には床を蹴り、並河は羽住の胸倉をつかみ上げていた。

「なんとか言え！　これもシナリオのうちなのか？　いったいあいつをどうする気なんだ……！」

朋希が、あの七五三が、よりにもよってローズダストの一味として拘束されるとは。芯からわき出す恐怖を目先の憤怒で押さえつけ、並河は羽住の長身を力任せに揺さぶった。されるがままになっていた羽住は、やがて「最悪、です」とぽつり漏らした。

「丹原も、ローズダストも、我々も……。最悪の結末に向かって走り始めた……」

苦渋を呑み込んだ顔に、鉄面皮の強かさはなかった。不意に力が抜け、並河は羽住から腕を離した。

机に手をつき、よろけた体を支える。時おり見せる子供のような表情、ふて腐れた顔、敵を前にした時の鋭い横顔。そのすべてがいまは遠く、霞がかった記憶になって頭の中を駆け抜け、自分がしでかした過ちの大きさを並河に実感させた。

羽住はなにも語ろうとせず、殺気立ったヘリの羽音が窓を震わせて頭上を行き過ぎていった。

Phase V

1

車の駆動音、それに両腕を押さえる他人の体温が、最初に戻ってきた感覚だった。続いて目と喉の爛れたような痛み、呼吸するたびに脈動する鼻の痛みがよみがえり、苦痛の信号を顔じゅうの神経に伝播させてゆく。

朋希は呻き、顔に手をやろうとした。が、後ろ手に嵌められた手錠と、両脇をしっかりと拘束する男たちの腕力が、それを許してはくれなかった。

「ガスの効果は一時間で消える」

喉の奥に辛子を塗りたくられた感触もいまだ消えず、咳き込むと、男の声がそれだけ言った。朋希は目隠しで覆われた顔を左右に振ってみたが、声がどちらから聞こえたものなのか判別することはできなかった。二人の男に挟まれ、車の座席に座らされているらしい現状は把握できたものの、行き先や現在位置は皆目見当がつかず、車内に何人の人間がいるのかも推測しようがなかった。

ただ、エンジン音のこもり方から、車種がバンの類いであることはわかる。気配を消して乗り込んでいる男たちが、警察の人間でないこともわかる。壊れて役立たずになった機械は、製造元が回収して処分するのが常識。若杉を討とうとして果たせず、市ヶ谷に身柄を引き渡された自分の現在を理解した朋希は、凝固した血でこわ張った唇を笑みの形に歪めた。

なにが可笑しいのか、自分でも判然としなかった。ただ、真のスポンサーが若杉であることを示唆した一功も、あのモニタールームで〝面接〟をした若杉も、こうなるとわかった上で自分に接触した。すべては落とし穴に至るための道程だったのかと思うと、あまりにも真っ正直に反応した我が身が可笑しく、嗤うしかないという心境が沁み出してくるのも確かだった。

これでもう、自分が事態に関わることはなくなった。若杉の〝面接〟に合格していたら、あるいは他の展開もあったのかもしれないが、一功には最初からこの結末が見えていたのだろう。乱心して警護対象者を襲った防衛庁職員――あるいは当初から犯行グループに加担していた内通者として、ダイスの丹原朋希はこの事件から排除される。そこにどれだけ巨大で醜悪な謀事があろうと、それ以上に危険な怨念の源が野放しになっていようと、誰も気に留めることはないし、自分がいたこともすぐに忘れ去られる……。

ケミカルメースの効果は一時間で切れると言ったが、自分はどれほど意識を失っていたのだろう。一時間経って、そのあとは？　この車はいったいどこに向かっている？　尋ねようにも声が出ず、目脂で塞がった瞼からは涙がこぼれ続けていて、これでは目隠しがなくてもなにも見えそうにない。間断ない咳と涙の二重苦に苛まれながら、もういい、別にかまわないと朋希は思っていた。

話せたところで、周囲の男たちが質問に答えるはずはなく、もう自分の言葉に耳を貸す者もいない。若杉の言う〝集まり〟が市ヶ谷の中枢にも浸透しているなら、いくら真相を叫んでも五秒で揉み消される。なにを話しても無駄だし、ここには見るべきなにものもない。暗黒よりまだ深い闇が、果てしなく広がっているだけだ。

四年前と同じだ。おれは、またドジを踏んだんだ。ようはそれだけのことだと思い、今度こそダメかもな……と他人事の感慨を抱いた朋希は、どこかでほっとしている自分にも気づいて、口もとに刻んだ苦笑の皺を深くした。

きっと、これで楽になれる。もう誰とも戦わなくていい。傷つけることも、傷つけて苦しむこともない。それは幸いなことだ。ぶつかって互いを滅ぼしあうまでもなく、独り消えることができるのだから。

逃げている？　そうかもしれない。でも、やれるだけはやったんだ。もうどうしたらいいのかわからないよ。体じゅう痛いし、疲れているんだ。本当に、本当に……疲れた……。

車がスロープに差しかかったのか、下降の感覚が全身を押し包み、体が微かに軽くなった。ふわりとした浮遊感に誘われて、朋希は苦痛しかない肉体から意識を遊離させた。意識が闇に呑み込まれる寸前、ちらちらと舞う白いものが眼前を行き過ぎ、懐かしい冷たさを朋希に知覚させた。ローズダストではない、雪だ。新潟に降る雪だ。おれは帰ってきたのかと思い、朋希は中空に向かって手をいっぱいに広げた。雪はしんしんと降り続け、朋希の体をすり抜けてどこへともなく吸い込まれていった。

※

つい先刻まで周囲を満たしていた騒然とした空気は、いまはもうなかった。忙しなく移動をくり返す車両群、殺気立った機動隊員らが醸し出す喧噪は過ぎ去り、一報と同時に群がってきたヘリの羽音も三々五々引き返しつつある。全班に出された非常警戒配備も解かれたのか、眼下に広がる街全体が落ち着きを取り戻し、以前より深い闇に沈み込んでゆくのが感じられた。

引き継ぎが完了したのだろう。被疑者拘束の一報は誤認、各班は通常の配置に戻れ。そんな声が現地警備本部から発し、検問・パトロールを強化中の警察官たちの耳に届く一方、ひそかに派遣された市ヶ谷の人間たちが〝被疑者〟を受け取る。バリケード封鎖が解かれた道路を走り、群がる警察車両を尻目に都心へと戻っていった一台のバンが、その証拠だった。ゆりかもめの高架下に隠れたバンを見送るのをやめ、目前に聳えるアクトグループ本社ビルに目を戻した山辺は、我知らず嘆息していた。

吹きつける風が、漏れた嘆息をちぎって暗い海へと散らす。ゆりかもめの駅を挟み、アクト本社のはす向かいに建つ青海フロンティアビルの屋上からは、警備用ライトが点在する青海ポセイドンシティの建設現場と、その向こうに広がるコンテナターミナル、夜陰と一体化した東京湾の黒々とした海面が一望できる。それらを背に黙然と佇むアクト本社ビルの一角で、〝被疑者〟はどれほどの絶望と向き合い、どんな行動を起こそうとしたのか。予想通りでありすぎる展開を前にすれば、考えるだけ野暮というものだった。

「バカな奴……」

隣に並び立った留美が、ぽつりと呟く。怒っているとも、哀れんでいるとも取れる声音だった。これで、丹原朋希が我々の前に現れることはなくなった。次に会うとしたら、地上を離れた彼岸のどこかになるだろう。詫びはその時にすればいい。とにかくも障害は取り除かれたのだと自分を納得させ、留美にもそう伝えようとした山辺は、「どうだ？」と背後に発した声に振り向いた。

一功だった。走り去るバンを見送りもせず、その目はノート型パソコンを膝上に広げた倉下に注がれている。ビル管理業者の作業服を着た二人の前には、巨大なパラボラアンテナが聳え立っており、その基部にあるアクセスハッチからのびた数本のケーブルが倉下のパソコンに繋がっていた。この時間、警備は地下の機械室を重点的に回ることになっているので、見張りを立てずとも作業は続けられる。倉下は目にも留まらぬ早さでキーボードを叩き、ディスプレイに次々とウィンドウを重ねながら、

「ネット関係は、どこもセキュリティ・ホールを潰すんで大忙しだ。ライフライン系はいまのところ動いてない」

「清掃工場もか？」

「ああ」

「確かだろうな？」

刺を含んだ声に、倉下のみならず、留美も一功の方を振り返った。一功は硬い目と表情を崩さず、憮然とした顔をディスプレイに戻した倉下は、「メールのやりとりを横聞きしてれば、保守の連中のやってることはだいたいわかる」と低く応えた。

「ここからできるのは覗き見だけだ。百パーセントの確証が欲しいなら、もういっぺんポセイドンに行ってバイパスするしかないけど。断裂箇所は塞がれちまってるから、面倒だぜ」

言ってから、倉下はちらと一功の顔色を窺うようにした。他の選択肢がない時に、仲間の判断に疑義を挟むのはルール違反。他ならぬリーダーがそれを破ってしまったことに気づいたのか、「……すまない」と呟いた一功の目が倉下から逸らされる。倉下は小さく息を吐き、再びキーボードを叩き始めた。

「それに、仮にチェックされても、そう簡単には見つけられない。おれレベルの奴が十人がかりで徹夜して、三日はかかる」

「ぎりぎりだな」

「おれレベルって言ったろう？　普通の奴なら百人がかりで一週間だ。不可視プロセス化してあるから、起動後もしばらくは発見できない」

軽口めいた一功の声に、倉下も本気とも冗談ともつかない声を返す。ダイナソーをまるごとダウンさせたサイバーテロ以来、ネットワークの保守管理はどこも厳しくなっているはずだが、倉下にしてみれば穴だらけというところか。ひとりのハッカーが数千に匹敵する戦力になり、武装した警官や自衛官の頭ごしに戦闘の勝敗を決してしまう。これも時代の趨勢、現実の二十一世紀のかたちかと苦笑し、胸苦しい思いを忘れようとした山辺は、ひとりその場を離れた一功の背中を認めて笑みを消した。

パラボラが据えられた機械室の天井から下り、屋上の端に立って都心の方向を見つめる。通常の巡回経路に戻ったヘリの位置を夜空に確かめてから、山辺はその背後に歩み寄った。

事前に手配したセーフハウスを転々とし、薄い眠りを交替で取る日々を続けて五日間。みんな疲れている。そしていら立っている。一功の視線が、バンの行方を追ってレインボーブリッジに注がれるのを見た山辺は、「いいんだな？　これで」と、敢えて追い詰める言葉をぶつけた。

「あいつが選んだ道だ。いいも悪いもない」

「しかし、そう仕向けたのは我々だ」

「四年前の時みたいに、か？」

浅薄な老婆心を見透かし、即座に返した一功の目がこちらに向けられた。張り詰めた瞳の色が痛く、山辺は顔を伏せた。

「やり通す力も覚悟もないのに、意地だけは人一倍あって、脇が甘くて……。それがあいつだ。こうなることはわかっていた」

背中を向け直し、一功は独りごちた。年齢相応の揺らぎがその肩に宿るのを見た山辺は、「おまえは、あいつのそういう部分を求めていた」と目を逸らしながら重ねた。

「完全とは言わない。だが完全に近すぎることが、おまえの欠点だ。だから……」

丹原朋希という、脆(もろ)くて不完全な存在を求めた。才気に走りすぎる自分を人の営みに調和させ、バランスを取るために。それは逆の意味で朋希も同じことだろう。互いに引きあう無条件の力は、いまも昔も変わらないと山辺は思っていた。堀部三佳という愛憎の種が、二人の間に挟まっていたとしても。

完全に近いがゆえに、称揚はされても顧みられることなく、傷ついても痛いとは言えずにきた一功。そんな男にも、無視できない感情はあり、ひとりでは支えきれない脆い一面があるのだと知ることができて、おれは嬉しく思う。しかし朋希に真実を伝え、スポンサー――若杉に直接ぶつけることで、おまえはなにがもたらされると期待していたのだろう。奴を排除し、オペレーションを予定通り推し進めることか？　それとも、これをきっかけに流れが変わり、誰も望まぬ最終局面(ファイナル・フェイズ)が中止に導かれることか？

もしそうなら、一縷(いちる)以下の可能性が霧散したからといって怒り、いら立っているのなら、これを最後にそんな顔を他の二人に見せるのはやめてくれ。決してそのようには進まない現実、無慈悲で容赦のない現実のありようを、おまえはすでに十分見てきたはずだ。常に冷静に振る舞い、感情を排した判断を下せるリーダーをやり通してほしい。そうする義務が、おまえにはある。

理不尽は承知だ。だがおれたちは、もはや自分の勝手では引き返せないところまで来ている。なにもしてやれないかもしれないが、そういうおまえを見続けている人間が、少なくともひとりはここにいるのだということを……。

ふと視線を感じ、振り返ると、離れた場所に立つ留美の姿が月明かりに浮き立って見えた。一功に注いでいた視線をこちらと合わせ、すぐに顔を背けた留美の態度に苦笑した山辺は、口中に滞留する言葉を呑み下して正面に顔を戻した。

ひとりではない、か。少しは救われた思いで、山辺は一功の隣に並び立った。黒い海面を挟んで横たわる東京の灯は、この時はひどく遠く、吹けば消えてしまいそうに儚く見えた。

「これで、オペレーション・ローズダストを止めるものはなにもなくなった」

大気ごしに揺れる無数の灯を見つめて、一功が口を開いた。朋希という不完全に託し、実行の可否を問う最後の審判は下された。「ファイナル・フェイズだ」と続いた声は、いつもの張りを取り戻しており、山辺は無言で頷いた。

「その前に、ひとつ片付けておかないとな」

呟き、首をめぐらした一功の視線の先に、アクトグループ本社ビルがあった。すべてが始まり、そして終わるところ。山辺もまた、総ガラス張りの巨大建築物を見据えた。屋上に複数のパラボラアンテナを実らせたH字型のビルは、四年前に望んだ時と同様、無機質な顔を夜空に向けていた。

※

「聞いてない？　聞いてないって、どういうことですか！」

大声は出さない、と決めた一分前の誓いも虚しく、並河は部屋中に響き渡る声でがなっていた。千束は執務机に収まった事務的な能面を崩さず、「言葉通りだ」と冷淡に返す。

「若杉を襲った被疑者を拘束したという話は聞いた。だが、それが丹原三曹だという報告は受けてない」

並河の背後では、緑川公安四課長がいつもの青い顔で立っている。警察庁トップクラスの幹部にねじ込むにしては、頼りないにもほどがある道連れではあったが、並河の直属でキャリアに顔が繋げられる上司と言えば、緑川をおいて他にいない。桜田門に戻るや、事情が呑み込めずに目を白黒させる緑川を引きずり、警察庁警備企画課のオフィスに押しかけた並河は、情報第二担当理事官室で千束と向き合っているところだった。

カク秘扱いとなれば、刑事部に対してはもちろん、同じ公安部内においても情報は秘匿される。緑川が被疑者の素姓はおろか、拘束の一報すら聞いていなかったのは当然にしても、〝チヨダ〟の校長にも報告が上がっていないなどあり得ない。並河は、「なら誰です」と押しかぶせた。

「調査中だ」

「会わせてください」

飾りのない殺伐とした小部屋の主に相応しく、千束はまったく体温を感じさせない白い目をこちらに向ける。「並河警部補、口のきき方に……」と間に入ろうとした緑川を無視し、並河は塵ひとつ落ちていない執務机に詰め寄った。

「理事官。わたしは公総課長からの報告を聞いて、ここにいるんです。アクト本社に押し入って若杉を襲ったのは、丹原三曹だ。公四課長を差し置いて、自分なんぞにカク秘情報が下りてきたのはそのためです」

ぎょっと硬直した緑川の気配を背に、並河は続けた。「一報では、《R》関係って言い方までされてる。理事官がご存じないという話は納得できません」

「現場の事実誤認だろう。少なくともわたしのところには、そういう報告は上がっていない。そんなことより、君こそわたしに報告することがあるだろう。〃マル六〃との接触は……」

「誤認なら誤認で結構！　とにかく被疑者に会わせてください」

机を叩いて怒鳴ると、揺れたコップから水滴が跳びはね、広げられたファイルの上に散った。思わず前に出たものの、なにも言えずに口をもごもごさせる緑川をよそに、並河は千束の目を睨み据えた。千束もまっすぐ見返し、机上のファイルにふと目を落としたあと、小さく息を漏らして懐からハンカチを取り出した。

「四課長、外してくれ」

紙の上に染みを作った水滴を丹念に拭いつつ、顔を上げずに言う。「は？……は」と戸惑う声を残し、室外に退がった緑川を意識の外にして、並河は千束の挙動を注視した。水滴を拭い終えたファイルを閉じ、千束はおもむろに並河の顔を見返した。

「このファイル、なにかわかるか？　獲得工作者登録簿……全国公安警察が運営する協力者のリストだ。ダミーだがね」

黒表紙の分厚いファイルを鍵付きの引き出しに戻し、千束は無表情に続けた。

「情報公開法への対策でね。それらしい手書きのファイルを用意しておけとの達しで、新しいデータが入るたびに、こうして偽のファイルも更新している。なんの役にも立たないのに、いちいち手書きで……。まったく嫌になる。秘書にでも任せたいところだが、これればかりは、な」

本物のデータは、専用LANにのみ接続された机上のパソコンに収まっているのだろう。全国公安警察官が日々靴の踵を磨り減らし、寝食を削り、人間性まで磨耗させて織り上げた作業玉のリスト。それを収めたパソコンをひとなでし、中に詰まった不可視の重みを手のひらに受け止めるようにすると、千束はほとんど音もなく立ち上がった。

「知る権利とかいう能書きで、国の治安を預かる公安情報まで丸裸にしようとする。その価値も、真偽を確かめる能力もない連中がだ。度しがたいとは思わないか？　そんな連中に煩わされて、必要な業務に差し障りが出るというのは」

窓際に歩み寄り、滅多に開けられたためしのないブラインドの前に立った千束は、「つくづく因縁だな、君とは。どうしていつもこういうことになってしまうのか……」と静かに続けた。思いがけない言葉に戸惑い、並河が返す声をなくす間に、「被疑者に会わせることはできない」と二発目の不意打ちがきた。

「その権限はわたしにもない。……被疑者は市ヶ谷の方で拘束されている」

微かに歯切れの悪さを覗かせ、千束は言った。法的には聴取・尋問はもちろん、勾留の権限さえ持たない市ヶ谷に被疑者を引き渡した理由は、ひとつしか考えられない。ぎゅっと胃袋が収縮するのを感じながら、並河は「なぜです」と問うた。

「身内の不始末……だからだ」

そうだ、と認めるひと言だった。予期していたつもりの頭が真っ白になり、「いや、しかし……そんなバカな話、あるわけないんだ」と我知らず呻いた並河は、咄嗟(とっさ)に足を踏んばり、とにかくも千束の背中を視界に収め続けた。

「理事官。わたしは〝マル六〟と接触しました。その提報によると、内通者は別に存在します。いや、それ以前に、この事件全体が巨大な欺瞞(ぎまん)なんです。ローズダストに北朝鮮は関係していない。彼らに武器を与えて、一連の事件を引き起こした者は他にいる」

最低限の情報を伝えるだけでも、それなりに長い話になった。この状況の創出そのものを目的とする、ローズダストの真のスポンサーの存在。その行き着く先には、脱日米安保を視野に入れた日本国家再編の目論見があること。アメリカはすでに事態を察しており、日本が同盟を破棄した場合の対応に備えていること――。

「その結果がどうなるか、専門家でない自分には予想がつきません。日米同盟が破棄されたからといって、代わりに日中同盟が誕生するなんてことはあり得ないでしょう。でも米中が睨みあってるいまなら、日本は地政学的に優位に立てる。いま北がやってるような瀬戸際外交を、もっと有利な形で進めることができるんです。極東の要石(かなめいし)を失ったアメリカが、その代替えを求めて韓国に圧をかけ始めたら、韓国だってどう動くかわからない。それで反米主義に火がつけば、敵の敵は味方って論理で日本との同盟関係を強める可能性もある。ロシアの動きは読めませんが、もともとアメリカの世界戦略を見限って、中国との軍事同盟を強化してるぐらいです。中露韓対日米……これまでのアジア勢力図は根本から書き換えられて、再編されることになるでしょう。そこから先は……まったく新しい対立構造の始まりです」

脱米を旗印にしたアジア圏の構造変化は、世界中にその影響を押し拡げてゆく。中東は言うに及ばず、ヨーロッパ連合（EU）も親米国と反米国に分かたれ、ドーバー海峡を境に二極化が進むかもしれない。その場合、米英を極とする西側陣営と、日本・中国・ロシアを極とする東側陣営との分断化が進み、分解した中東とEUが両陣営の間を揺れ動く世界構造が現出する。

国連はその機能を完全に失い、それぞれの陣営内で相互依存経済が完結する時代の到来。新たな対立構造の中で、日本はＴＰｅｘ武装を始めとする国防態勢の刷新を推し進める。日本を対米防波堤にしたい中国は、もうそれをして日本を非難することはない。それどころか、対米戦略にコミットさせる代償として、エネルギー問題において大幅な譲歩をせざるを得なくなる。アジア圏内のみでエネルギー政策を完結させた日本は、米中両国が疲弊するのを横目に、混乱の極みに達した東南アジア諸国との連携を強めてゆく。大国の軛（くびき）から脱し、アジア圏を包括する新しい国際秩序を確立するために。ＴＰｅｘを装備した〝自衛軍〟が、アジアの安全保障を牽引（けんいん）する時代を呼び込むために。

無論、そう都合よく物事が進むとは思えない。しかし事件の黒幕たち――おそらくは若杉に代表される〝集まり〟は、そんな展望を抱いて国家再編計画を策したのだと推測できた。その先駆けとなるのが、若杉が進めるアジア対テロ閣僚会議。敵はテロリストに非ず、テロを生み出す温床となったアメリカの覇権主義にこそある。そんな思潮が会議の根幹をなし、進行中の米中紛争を前に結託を呼びかけるものだとすれば……。

千束はちらと顔を振り向け、「壮大だな」と冷笑混じりの感想を寄越した。

「夢物語と言ってもいい。新しい東西対立構造の始まり……。今度は、日本がその一方の極になるというわけか」

「夢物語でした、確かに。タブーがタブーでなくなり、日陰が日陰でなくなるまでは」

〝マル六の作業玉〟が口にした言葉を引き移して、並河は言った。千束は口もとの冷笑を吹き消した。

「ローズダストのテロが始まって、わずかひと月たらずでこの国の状況は変わった。夢物語を夢物語と言いきれない空気が、いまの日本にはあります。日本がその道を歩むのなら、アメリカは相応の態度を取るしかない。〝マル六〟はそう言っていました。この状況を作り出した者の思惑がなんであれ、それは日本にとって……いや、世界にとっても取り返しのつかない道になるということです。多くの国民は、そのことにまったく気づいていない。そしてそれを煽動する者が、我々警察や自衛隊の内部にもいる」

ブラインドに向き直った頭を動かさず、千束は無言で聞いていた。並河は、「丹原三曹が被疑者として拘束された件も、彼らの工作の一部と思われます」とたたみかけた。

「ローズダストのスポンサーと内通し、ネットに捜査情報を流していたのは羽住一尉です。本人もそれを認めています。彼の身柄は公総課長に預けてきました。その報告も理事官のもとに上がっていないという話は、信じられません」

長広舌（ちょうこうぜつ）で渇いた口を閉じ、並河は千束の反応を待った。〝マル六〟と接触してアメリカの本音を探れと言ったからには、千束にもこの状況の行き着く先が見えている。キャリアの悪癖を集大成したような男であっても、〝集まり〟の思想に汚染されてはいないということだ。自分の説明を聞くまでもなく、〝チヨダ〟の手を張り巡らせて状況を把握しているに違いない。

ここで腹を割って話すか、だんまりを続けて共に地獄に堕ちるか。無言の背中を見つめて数秒、千束の口からため息が漏れ、「いくつか事実誤認があるようだ」という声が並河の耳朶を打った。

「まず内通者の件だが、これは羽住一尉ではなく、丹原三曹だと我々は見ている。彼は、これまでもたびたび我々の指示を無視して動いてきた。ローズダストのメンバーと、個人的な因縁があったとの未確認情報も得ている。併任警察職員の立場を利用して、ローズダストと内通していた可能性は高い」

唖然、という言葉通りの空白に陥り、並河は棒立ちになった。千束は、「また、ローズダストのスポンサー……事件の首謀者に関しても、新事実が発覚している」と間を置かず続けた。

「神泉教の過激派幹部が犯行を計画、ロシアマフィアを通じてローズダストと接触した物証を押さえた。近日中に令状を取る予定だ」

ぽかんと開いた口が、それきり閉じなくなった。並河は、「……なんです？」とかすれた声を搾り出した。

「本命はマルS。ウソから出たマコトというやつだ。TPexを入手して、教祖を奪還するとともに国家転覆を目指す」

「でたらめだ、そんなの！　物証とはなんです。どこからロシアマフィアなんかが出てくるんです……！」

マルSの過激派信者の内偵が、密かに進んでいる——つい数時間前に聞き流した河村の声が脳裏を駆け抜け、瘧のごとく体を震わせた。思わず前に出かけた並河を封じて、千束は「〝チヨダ〟の内偵結果だ」と冷たく押し重ねた。

「無論、我々もマルSの単独犯行とは信じていない。前回の地下鉄テロ事件の際も、北の関与が噂されてはいた。あの時は有耶無耶になったが、今回は捜査が継続されることになるだろう。しかしいまは……そういうことだ」

心持ち顔を振り向けた千束の表情は、見えなかった。「カク秘だ。君だから教えた。口外は無用だ」と早口で付け足し、椅子に戻ろうとした千束に、並河は「あんた、そんな与太を本気で信じてるんですか！」と夢中で怒鳴っていた。

「それでマスコミが、世間が納得するとでも思うんですか!?」

「わたしがどう思うかは重要ではない」

「だいたいローズダストのことはなんて発表するんです。彼らの出自、犯行動機は？　勝良の時みたいに身元不明で押し通すつもりですか？　丹原三曹のことも……」

「カク秘と言ったはずだ。これ以上、話せることはない」

硬い声で遮り、千束は椅子に収まった。パソコンのキーボードを引き寄せ、こちらを無視してキーを叩き始める。冗談じゃない、あんたもそうなのか。あんたも汚染されてるのか。能面に微かな動揺が滲(にじ)み、頬が硬直するのを見て取った並河は、「……逮捕はしない。そういうことですか」と極力おさえた声を出した。

「そのマルSの幹部も、ローズダストも、丹原三曹も、逮捕時に抵抗して射殺される。もしくはどこかに立てこもって、隠し持っていた爆弾で自決するか」

　キーボードを叩く手が一瞬止まり、すぐに再開した。並河は目を逸らさずに続けた。

「あとに残るのは、身元不明の肉片のみ。そのうち、マルSの幹部と丹原三曹の身元だけが発表される。地下鉄テロの時みたいに、今回も自衛官がマルSに加担していた。しかも彼は爆弾関係の専門家で、合同捜査本部に加わってもいた。中にスパイがいたんじゃ、警察が先手を取られ続けたのは無理もない。ローズダストの高度な戦闘力についても、自衛官の手引きがあったってことで説明がつく。警察は面目を取り戻して、事件は一応の終息を見る。防衛庁は泥をひっかぶることになるが、もともとダイスの不始末から始まった話だ。当然のペナルティってことで手打ちになる」

　ディスプレイに固定した視線を動かそうとせず、千束はこわ張った能面でキーボードを叩き続ける。並河は拳(こぶし)を握りしめ、「そして、事件の背後に北が絡んでたって風説が、まことしやかに流される」と吐き捨てた。

「北がいくら否定したって、狼少年のなんとかだ。表立ってはなにもできないまま、行き場のない憎しみと恐怖が国内で燻(くすぶ)り続ける。その間に、真の黒幕は着々と計画を進める。ＴＰｅｘの導入、警察力の強化。世論が沈静化すれば、すかさず第二のテロ事件が起こる。本物のローズダストが引き起こすテロが」

今度こそキーボードを叩く手が止まり、千束は思わずというふうに顔を上げた。ようやく捕まえた視線を逃さず、並河もその目を凝視した。

「そう。丹原三曹と一緒に吹き飛ぶのは、マルSの過激派信者か、どこぞの無関係な死体だ。本物のローズダストは、契約通り一時日本を離れる。必要に応じて呼び戻されて、世論を沸騰させる起爆剤になるって寸法だ。あるいは、その頃には濡れ衣を着せられた北がキレて、正真正銘のテロを仕掛けてくるか……」

互いの視線がぶつかりあい、じりじりと音を立てるようだった。違うと言え。でためを言うなと怒れ。祈る思いで千束の能面と向き合い続けた並河は、キーボードの上で凍りついていたその手が不意に動き、机の上の即時直通電話にのびるのを見た。

受話器をつかみ上げ、「千束だ。公四課長にすぐ来るよう伝えてくれ。二係長も一緒に」と吹き込む。電話を切っても受話器を離さず、睨み上げる目をこちらに向ける千束に、並河は絶望という言葉を想起した。

「君を合同捜査本部から外す」

それだけ言うと、千束は受話器から手を離した。予想通りの言葉だった。それとわからぬほどに震える千束の指先を見た並河は、無言でその顔に視線を移した。

「当面は公四の職務に復帰。沙汰は追って伝える」

「警務部にでも出向させますか？」

「君の心がけ次第だ」

精一杯の皮肉を返した並河に、千束も冷静に返す。〝チヨダ〟の校長らしく取り繕った能面からは、しかし依然として隠しきれない動揺が沁み出しており、並河はふと、確かに因縁だな……と脈絡のない感慨を抱いた。

かつて、同じように千束を面前にし、横紙破りを承知で罵りあった時の記憶が、唐突に頭をもたげてきたのだった。〝マル六〟の管轄権をめぐって起こったその悶着は、結局、並河が運営する作業玉のひとり——親友でもあった男を死に追いやる最悪の結果をもたらしたのだが、それでも詫びのひと言も口にせず、キャリアの厚顔を保っていたのが千束という男だった。

一方には無気力を植えつけ、一方にはより強い鉄面皮をかぶらせる端緒になった事件から、すでに九年。以後、二人が顔を合わせる機会はなく、再び口角泡を飛ばしあう日が来るとは夢にも想像していなかったが、こうして久しぶりにサシで向き合った千束の、容易に動揺を読み取れる顔はどうしたことだ。〝チヨダ〟の校長にまで昇り詰めたエリート官僚が、その目に漂わせる弱気はいったいなんだ。九年前に較べればだいぶ後退した髪の生え際を見、わけもなく胸を締めつけられる思いを味わった並河は、「理事官、本当にこれでいいんですか？」と口を開いていた。

「そりゃ、わたしらの仕事には嘘が付き物だ。人を騙すし、自分も騙す。でも、限界ってもんがあります」

千束はこちらを見ようとしない。「これはなんのための犠牲です。我々が尽くすべきはいったいなんです？」と続けて、並河は千束との距離を一歩一歩詰めていった。

「確かに度しがたいですよ。いらいらさせられることばっかりで、いっぺん造り直した方がいいって思わせる国ですよ、この日本は。でも、だからって、こんなでたらめが罷(まか)り通っていいって話はない。これを見逃す警察なら、これまでわたしらがやってきたことはなんです。九年前の犠牲はなんだったんです。お互い、この歳になるまで奉職してきたんだ。ずっと一線を張ってきたあんたなら、わたしなんかよりよっぽど……」

「話は終わりだ」

ディスプレイに据えた目を動かさず、千束は言った。それ以上の接近を拒む声音だった。遮られた先の言葉を呑み下し、はねつけられた痛みを吐息で紛らわせた並河は、「じゃあ、しょうがない」と最後のカードを切り出した。

「これからサツ回りの連中と会ってきます。朝刊には間に合わなくても、ネット配信ならすぐ流せる」

「なにを話すつもりだ」

「知る限りのことを、全部」

「証拠がない。彼らが記事にすると思うか？」

「わたしだって公安(ハム)の端くれです。どこをどう突けば連中が反応するか、心得てるつもりです」

半分ははったり。その自覚が胸に落ちるより早く、並河は背を向けた。これ以上、声や手足の震えを留めておける自信はなかった。「待て」と千束の声が発したのは、すでに震え始めた指先をドアノブにのばした時だった。

「そんなことをしたらどうなるか、わかっているんだろうな？」

「わかってます。なにもしなかったらどうなるかってことも。どっちかって言うと、わたしはそっちの方が恐ろしい」

「消されるぞ。比喩ではなく」

つっと冷たい感触が背筋を走り、床に張りついた靴底が動かなくなった。鼻で深呼吸をし、汗ばむ手でドアノブをつかんだ並河は、「なにが望みだ」と多少あわてた声を出した千束に振り返った。

「丹原三曹の釈放と、真相の追及」

「無理だ。その権限はわたしにもないと言った」

「あとの方は？ 〝チヨダ〟の校長がその気になれば、搦め手で流れを変えることもできるはずだ」

「長官命令に逆らえと言う気か？」

「ですから、そこは〝チヨダ〟の秘匿性を利用して……」

そこまで言って、千束の目がひたとこちらに据えられているのに気づいた並河は、室内に向き直りかけた体を硬直させた。

長官命令。警察組織の頂点が、この事態を容認している。欺瞞を糊塗し、〝集まり〟のシナリオに寄り添えと命じている。絶句した並河を見つめ、「そういうことだ」と千束は低く呟いた。

「この国にとって、国民にとってということじゃない。ここにいる以上、我々にとってどうであるかが問題だ。そう考えていかなければ、おれだって……」

千束の目には、見たことのない怯えの色があった。並河はなにも言えずにその場に立ち尽くした。

「最善の道でないことはわかっている。我々も、最初から事態を容認していたわけじゃない。だが、こうなってしまったんだ。世論が沸騰して、それが我々をもその気にさせたという意味では、これは国民の意思だ。日本という国が、その道を進むことを選んだんだ。この流れを止める力は、君にもわたしにもない」

最後は顔をうつむけ、消え入りそうな声で千束は言った。机の上に置かれた拳がきつく握りしめられているのを見、冷たく湿った空気が室内に充満してゆくのを感じながら、並河は「ナショナリズムの〝風〟……」と呟いた。

「今日、若杉のテレビ演説を聞いて、どっかで聞いたことがあるって気になってたんです。なんのことはない、この建物の中で聞いた言葉だ。鈴原警備企画課長……あの人は、最初から？」

無言が返事だった。直属の上司までが事件の根幹に関わり、欺瞞の一端をなしていた事実に、千束はどの段階で気づき、どの段階で屈伏したのか。〝チヨダ〟の校長とはいえ、しょせんは一官吏にすぎない己の無力をいつ噛み締めたのか。考えても始まらず、想像を絶する腐敗の根深さを実感した並河は、こちらも無言で千束に背を向け直した。

羽住が言った通りだった。いま流れに逆らうのは自殺行為。上から浸透した汚染は、すでに全体に広がりつつある――。戦慄が体を支配しきる前に足を動かし、ドアに手をかけようとした並河は、「どうするつもりだ」と言った千束の声を背中に聞いた。

「ハムの指身の特権です。九年前の時とは違う。目をつぶって保身に走るほど、上等な人生は送ってません。やれることをやるだけです」

「わたしに対する意地か。それとも復讐か？　刺し違えれば、それで満足か」

「勘違いしないでもらいたい。別にもうあんたのことは恨んでない。……刺し違えたい奴がいるとするなら、九年前の自分だ」

終わりのひと言は、自分でも知覚できない深いところからこぼれ落ちた。「いまのわたしは、狂った世の中を子供に手渡したくないだけです」と付け足して、並河は今度こそドアに手をかけた。

「引き替えに、その子供の身が危険にさらされたとしてもか」

ぼそりと呟かれた声が背中を打ち、ドアノブに触れた指先を硬直させた。並河は、一瞬に血の気の引いた顔を千束に向けた。

「因縁だよ、本当に。まったく嫌になる……！」

視線を逸らし、拳を机に叩きつけた〝チヨダ〟の校長の声がくぐもる。再びコップの水が飛び散ったが、今度は目もくれようとせず、千束は握りしめた拳を震わせ続けた。

「おい、いまなんて言った」と我を忘れて呟き、並河は千束に詰め寄った。

「娘の身がなんだと？　答えろ！」

「落ち着け。彼女は無事だ。隣のビルで保護されている」

「恵理が？　ここに……？」

頭がついてゆかず、並河は机の縁をつかんでよろけそうな体を支えた。「今日の夕方、神奈川県警に保護を申し出てきたそうだ」と続けた千束の顔は、ぐらりと傾いた視界に映えた。

「丹原三曹の指示でな。君と連絡が取れなかった場合は、最寄りの警察署に行け。自分はローズダストに会いに行くと言えばわかるから、と……」

想像外の言葉が立て続けに耳の奥で爆発し、なんなんだ？　と自問した頭が混乱に搦め取られるのを感じた並河は、携帯電話を取り出してディスプレイを開いた。〈メッセージあり〉の表示を確かめ、留守番サービスセンターに繋がるボタンを押すと、ほったらかしにしていた十数件のメッセージが再生された。

（もしもし、私です。昨日も吹き込んどいたけど、今日の午後に恵理が退院するの。しばらくうちの実家に預けようと思ってるから、誰か迎えに……）と妻の声。（これを聞いたら、すぐ総務に一報しろ）という公総課長の声は五件も入っており、その間に間に、ひどく久しぶりに聞く娘の声が記録されていた。

（恵理です。これ聞いたら、私の携帯に連絡ください）（いま、神奈川県警に来てます。総務部の古林さんという人が対応してくれて、父さんのいる部署と連絡を取ってくれてるみたいです）（会ったら詳しく説明するけど、横浜のおばあちゃんの家に送ってもらう途中で、丹原さんの様子が急におかしくなって。ローズダストとかに会いに行くって言って……〉〈父さんと連絡がつかないので、警視庁の方に移動させられるみたい。覆面パトカーって言うの？　なんか普通っぽい車に乗って、向坂さんって人に送ってもらいます）（もうじき警視庁です……て言うか、なんでこんなに繋がんないの？　丹原さんも応答なしだし、二人ともいい加減にしろ）——。

最後まで聞かずに切り、恵理の携帯にかける。繋がらなかった。留守番電話サービスの案内を遠くに聞きながら、並河は千束を見た。千束は再び目を逸らし、「丹原三曹の消息は、それを最後に途絶えた」と言った。

「その間になにがあったのか……。次に報告が入った時には、彼は若杉を襲ってSPに拘束されていた」

「嵌められたんだ。ローズダストに、若杉に！　それくらい、考えんでもわかるでしょうが！」

「わかったらどうだと言うんだ！」

椅子を蹴り、全身を声にした千束の勢いに一瞬、気圧された。自分の激情に我ながら驚いたという風情で、千束はぎこちなく髪をなでつけた。

「……並河警部補。とにかく落ち着いて話し合おう。〝マル六〟との接触による所見は所見として聞いておく。君が納得する形で、レポートも上に提出する」

「おれが納得しようとしまいと、そんなことはどうでもいい。問題は国民が、全国二十万の警察官が納得するかです」

「あくまで意地を通すつもりか」

「そうだと言ったら？　娘を人質に取りますか？」

怒りと恐怖、情けなさが伯仲する胸を皮一枚下に押し留め、並河は言った。ここに来る前、羽住の身柄を預けるために顔を合わせた公総課長は、恵理の件をいっさい口にしなかった。知らなかったなどという話はあり得ない。口止めされていたのだ。自分が怒鳴り込んでくることを予測し、切り札に使えると反射的に計算を働かせた千束によって。いかにも公安らしいやり方。さすがは〝チヨダ〟の校長さんだ、と並河は内心に呟いた。必死になるのはわかる。おれが自爆覚悟ですべてを暴露したら、警察の威信は地に墜ちる。あんたも確実に詰め腹を切らされるんだからな。でも、その上でもういちど訊く。あんたは、本当にそれでいいのか——？

揺れる瞳に一縷の望みを繋ぎ、並河は千束を凝視した。拳を握りしめ、堪えきれないというふうに顔を背けた千束は、「同じ宮仕えだ。言わせるな……」と小さく搾り出した。

最後の糸が切れ、奈落の底に落ち込む感覚が全身を満たした。それきり押し黙った千束に、並河は背を向けた。

「やれるもんなら、やってみろ」

低く呟き、ドアの方に向かう。まずは警視庁庁舎に戻り、恵理を連れ戻す。それからのことは、それからのことだ。腰に収めたリボルバーの感触を確かめ、なぜ確かめたのかは考えずに歩き続けた並河は、だしぬけに目の前に躍り出た千束にひやりとなった。

咄嗟に身構え、あとずさる。千束の乱心を予期した体の反射行動だったが、不要だった。千束は素早く両膝を床につけ、続いて頭もこすりつけた。目をしばたたき、呆然と見下ろした並河の視界に、土下座そのままの体勢を取った千束の姿が焼きついた。

「あんた……」

「頼む。この通りだ。目をつぶってくれ……！」

血を吐く声が、伏した千束の後頭部から立ち昇る。あまりのことに声が出ず、やめなさいよ、と動いた口がからからに渇くのを感じた並河は、ただただその場に立ち尽くした。

不祥事を起こした企業のトップが、形ばかりの土下座をしてみせるのとはわけが違う。絶対的階層社会、縦割り機構の内部で、圧倒的に上位の者が下位の者に土下座をするというのは――。

不意にドアが開き、並河はぎょっと顔を上げた。緑川公四課長が、そこに立っていた。ただでさえ青白い顔は紙のように白くなっており、背後に立つ関口係長と並河が視線を合わせた時には、「なんだよ、これ……」と呻いた眼鏡面が部屋に足を踏み入れてきた。

少し頭を上げただけで、千束は動かなかった。緑川は並河など見えていない様子で、千束の傍らに膝をつき、すがりつくようにその背中に触れた。

「やめてくださいよ、理事官。相手は地方ですよ？　そんなことするの、やめてくださいよ……！」

震える声を搾り出し、伏した頭を上げようとしない千束を揺さぶる。地方――ノンキャリアの地方警察官を意味する隠語が胸に突き立ち、並河は目前の醜態から目を逸らした。

そう、醜態だ。人にかしずかれるのを当たり前にしてきたキャリア組が、吹けば飛ぶようなノンキャリア組に土下座するなんて。警察組織の一員としての自分、それまでの人生をすべて否定するのに等しい。そうまでして、あんたはいったいなにを守ろうとしているんだ？　尊厳までかなぐり捨てさせるなにが、この欺瞞に満ちた人の集団にあるというんだ？

「頭上げましょうよ。理事官にそんなことされたら、おれたちどうすればいいんです。キャリアですよ？　出世競争を勝ち抜いて、他の全部を犠牲にして、ここにいるんですよ？　なにがあったって土下座なんかしないでくださいよ……！」

千束が、緑川と関口を呼びつけてからかなり経つ。ドアごしのやりとりをいつから聞いていたのか定かでないが、キャリア組の間に流れる不透明な空気には、緑川も以前から感じるところがあったのだろう。憑かれたように千束を揺り動かし、それでも顔を上げようとしない千束に激昂した緑川は、「なんとか言ってくださいよ、理事官。あなた偉いんだから、ほら顔を上げて」と、千束の肩をつかんで無理にでも引き起こそうとし始めた。

青ビョウタンの異様な気迫に呑まれていた関口が、あわてて廊下から室内に飛び込んでくる。「課長、落ち着いて」と割って入った関口に羽交い締めにされ、千束から引き離された緑川は、「やめてくれよ。そんな情けない真似すんの、やめてくれよ！」と満腔で吠えた。

「我慢してんだよ。みんな我慢してしがみついてんだよ！　その結果がこれじゃ、割に合わないでしょう？　いつもみたいにしゃきっとして、まわりの人間見下してさ、我こそは日本の官庁様だって顔してろよ！　そうでなきゃいけないんだ。そうでなきゃ、ぼくはなんのために……！」

充血した目に涙を滲ませ、緑川は関口の腕を振り払おうと手足をばたつかせる。その爪先に脇腹を蹴られても、千束は動かなかった。恥辱の塊になって床に這いつくばり、土下座を続けるその姿に、並河はわかったような気がした。

尊厳を捨ててでも警察の威信を守り、地位にしがみつく——そうではない。娘を人質に取り、並河の口を封じるという最低の外道に手を染めないために、千束はこうするしかなかった。尊厳を捨てたのではなく、むしろ人間として最低限の尊厳を守るために、彼は上っ面のプライドを捨てなければならなかったのだ、と。自爆覚悟で腐敗の根を一掃してやろうなどと息まけるのは、しょせんは末端にいる者の気楽さで、組織の中枢で看板を背負う千束にそんな発想は持ちようがない。個人にそうした犠牲を強いるのが警察という組織であり、そんな世界でこの歳まで生きてきた自分もまた、千束と同類の人間なのだ、と。

強引に緑川を連れ出し、「課長。ここはいったん退がりましょう」と言った関口の目が、こちらに注がれていた。視線を合わせる気力はなく、並河は目を伏せ続けた。ドアが閉まり、「ぼくは、ぼくは、こんなことのために……！」と叫ぶ悲痛な声が遠のくと、騒ぎを聞いて集まってきた野次馬たちの気配も遠のき、理事官室はもとの静寂に包まれた。

千束は土下座の形の石になったまま、動こうとしない。これはもう、なにを言ってもやってもダメだ。千束に対してではなく、自分と、自分を取り巻く世界にそう結論を下した並河は、ひえびえとした空気の底にひとり立ち尽くした。

閉じたブラインドの向こうをパトカーのサイレン音が行き過ぎ、ヘリのローター音が窓を微震させる。小刻みに肩を震わせる千束の息づかいは、聞こえなかった。

警視庁舎のロビーは静まり返っていた。エレベーターを降り、正面玄関まで続く無機質な空間を見渡した並河は、受付近くの長椅子に恵理の姿を認めた。

三割ほど落とされた照明の下、所在なげな顔をうつむけ、ひとりぽつねんと座っている。付き添いの警官はいない。いるのは当番機動隊の立哨と、受付台の向こうで黙然と書類に目を落とす制服が数人。あとは記者らしい男とごそごそ立ち話をする二人の私服がいるのみだ。長椅子に置かれた花束を一瞥し、数日ぶりに対面する娘の横顔に視線を戻した並河は、駆け寄りたい衝動を堪えてゆっくりそちらに近づいていった。

気配を察したのか、声をかける前に振り向いた恵理は、「父さん……」と言って立ち上がったきり、続く言葉をなくした。疲労に不安が上塗りされた娘の顔を見、こちらは無理にでも笑みを浮かべた並河は、「大変だったな。怪我はもういいのか？」と努めて明るい声を出した。「うん。……そっちこそ、平気？」と恵理が戸惑い気味に応じるのを聞いた途端、背後でエレベーターのドアが開き、自動的に吸い寄せられた視線がそこから離れなくなった。

一見して刑事部とわかる男が三人と、記者とも警官ともつかない顔が二つ。ジの連中はそのまま裏手にある副門の方に向かい、あとの二人はひとりが受付へ、ひとりが玄関へと歩いてゆく。外来者の札を付けていないところを見ると、同業者——物腰からして本部員と察せられたが、三十代半ばののっぺりとした顔に見覚えはなかった。いかにも待ち合わせをしているという風情で、玄関のガラスごしに外を見回す男の背中を目で追った並河は、次いで複数設置された天井の監視カメラを見上げた。

あのカメラの向こうに、何人。要所要所に吊り下げられた監視カメラのレンズを見上げ、並河は冷えきった内心に呟いてみる。レンズの向こうで、何人の目が自分と娘の挙動を注視しているのか。いまロビーにいる者のうち、何人が自分を視察するために送り込まれ、外には何人の作業班が待機しているのか。気にしても始まらない、考えまいとしても、じっとり冷たい蛇のような視線がからみついてくる。かつては自分の目からも発していた視線。〝チヨダ〟特有の、臓腑の底まで見通す視線が……。

「父さん？」と声をかけられ、並河は我に返った。こちらを見上げる恵理の瞳に、怯えの翳が差し込んでいた。

「なんか、顔色悪いみたい。大丈夫？」

「ああ、平気平気。さ、うちに帰ろう。母さんも心配してる」

これ以上、娘にドブの臭気を嗅がせたくはない。恵理の背中を軽く叩き、並河は言った。この細い背中が今日という異常を生き抜き、紙一重の危険をかわしてここにあるのかと思うと、そのまま抱きすくめたい思いに駆られたが、〝チヨダ〟の連中にことさら弱みをアピールするわけにもいかない。花束を持った恵理に歩くよう促した並河は、無表情を取り繕って正面玄関に向かった。いつもなら副門の通用口を使うところだが、いまは一刻も早くここから離れたいという気分が先に立った。

「その花、どうしたんだ？」

萎れかけた花束を見下ろし、暗闇に咲いた桔梗の花一輪を唐突に思い出しながら、並河は釈然としない顔つきの恵理に声をかけた。話の糸口をつかむために言ったことだったが、「丹原さんが、お見舞いにって」と返ってきた声を聞けば、自分の迂闊さを呪わずにはいられなくなった。

進んで地雷を踏んづけるとは。口中に舌打ちする間もなく、「あの、丹原さんは……」と恵理が案の定の声を繰り出してきて、並河は「あとで話すよ」と背中で返した。「無事なの？」と即座に重ねた恵理の歩みが止まり、自分もつられて立ち止まってしまった。知るものか。反射的に噴き出した胸中の叫びを押し留め、両の拳を握りしめた並河は、

「ああ。ここにはいないけどな」と振り向かずに答えた。

「さっき、なんか普通じゃない感じで、あたしに警察に行けって。なにがあったの？」

「あとで話すから。ほら、行こう」

「いまどこにいるの？　携帯の電源切っとけって言われたんで、こっちに来てからは全然……」

「いいから。来なさい」

低い怒声が森閑としたロビーに響き渡り、その場にいる全員の目がこちらに集中した。書類から無表情な顔を上げた受付の婦警。玄関のガラスを鏡にして窺う目を寄越した私服。桜の代紋を掲げた制帽の下で、ちらと冷たい視線を投げかける立哨中の機動隊員。

監視カメラのレンズまでが自分と娘を凝視し、命をも脅かす陰湿な険を放つ。並河は、首のあたりにひんやりとした冷気がまとわりつくのを感じた。

まだ異常は終わっていないし、危険が去ったわけでもない。息を呑んだあと、ぎゅっと唇を結び、目を合わさずに歩き出した恵理を先に通して、並河は庁舎の玄関を出た。短い階段を足早に降り、警備車が路肩に停まる内堀通りを前にする。歩道に出ても粘着質な視線は背中から離れず、振り返ると、見慣れた警視庁庁舎の建物が傲然と聳え立っているのが見えた。

巨大な通信塔を戴く白亜のビルの足もとで、出動服に身を固めた機動隊員たちもこちらを見下ろしている。異物は去れ、口を噤んで立ち去れ、と告げる目。警察という権力機関そのものが放つ視線、一個人の存在など歯牙にもかけない強圧的な視線が目前の庁舎から降り注ぎ、そんなに睨むな、と並河は内心に独りごちた。

心配せんだって、もうなにもしようとは思わない。ちゃんと〝チヨダ〟の校長とも話し合ってきたんだ。手打ちは済んでる。そうでなきゃ、こうして娘と無事に帰れるわけはないだろう？　簡単なことだ。自らを脳死させ、目も耳も口も塞いで事態を受け入れる。それだけですべてがまるく収まるのだから。

おれだってハムの一員だ。分別はあるさ。そういう場所だって知った上で、これまで勤めてきたんだからな。おれなんかにできることはなにもないって、言われるまでもなくわかってる。早いとこ家に帰って、なにもかも忘れたいだけだ。

別にこれが初めてじゃない。人を見殺しにするのは慣れている。前科があるんだ。保身のために、親友を裏切って自殺に追いやったってマエが……。

真夜中を過ぎたこの時間、霞が関でタクシーをつかまえるのは難しいことではない。尾行を気にしてどうにかなる状況でもなく、恵理を先に乗せ、「門前仲町の方まで」と行き先を告げた並河は、いっさいの思考を封じて客席に収まった。

恵理は視線を合わせるのを避け、反対側の窓に顔を向けている。父親の不実を察するところでもあるのか、その横顔は拒絶の二文字を浮かび上がらせており、なにを話してもはねつけられそうな雰囲気があった。どだい、いまは適当な作り話で茶を濁す気力もない。携帯電話の電源を入れ、なにごとか操作し始めた恵理から視線を外した並河は、小さく息をついて窓外に目を泳がせた。

お濠（ほり）を挟んでひっそりと横たわる皇居はもとより、法曹会館や合同庁舎が立ち並ぶ官庁街も、その先にある日比谷公園も重苦しい闇の帳（とばり）に包まれていた。晴海通りに入り、有楽町に差しかかるとネオンの明かりが目立つようになったが、それもこの夜は明度が一段下がったように感じられた。そこここの検問所で点滅する赤灯ばかりが網膜に刺さり、陰鬱な赤を闇夜に際立たせた。

この闇の中で、丹原朋希はどれほどの苦痛に苛（さいな）まれ、絶望と向き合っているのか。空白に近づいた頭にそんな思考の染みが滲み出し、並河は微かに顔をしかめた。運転手は黙々とハンドルを握っており、ラジオも無線も切られた車内は静まり返っている。静かすぎるんだ、と胸中に悪態をつき、詮ない考えを締め出そうと目を閉じかけた時、不意に携帯のディスプレイが眼前に差し出された。

「丹原さんからのメール」

反対側の窓に顔を向けたまま、片手で携帯を突き出した恵理が言った。怒っているとも、なにかを堪えているとも取れる声音だった。跳ね上がった心臓を隠し、「いいのか？」と確かめた並河は、恵理の頭が頷くのを待ってディスプレイに目を落とした。ひどく眩しく映える液晶画面に、『風船より』の件名と、午後九時二十七分の発信時刻が表示されていた。まだ拘束される前、おそらくは若杉のもとに乗り込む直前に打たれたメールと推測しつつ、並河はメールをスクロールさせるボタンを押した。

『さっきはごめんなさい。心配かけたかもしれないけど、こちらは大丈夫です。並河警部補と連絡がついたら、あとはその指示に従ってください。真面目な人ですから、忙しいとそれだけに夢中になって、なかなか携帯にも出られないんだと思います。もう少し待ってあげてください。

短い間だったけど、今日は楽しかったです。置き去りにしてきたみたいで、本当に悪いと思ってます。今日に限らず、お宅でお世話になっている時はいろいろ迷惑をかけてしまいました。ちゃんとお詫びに伺いたいところですが、急に異動になってしまったので、もう会えないかもしれません。

お母さんによろしくお伝えください。並河警部補にも。あんなふうに人の家に泊まらせてもらって、ご馳走になって、他にもたくさん……。自分にとっては、すべてが初めてで、かけがえのない経験でした。きっと、一生忘れないと思います。

恵理さんと話せたことも、よかったです。できることなら、また会いたいし、話したいけど、そういうのを贅沢な望みって言うんでしょう。これまでだけでも、自分には過分な幸運と思える時間でした。

どうかお元気で。　丹原朋希』

「もう、会えないんだね……」

窓に向けた顔を動かさず、恵理がぽつりと呟いた。その声が内奥に突き通り、窓に反射する恵理の表情を見遣った並河は、自分の中でなにかが壊れる音を聞いた。

九年前、自殺した作業玉――親友の葬儀から戻った夜、まだ中学生だった恵理が口にしたのと同じ言葉だった。あの時も、恵理はこんな顔をしていた。真相など知りようもなく、ただ底から漂う不実の匂いを漠然と嗅ぎ取り、泣くに泣けずに途方に暮れた目を一点に注いでいた。

同じことをしている。性懲りもなく、同じことをしている。そう再確認させられた心身が無防備になり、押し留めていたものを一気に溢れさせた。ディスプレイに表示された精一杯の言葉を、並河は飽かず眺めた。

「……あんな、あんなボロ家でさ。何日か泊まって、飯食わせてもらっただけで、一生忘れないって……。バカだよ、あいつ。本当に、本当に、バカだよ……」

一途で、拙くて、クソ真面目で、どうしようもなく不器用で。間違いなく朋希が書いたとわかる文面が滲み、目の中で溶けてゆくのを感じながら、並河は搾り出すように呟いた。ぽたぽたと落ちる雫はしばらく止まらず、ディスプレイを濡らし続けた。

※

雪が舞っていた。暗い虚空から舞い落ちるそれは、手をのばして触れようとすると消え、代わりに打ち放しのコンクリに覆われた天井が視界を塞ぐようになる。ひどく高い、薄暗い常夜灯が金網ごしに光を落とすだけの天井。火災報知器に似た監視カメラが二十四時間見下ろし続ける、拘置室の無機質な天井……。

目覚めている。鈍った思考の片隅にわずかな電流が走り、朋希は床に横たえた体を動かそうと試みた。少し頭を動かしただけで吐き気がこみ上げ、だるさが全身にのしかかってくる。床に貼られた自傷防止用のマットに爪を立て、せめて寝返りくらい打とうとしたが、無駄な努力だった。どこにどう力点を置けば体が動くのか、思い出せない。考えようとすると吐き気がひどくなり、天井がぐるぐる回り始める。

熱があるんだ。起き上がるのをあきらめ、朋希は閉じた瞼の裏に呟いた。風邪をひいたとか、体じゅうの打ち身や捻挫のせいとかではない。怪我は最低限の治療を受けたし、床から壁、ベッドの脚までごわとしたマットで覆われた拘置室は、冷えきらない程度に空調が施されてもいる。熱が下がらないのは、クスリのせいだ。ここに運び込まれた時に一回、以後数回にわたって注射で投与されたクスリ。部内では単にクスリと呼び習わされていて、メペリジンだかスコポラミンだか、中身の配合を詳細に知る者はほとんどいない。が、それを投与された者は指示や命令に素直に従い、命令を受けたという記憶を欠如したまま、指示された通りに行動するのをためらわなくなる。中毒にこそならないものの、投与された者の精神を弛緩させ、一時的にロボトミー化する麻薬の一種であることは、市ヶ谷の人間なら誰でも知っていた。

薬物に対する耐性訓練を受けていても、効果を薄めたクスリでジャブを打たれ続け、弱ったところにストレートを食らったらたまらない。全身の発熱と吐き気は、肉体と精神がクスリに抵抗しようとしている証拠だが、それもいつまでもつかわかったものではなかった。泥になったような体はひたすら重く、少し前まであった手首の痛み、鼻の疼きももう感じない。意識があると思える時間は次第に短くなり、あとは寝ているとも起きているともつかない時間が果てしなく続く。ここに放り込まれてから、どれだけの時間が経ったのだろう。一日？　一週間？　一ヵ月と言われても納得する、と朋希は思う。食事をしたという意識はないが、その記憶が飛んでいるだけなのかもしれない。クスリを投与された者は、指示命令を受けている間の記憶を持たないのだから。

『ここでの記憶をなくすために、わけのわからない薬をぶち込まれるんだ。運が悪けりゃ、廃人になって娑婆にご帰還だぞ』

閉じた目の底で、出会って間もない頃の一功が言っていた。確かに、と朋希は認めた、あの時は教官の流した噂だと思ってたけど、そういうクスリは本当にある。でも、なぜこんな面倒な真似をするんだろう？

壊れた部品を回収しておきながら、尋問するでもなく、即座に潰すでもなく、生殺しの状態でここに閉じ込めている。まだ自分にも利用価値はあるということか？　クスリ漬けにして、意志をなくして……一功たちの身代わりに、ローズダストの一味として警察に突き出される。逮捕時に抵抗、射殺。事件は一応の終息を見、〃集まり〃の策した国家改造計画が粛々と進められる——。だとしたら、気がきいている。弛緩した手足を床に投げ出したまま、朋希は小さく苦笑した。

回り始めた歯車を止める術はない。止める意味すらもはやない。国家としての戦略を持たない国。責任能力を持ちえない国。自分を語る言葉を持てない国。なら、古い言葉でもいい、まずは喋れるようにすることだと思考し、行動を起こした若杉たちは、ある面では正しいのかもしれない。少なくとも、それに対抗する新しい言葉を自分は見出せなかった。それどころか、その萌芽になるべき命を消し去る行為に加担さえした。

あの時だ、丹原朋希が死んだのは。いま呼吸をしているのは、その残滓。単なる物体にすぎない。クスリなんか使わなくても、丹原朋希という人間の魂はとっくに死んでいる。四年あまりの遠回りの果てに、ようやく肉体が魂に追いつき、すべてが収まるべきところに収まるというわけだ。

でも……と、朋希はとりとめのない思考を重ねる。自分はまだ生きている。瞬きするごとに、自分が自分でなくなってゆくのを感じている。それを哀しい、恐いと感じる神経も死に絶えてはいない。肉体は無意識にクスリへの抵抗を続け、オーバーヒートしているではないか。

これはなんのための抵抗だ？　とうの昔に魂を失ったものが、これ以上なにを哀しみ、恐れる必要があるというのだ？　おまえには、生きて苦しみ続ける義務がある……そう言った一功に、バカ正直に従っているのか？

『だから、背負っていくしかない。それがどんなものでも、背負って生きるのが人生だとおれは思う』

『丹原さんって、風船っぽいですよね』

混濁した意識の底で、聞き知った声たちが流れては消えた。遠回りの過程で出会った声たち。丹原朋希という肉体とほんの少し関わり、遠ざかっていった声たち。生活という言葉の温もりとやさしさを伝え、自分を殺して紡げる生などないと教えてくれた声を、自分は確かに聞いた。その声が凍えきった胸の底に落ち、死んだはずの魂を揺らすのを感じた。自分はなにかを期待していたのだろうか、と朋希は自問してみる。そんな権利はないと理解していながら、彼らと関わるのをやめられなかった自分。失われたなにかを取り戻そうとしていた自分。

そう、だから――。

『おまえには、なにも守れない』

再び一功の声が流れ、微かに上気しかけた胸を瞬時に冷やした。わかっている。わかっているんだ、そんなことは。朋希は、うっすら開いていた瞼を閉じた。

おまえは、いつか必ず戻ってくる。すべてに決着をつけ、互いを解放するために戻ってくる。根拠なく確信し、それだけを支えに市ヶ谷に残り続けた四年八ヵ月の結果が、これだ。対消滅(ついしょうめつ)というわけにはいかなかったが、とにかくこれでなにもかも終わる。もうどうでもいいと思い、朋希は辛うじて繋ぎ止めていた意識を手放した。

四年八ヵ月の不眠を一気に清算するような、際限のない惰眠。吐き気が遠のき、クスリ漬けの体がマットに沈み込むのを感じると、いつものように白いものが瞼の裏にちらつき始めた。

雪だ。砂のごとく細かく、いつ果てるともなく降り続ける冷たい雪。溶けることを知らない北国の雪だ。朋希は手をのばし、虚空から舞い落ちる雪を今度こそつかもうとした。その拍子に足が前に踏み出し、よろけた体をもう一方の足で支えた時には、雪原を踏みしめる懐かしい感触が足もとから這い上がってきた。

どくどくと鼓動する心臓、不安ですぼまった胃の痛み。走っている、と朋希は理解した。おれが、ぼくが走っている。凍てついた新潟の雪原を。太陽を忘れた曇天の下を。

ああ、またか。またあそこに行くのか。肉体と繋がった最後の意識が悲嘆の声をあげ、朋希は記憶の底に陥ち込んでいった。

2

飛び出したからって、どこに行く当てがあるわけでもない。最初からわかりきっていたことだ。内野町のファミレスで一夜を過ごしたぼくは、コーヒーでだぶついた胃袋を抱え、結局は工場に戻る道をたどっていた。

雪を吸った作業靴が冷たく、踏みしめるたびにきりりと爪先が痛んだ。まだ明けきらない曇り空の下、ひと晩降り続いた雪に覆われた畑や道路、家々の屋根はしんと静まり返っており、いつもなら微かに聞こえる鳥の声も届いてはこない。じきに午前六時半、そろそろ出勤の車が通ってもおかしくはなく、軒先で雪かきをする人の姿が見えていい頃合だったけど、この日の朝に限ってどちらとも出会わなかった。まるで世界中の人間が消え、広漠とした地上にひとり取り残されたかのようだった。

心の中を引き移しているみたいだった。昨日までそこに住んでいた人がいない。工場に戻ったって、そこにはもう気がねなく声をかけあい、感情を共有しあえる仲間がいない。誰もいないのと一緒だ。どんな顔でみんなと会えばいい？　しょせんは全部が作り物の箱庭、なにごともなかった振りをしていればいいのか？　そこにある〝本物〟から目を背けて、虚しい演技を続けろとでも？

できっこない、そんなこと。認められない、ぼくだけが取り残されるなんて。あいつの早合点につきあって、ここでのすべてを失うなんて――。まる一昼夜、悶々とわだかまり続けた怒りと不安が勢いを盛り返し、かじかんだ拳を握りしめた時だった。見慣れた工場の正門が目に入り、どくんと跳ね上がった心臓が一瞬、動きを止めた。

社員寮から炊事の湯気が出ていない。富士鋼業の看板を掲げた門柱が、雪に埋まったままになっている。もう朝食の準備が始まる時間なのに。当番が雪かきをしていなければいけないのに。

『三住の面が割れた』

昨日、圧延機の裏で聞いた一功の言葉がよみがえってくる。ぼくは夢中で走り出していた。

『不幸にも面が割れてしまった要員の清算……』

そんな、冗談じゃない。ぼくは鍵のかかっていない門扉を押し開け、工場の敷地に駆け込んだ。なにひとつ動くものがない。人の気配が感じられない。まだ新しい轍が数本、トラックヤードから門の外へと走っている。

『北と取引する。みんな乗るって言ってる。通いの地元組は除外だ。三住にもまだ話してない』

とりあえず社員寮に向かい、やはり鍵のかかっていない玄関を開ける。下駄箱の靴が半分になっていた。あるのは工場で使う安全靴ばかりで、私物のスニーカーや外出用の長靴がすべて消えている。ぼくは靴もぬがずに廊下に上がり、冷えきった空気をかき分けるようにして食堂へ走った。どたどたという無様な足音が、無人の屋内にひどく大きく響いた。

『三佳には明日、現場で伝える。五ヶ浜に潰れたゴルフ場があったろう。そこを拠点にして……』

明日って、本当に明日だったのか？　みんな、こんなバカげた計画を本気で実行に移したのか？

『おまえは外れてくれ』

階段を駆け上がり、自室のドアを開く。相部屋の一功はいない。訓練キャンプ時代の習い性で、きっちりベッドメークしたぼくの寝床とは対照的に、ほったらかしにされた布団が下段のベッドからはみ出している。いつも通りの光景――でも、ベッド脇に置いてあった私物のデイパックはない。CDやら雑誌やらはそのままだけど、共有の棚はどこかがらんとして見える。

『おまえはこの手のポーカーゲームには向いてない』

なにを言ってるんだ。勝手に決めるなよ。まだなにもかも仮定の話じゃないか。もっと事態がはっきりするまで……。

『はっきりした時には、三佳は消されてる。またそうやって逃げるつもりか』

逃げてなんかいない！　おまえがなにもかも勝手に決めたのが許せないだけだ。彼女のことなんだぞ？　他の誰でもない、彼女のことなんだぞ……！

勝良、留美、倉下、滝沢(たきざわ)、京子。部屋のドアを片っ端から開け、すべてが無人であることを確かめたぼくは、寮を飛び出して隣接する社長宅に向かった。

親父さんと増代さん、それに三佳が住んでいる事務所兼用の一軒家は、社員寮同様、もぬけの殻になっていた。台所、居間、本物の夫婦より夫婦らしかった二人の寝室。実際には三佳と増代さんが同じ部屋で寝て、親父さんは三佳にあてがわれた部屋で寝ていたらしいけど、虚実の垣根が曖昧になる九ヵ月を経て、その決まりはいつしか覆っていたのかもしれない。そう思ったのは、三佳の部屋を覗いてみた時のことだった。

きっちり整えられたベッドと机、本棚。作戦が始まる際、三佳の嗜好を取り入れて用意された家具や洋服の数々は、たとえそれが芝居の小道具であっても、三佳という人間の存在を感じさせた。三佳の匂いがした。棚に飾られたカエルのぬいぐるみを手に取り、哀しいほど整頓された室内を見回しながら、ぼくは言いようのない無力感にとらわれていた。

みんなで内野町のゲームセンターに行った時、UFOキャッチャーで手に入れたぬいぐるみ。三佳が二度挑戦して失敗し、勝良と一功が立て続けに失敗したあと、ぼくが三回連続のチャレンジでようやく手に入れ、プレゼントしたものだった。彼女は、間違いなくここで寝起きしていた。そして消えた。ともに笑い、悩み、戸惑い、誰もが芝居とは言いきれなくなった九ヵ月あまりの時間を捨てて。置き手紙のひとつも残さず、別れの言葉も交わさずに。

『なにもしなかったら奪られる一方なんだよ、おれたちは。戦わなきゃなにも手に入れられないし、なにも守れないんだ……！』

違う。それはおまえの生き方だ。ぼくの生き方でも、三佳の生き方でもない。奪ったのはおまえだ。おまえがぼくからすべてを奪っていったんだ——。

カエルのぬいぐるみひとつを手に、ぼくは社長宅を出た。取り残された不安や恐怖は、もうなかった。無闇に焦り、工場中を走り回らずにいられない心境も消えていた。それらが冷えた胸の底で固まり、未知の固体に凝結してゆくのを感じつつ、ぼくは轍をたどってトラックヤードに向かった。

一功たちを乗せた車が残した轍は、おそらく県道に出たところで途切れている。Nシステムにひっかかるヘマもしていないだろうけど、そんなことは問題じゃなかった。拠点の選定には時間がかかる。親父さんがうっかり口を滑らせたからといって、急きょ場所を変える暇があったとは思えない。彼らは五ヶ浜にある潰れたゴルフ場にいる。車の出払ったトラックヤードを前にしたぼくは、片隅に置かれた原付バイクの方に近づいていった。

三佳を連れ戻す。それ以外、頭になかった。原付とはいえ、雪国仕様のタイヤを履かせてあるから、多少の悪路でもなんとかなる。途中で頓挫したら、這ってでも進むだけのことだ。そう思い、鍵が置いてある工場の方に足を向けた時だった。不意に人の気配が発し、ぼくは全身を硬直させた。

工場の従業員でないことは、すぐにわかった。その気配は、近づいてきたのではなく、意図的に気配を消すのをやめ、自らの存在をぼくに察知させたのだ。ぼくはゆっくり振り向き、物置の陰に佇む男の顔を視界に入れた。背広の上にハーフコートを着込んだその男は、視線を合わせても表情を変えず、こちらに近づく足をおもむろに踏み出した。同時に、社員寮の陰からも別の男が現れる。工場の方でも気配が発し、そちらに目を転じると、同じくハーフコートを羽織った男が三人、無造作に、しかし隙のない所作で近づいてくるのが見えた。どれも初めて見る顔だったけど、彼らの素姓も、ここにいる理由も、考えるまでもなく明らかだった。

一定の距離を置いて立ち止まり、円形にぼくを取り囲んだ男たちは、さながら雪原に突き立つ墓標だった。下手な挙動に出れば、彼らは懐の拳銃をためらいなく抜き放つ。当然だ、作戦渦中に現場要員がまるごと消えたという話なのだから。いつからここにいたんだろう。通いの従業員を演じる地元のAPが通報したのだろうか。まだ状況が呑み込みきれず、実りのない思考をめぐらせるうちに、車のエンジン音が正門の向こうに発した。

ドアの開け閉めされる音がそれに続き、数人の男が工場の敷地に足を踏み入れてくる。その先頭に立つ男の顔を見たぼくは、手にしたカエルのぬいぐるみを取り落としていた。男たちが組む円陣の手前で立ち止まり、羽住克広は無言の目をこちらに据えた。その瞳には憐れみの色があった。唐突にわき上がった屈辱に胸を塞がれ、ぼくは視線を逸らした。

音もなく舞い落ちる粉雪が、雪原に転がったカエルのぬいぐるみに降り積もっていった。

『丹原朋希。所属と階級、IDを明らかにせよ』

薄暗い部屋に、高くも低くもない男の声が響く。背後のライトが逆光になって、顔の作りはよくわからない。他にも二人の男が長机を前に座っているけど、どれものっぺらぼうの影法師だった。市ヶ谷から派遣されたか、あるいは仙台の東北方面本部から急きょ空輸でもされたか。

　どちらにせよ、地元の試験官でないことだけは確かだ。新発田(しばた)市内にある関東生命新潟ビル――ダイス新潟支部には、他の支部同様、職員のメンタルチェックを行う専用の部屋がある。長期の潜入工作(アンダーカバー)に従事する者などを除き、全ＡＰに月一回の受験が義務づけられているメンタルチェックだけど、いま目前に座る影法師たちは、〝忠誠心の査定〟を行うルーチンの試験官とは明らかに異なる。尋問、の二文字をあらためて思い浮かべながら、ぼくは椅子の背もたれに適度に体重を預け、得体の知れない威圧感を放つ影法師を睨まない程度に直視した。

『防衛庁情報局内事部、東部方面所属特別警補官。階級は三等陸曹。ＩＤは１７４６３３９―Ｄ(デルタ)―５９４』

　現状を意識の外にして、なにも考えずに答える。影法師たちは片方の耳で被験者の声を聞き、もう片方の耳にはめたイヤホンで別室のモニター結果を聞く。被験者の指先に取りつけられた、皮膚電気反応を測定するガルバノ・メーター。胸と手首にテープで固定した心拍測定コードと、脳波、瞳孔反応を測定するヘッドギア。さらには、被験者の声をリアルタイムでチャート化、緊張度を測定する装置も別室に備えられており、数人のモニター班が被験者の身体反応を記録、異常があれば即座に試験官に報告する。長期任務に従事する都合上、この九ヵ月あまり免除されていたテストであっても、反応がレッドゾーンに振れていない自信がぼくにはあった。

いつものメンタルチェックと同じだ。被験者がリラックスするのを待ち、測定器が受信したパルスから無緊張のゼロポイントを割り出す。その瞬間の心理状態――すなわち審問開始時の呼吸、心拍、体の緊張度さえ一定に保てれば、大概の質問はやり過ごせる。さほど難しいことではなかった。心の息を止めておけばいい。考えはしても、感じなければいい。

彼らが姿をくらました理由も、潜伏先の情報も、記憶の底に沈めて一顧だにしない。知っていると悟られたが最後、市ヶ谷はぼくの頭を割ってでも情報を抜き取ろうとする。清算云々の話が事実かどうかはおくとして、いまは知らぬ存ぜぬで様子を見るのが肝要だ。ぼくにだって、それくらいのことはできる。嘘が顔に出る役立たずでも……。

『その任務はなにか？』

『国内治安を維持し、想定されるあらゆる破壊活動・外敵の侵攻に備え、与えられた偽装(カバー)に沿って情報収集活動に従事。必要時には、命令に従って他の任務にもつきます』

『その目的は？』

『国益の遵守。国民の生命と財産の保護』

まずは小手調べ。ここまでは、脳を経由せずとも答を返すことができる。一度システムとして確立されたものは、無条件に継承して遵守すべし。〝謹厳実直という名の思考停止〟ってやつだ。無理して自分を騙さないでも、ぼくは自然体でそれができる。どだい、なんでも自分の頭で考えて、自分で決めるなんて傲慢なんだ。

　ぼくは、あいつとは違う。そう思った途端、空白に近づいた頭に入江一功の顔が浮かび上がり、ぼくは内心に舌打ちした。

　呼吸が乱れ、瞳孔が拡大する。皮膚電気反応もゼロポイントをはみ出た、と思う。失点一。腹で呼吸をし、ゼロポイントの状態をイメージし直すまでに、『よろしい。では質問を続ける』と影法師の声が続いた。

『昨日、君はケースオフィサーに無断で指定現場を離れ、今朝〇六三〇まで帰ってこなかった。現場要員のひとり、入江三曹と個人的な諍いを起こしたと報告にあるが、事実か？』

『はい』

『諍いの内容は？』

『現行オペレーションに関する見解の相違です。入江三曹は、政治状況に鑑みてオペレーションLPは中止されるだろうと言いました。自分は、そんなことはないと反論し、本部の方針に疑いを持つべきではないとたしなめました。しかし相手がいつまでも翻意しないので、かっとなって乱暴を』

　ぼくと一功が口論していた様子は、おそらく通いのAPにも見られている。殴ったところも見られたかもしれない。他の証言との辻褄合わせ……というより、上手な嘘には半分の本当を混ぜろの原則論に従って、ぼくは限りなく事実に近い嘘を答えた。三人の影法師は身じろぎもせず、『逃げ出す必要があったとは思えないが？』と無感情に重ねる。

『山辺曹長も入江三曹と同意見でした。自分だけが他のみんなと意見が違うのかと思うと、息苦しくなって……。以前から、他の要員たちとうまくいっていなかったこともあり、発作的に飛び出してしまいました』

『COからそういう報告は受けていないが？』

『現場は生き物です。動向は管理できても、内面まですべて知悉することはできないものと思われます』

ムキになるな、と自戒する一方、でもうまくいっていなかったのは事実だとも思い、ぼくは逐次モニターされている瞳を下に向けてしまった。

みんな、ずっと前から計画を聞かされていたのに、ぼくにはなにも教えてくれなかった。表面だけ仲間みたいに取り繕って、涼しい顔をしていた。だからこれは嘘じゃない。嘘をついていたのはあいつだ。一功だ。

心拍が乱れ、手のひらが汗ばむ。失点二。

『すると、彼らが集団で消息を絶ったのは、オペレーションの中止を予期してのことだったと？』

『わかりません。しかしその可能性はあると思います』

『彼らの行動、目的について、君はまったく知らされていなかった。九ヵ月も寝食をともにしていたにもかかわらず』

影法師の声に、揶揄する響きが混ざる。落ち着け、感じるな。ぴくりと震えた瞼を唯一の反応にして、ぼくは『はい』と答えた。事実、ぼくは昨日までなにも知らされていなかった。

『哀れだね』

その瞬間、影法師がまったく予想外の口を開き、ぼくは『は？』と無防備に聞き返してしまった。

『哀れだと言ったんだ』

『……それは、質問でしょうか』

『いや。わたしの個人的な感想だよ。任務とはいえ、同年代の若者が集まって、同じ釜の飯を食ってきたんだ。友情のひとつも育ちそうなものだが、君だけ仲間外れにされていたというのはね。おまけにひとり取り残されて、こうして尋問まで受けて……。哀れじゃないか。同情するよ』

逆光を背負った中央の影法師が言うと、他の影法師たちも失笑の吐息を漏らす。乗るな、相手は尋問のプロだ。モニター結果と照らし合わせて、こちらの防壁を崩しにかかっているだけだ。嗤ったのは演技にすぎない。芝居なんだ、なにもかも。

でも、芝居の中から〝本物〟が生まれることだってある——。勝手にそんな言葉が浮かび上がり、ぼくは絶望的な気分に駆られた。あるいは、〝本物〟と思っていたものも芝居の産物？

ガルバノ・メーターをはめた指先がこわ張り、ヘッドギアをかぶった頭に脂汗が滲む。

失点三。

『さて、質問に戻ろう。過去の考課、訓練キャンプ時代からの記録によると、君と入江三曹の間には同期というだけでは測れない、特別なリレーションシップがあるように思える。これについて、君自身の所見は？』

『……質問の意味がわかりません』

『彼は親友だったか？』

『親しい同僚のひとりでした』

『その親しい同僚が、君をひとり置き去りにして、他の要員らとともに消えた。君に共謀の嫌疑がかかるとわかっていながら、だ。これはつまり、入江三曹の方は君を親しい同僚のひとりとは認めておらず、むしろお荷物と考えていたとも取れるのだが、これについては？』

感じるな。受け流せ。『……わかりません』

『彼は極めて優秀な人材であり、人を束ねる能力にも長けている。その彼が、なぜ君だけ見捨てたんだと思う？』

『わかりません』

『推測したまえ』

『……足手まといになると考えたからだと思います。最近は、あまり話もしてませんでしたし』

『最近？　最近とはいつだ』

影法師の双眸が薄闇の中で閃き、術中にはまったと気づいた時には遅かった。『今年に入った頃からです』と答えながら、ぼくはすべての測定チャートがレッドゾーンに振れ、隣のモニター室を沸かせる光景を幻視した。

心拍が上がる。汗が滲む。呼吸も乱れて、もうゼロポイントの状態を思い出せない。防壁が崩れる。丸裸にされる。

『原因は？』

『意見の相違です。オペレーションの続行に関する……』

『それだけか？　君たちぐらいの年代で、友情に亀裂が入る理由は限られていると思うのだがね？』

崩れかけた防壁の裂け目に、鋭く刺し込まれた刃（やいば）のひと言だった。クリスマスの夜、ペンダント、深追いはするなよ、と言った一功の声――。『前例がないわけではない。正直に答えたまえ』とたたみかける影法師に、ぼくは『……事実です』と低く搾り出した。

『入江三曹には、君との友情よりも優先するべきものがあった。君は裏切られ、見捨てられたんだ。かばったところで、自分がみじめになるだけだぞ』

『事実は事実です』

『事実とはなんだ？　オペレーションに関する意見の相違があったことか？　入江三曹に出し抜かれたことか？』

『わかりません』

『彼は君を故意に怒らせて、工場から追い出した。その間に他の要員たちと逃亡した。君はのせられたんだ。そして彼女も、それを知った上で入江三曹に同道した』

『違います！』

彼女は……と口走りかけた言葉を呑み下した途端、それまで意識から切り離していた顔と名前が脳裏に噴き出し、ぼくは全身が凍りつくのを感じた。

惑わされるな、集中しろ。こいつらは鎌をかけているだけだ。他人が知るはずないじゃないか。工場という箱庭で育まれた〝本物〟を。そこで生まれた歓喜、共感、希望、嫉妬、羞恥(しゅうち)の数々を。

椅子のひじ掛けをきつく握りしめ、ぼくはひたすら胸中に念じた。でもいったん傾いた振り子は元の位置には戻らず、堀部三佳の顔と名前も脳裏に留まり続けて、暴走する思考が心拍と呼吸を千々に乱れさせた。

あの岸壁で、新しい言葉の話をした時。ローズダストを見上げた時。記憶の中にいる彼女は、たいてい横顔を向けていた。隣にいる一功を見ていたから。笑顔も、少しむくれた顔も、視線の先にいるのはいつも一功。ぼくなんかより話が上手で、憎まれ口を叩くのも遠慮がなくて、でも相手の気持ちを察するデリカシーもある。ぼくにないものをすべて持っている男の顔……。

違う。ぼろぼろと崩れ去ってゆく防壁の欠片(かけら)を手繰り寄せながら、ぼくは記憶の光景から目を背ける。彼女はペンダントを受け取ってくれた。自分で自分のことを決められるようになるまで、預かると言ってくれたんだ。望んでぼくを置き去りにするわけがない。無理やり連れ出されたに決まっている。

でも……それでもやっぱり、記憶の中の彼女は一功を見ている。ぼくと話す時より楽しそうに笑っている。もういい、やめてくれ。頼むから消えてくれ。裸に剝かれた意識の底で叫び、ぼくはぎゅっと目を閉じた。

涙腺から滲み出た体液がこぼれ落ち、瞳孔反応モニターに大写しになる。ガルバノ・メーターはレッドゾーンに振り切れ、混濁した脳波が激しく振幅する。防壁が崩れる。浸食される。妬みと妄執で汚れた心が丸裸になる――。

『知っているね？』

影法師が言う。落ちたと断定したのか、打って変わった静かな声だった。もはや手繰り寄せられるなにものも見出せず、ぼくは『知りません』と震える声で答えた。

『彼らの潜伏先を、知っているね？』

汗ともつかない雫が、頬を伝って落ちた。影法師たちは冷静に被験者を見つめている。発言の虚偽を見破るのが彼らの仕事であって、真相を追及するのは別の人間の仕事になる。九分九厘、仕事を達成した影法師たちから視線を逸らしたぼくは、この時間を終わりにする最後のひと言を口にした。

『知りません……』

各測定チャートが大きな波線を描き、レッドゾーンに振り切れる。机上のファイルを閉じ、『審問を終了する』と告げた影法師の声が重く響いた。

（中間報告。LP専従、山辺以下十三名。現在時まで異状なし）

停止ボタンが軽い音を立てると、ポータブルMDから流れる親父さんの声が途絶えた。

『昨夜、零時に入った中間だ』と羽住の声が間を置かず続く。『いつも通り、防虫処理した工場の電話からかけてきている。社長……山辺曹長は、少なくともこの時間までは工場にいたわけだ』

身に振りかかる狂騒も混乱も、ある程度の度を越すと頭上を行き過ぎてしまうものらしい。特に憔悴した様子もなく、淡々と事実経過を語る羽住の声を、ぼくは無言で聞いていた。

唯一の窓はブラインドで閉ざされ、壁には時計のひとつもかかっていない八畳ほどの小部屋には、ぼくと羽住一尉、速記の手を音もなく滑らせる記録係の姿しかない。空調は入っているものの、打ち放しの床と壁は冷たく湿っており、天井から見下ろす監視カメラのレンズともども、毛穴に刺し込んでくるような冷気を放って心身を凍えさせた。

中間報告とは、現場から作戦本部に入れる定時連絡のことで、盗聴器の排除を徹底した有線電話にて行われる。『オペレーションＬＰ』では三時間ごとの一報が義務づけられており、午前三時を除く一日七回、新潟支部の当直とのやりとりが交わされることになっていた。作戦拠点とはいえ、ともすれば任務中であることすら忘れさせる工場においては、中央との繋がりを意識させるたった一本の線だったけど、なにごともルーチンと化せば緊張感は失われる。

ひたすら事務的、機械に吹き込むような親父さんの声に、いつもと変わった気配はない。明らかに虚偽の報告をしているにもかかわらず、日々の雑務をこなす弛緩した空気しか感じ取れなかった。昨夜は要員のひとりが行方不明だったのに。工場には十二人しかいなかったのに。それとも、ぼくはもう員数外だから、彼ら的には〝異状なし〟なのか？　そんな思いが勃然と頭をもたげ、腹の底を微震させたけど、それが表に現れることはなかった。

メンタルチェックで精神を丸裸にされたあとは、人の声も視線も刃物の鋭さを持ち、心身にダイレクトに突き刺さってくる。なにを考えてもすべて見透かされるように感じられ、ちょっとした言葉にも過剰に反応するようになる。処方箋は、いっさいの思考と感情を肉体から切り離し、他人事のごとく傍観すること。全身に滞留する恐怖と屈辱を押さえ込み、無表情で椅子に座り続けるしかないのが、この時のぼくだった。

『終業間際に勝良と滝沢が納品に出て、少しあとに真野と有働が車で買い出しに出かけた。四人とも、以後の動向はつかめていない。通い組は定時で引き上げたから、残りの連中がいつ工場を離れたのかも不明。ただ二時頃に、近在の人間が工場からトラックが出るのを目撃している。多分、それが最終便だろう。六時の中間未着で、我々が動き出すまでに四時間……。北なら青森、西なら福井までたどり着ける。Nシステムも当たってはいるが、ヒットは期待できんだろうな』

羽住が続ける。ぼくは顔を上げず、目も合わさなかった。『今回は出遅れた』と嘆息混じりに独りごち、羽住はぼくと向き合う形で椅子に腰を下ろした。

『昨日、工場から飛び出してきたおまえとすれ違っていたのに……。弛(ゆる)みだな。少し、陸の生活に慣れすぎた』

机の上で手を組み、心持ち頭を垂れた背広姿が伏せた視界に入る。もとは一線級のヘリコプター操縦士として、FSM構想にも参加していた羽住にとって、この九ヵ月あまりの時間にはどんな意味があったのか。羽根を失い、泥臭い諜報の世界に身を沈めたのは、少しは本人の意向に沿ってのことだったのか。あるいは、適性だけを見出された強引な配置転換だったのか。初めて聞いた本音らしい言葉が小石になり、内奥に波紋を広げる感触があったけど、突き詰めて考える頭は働かなかった。波紋の中に堀部三佳の顔が浮かび上がり、胃酸で爛れた胃袋をぎゅっと収縮させたからだ。

彼女も、FSMに組み込まれるパイロット候補生のひとりだった。詳細は防秘の壁に遮られていたけど、自衛隊初の登用になる女性ヘリパイの錬成も含め、かなりドラスティックな編制・行動基準を持つFSMの創設には、相当数の抵抗勢力が存在していたと噂に聞く。仮に創設が順調に進んでいたら、三佳も羽住も今次作戦に引き抜かれることはなかったのだろう。当然、ぼくと再会することもなく、こんな形で清算の対象になることもなかったろう。

ぼくだけが取り残され、この冷たい小部屋で羽住と向き合うことも——。ぼくは無意識に奥歯を噛み締め、手錠を嵌められた拳を握りしめた。最初から出会わなければよかったんだ。こんな苦しい思いをするくらいなら、最初から。

『市ヶ谷は事態を深刻に受け止めている。総勢十二人、うち八人は、SOFにも配置可能な技能を備えた特別警補官。ちょっとした武器を調達すれば、原発ジャックくらい余裕でこなせる戦力だ。それがまるごと消息を絶った。手段を選んでいられる状況じゃない』

簡潔に現実を伝える声に、一瞬前に見せた揺らぎはなかった。感情を漏らしてみせたのも演技かと思い、ぼくは目だけ動かして羽住の顔を見た。鉄面皮を装った顔に表情はなく、自身、演技かどうかの判断がついていないのではないかと思わせる危うい光が、その瞳を濡らしていた。

『メンタルチェックの結果は、もう上に回っている。じきに、その道の専門家が本部から派遣される。おまえを連中に引き渡したら、もうおれにはどうすることもできない』

わかるな？　と言外に付け足し、羽住はぼくをまっすぐに見下ろした。滲み出してくる恐怖を読み取られる前に、ぼくは目を逸らした。

わかっている。事態は急を要する。その道の専門家たちは、黙秘を続けるぼくにクスリを使うのをためらわない。脳に作用し、理性も情動も麻痺させるクスリ。耐性訓練を受けた肉体は、おそらく精一杯の抵抗を示すだろう。あらゆる負荷に極限まで耐え、究極の抵抗として自らの心臓を停止させるかもしれない。が、専門家たちは何度でも蘇生措置を施し、投薬と尋問を続行する。心臓と脳の血管が張り裂け、排泄物にまみれた体が完全に動かなくなるまで、自白を強要し続ける――。

握りしめた拳が震え、押さえ込もうとすると全身が震えた。拷問と同義の尋問が怖いのではない。なぜ自分だけがそんな責め苦に苛まれるのか、それがなんのための犠牲なのかわからないことが怖い。三佳を救うため？　一功たちを逃がすため？　ぼくは、彼女の横顔しか思い出せないのに。彼女がいまなにを考えているか、ぼくのことを心配してくれているか、それさえもわからないのに。

『彼らがなにをどう判断して、こんな行動に出たのか……。おれにも、少しはわかっているつもりだ』

羽住が不意に口を開き、ぼくは微かに顔を上げた。

『先に裏切ったのは市ヶ谷……。身を守るためには、これもひとつの選択肢だということはわかる。だが、これはこれで自殺行為だ。どんなプランを立てているにしても、十人やそこらで市ヶ谷と渡り合えはしない。すぐに限界が来る』

羽住の目には、今朝見たのと同じ、憐れみの色が浮き出ていた。弛んだ工場の空気を黙認し、同じ目線でこの九ヵ月を過ごしたケースオフィサーの顔がいきなり眼前に現れ、ぼくは当惑する以上に怒りを感じた。

いつもそうだ。輪の中に入っても、溶け込もうとはしない。常に一定の距離を置いて接し、そのくせ輪の中に留まり続ける。『いつから……なんです』と、ぼくは開くつもりのない口を開いてしまっていた。

『作戦は、とっくに中止になってるって……。一尉はいつから知ってたんです』

正面に羽住の顔を捉え、ぼくは言った。鉄面皮に一本亀裂が入り、微かに目を伏せた羽住は、『半年以上もこんな場所にいると、勘も鈍るものでな』と歯切れ悪く言った。

『いろいろ不自然に感じることはあったのに、作戦の規模が縮小されたって言い分を鵜呑みにして、自分からはなにも調べようとしなかった。真相を知ったのは十日ほど前だ。解決の目途がつくまで、現場には伏せておきたかったんだが……』

『解決ってなんです』

鉄面皮を維持できず、さりとて腹を割ろうともしない中途半端な顔に、ぼくはたたみかけた。『要員を清算して、なにもなかったことにすることですか?』

『先回りのしすぎだ。いま動いているのは、大鐘に雇われた民間の興信所だ。打つ手は他に……』

『でも、可能性はある。いままでそれを黙っておいて、なにを信じろっていうんです。みんな嘘ばっかりだ。人を騙して、自分に都合のいいことだけ言って……!』

無意識に動いた拳が机の裏側を打ちつけ、湿った音を室内に響かせた。八つ当たりだ、という自覚はあった。羽住にではなく、ぼくは一功に言っている。

羽住は無言で受け止め、ぼくに視線を据え直した。感情の波が収まるのを見定め、『選択肢は、あまり多くない』と言い放った目が鋭さを増し、ぼくは再び目を逸らした。『彼らを逃がすために、命がけで黙秘を通すか。我々に協力して、取り返しがつかない状態になる前に彼らを保護するか』

椅子から立ち上がりつつ、羽住は静かに続けた。打ち放しの床を踏む靴音が、ぼくには選択を迫る時計の針の音に聞こえた。

『LPの件、要員の面が割れた件については、まだ北に情報は回っていない。いま市ヶ谷が問題にしているのは、彼らが消息を絶った事実そのものだ。謀反(むほん)の意志はなく、身を守るための行動だったと証明できれば、市ヶ谷もいたずらに事を荒だてはしない』

立ち止まった長身から、見下ろす視線が注がれる。椅子の上で縮こまったまま、ぼくはなにも考えられなかった。

『問題の根はこちらにある。不問に付すというわけにはいかないが、それほど重い罪にはならないだろう。これ以上、彼らが自分の立場を悪化させることをしなければ』

そこで言葉を切り、羽住は記録係に目配せをしたようだった。記録係は速記を中断し、ほとんど物音も立てずに部屋を退出してゆく。ドアが開け閉めされる音が背後に響き、レコーダーの一時停止ボタンが押される小さな音がそれに続くと、羽住は踵を返してぼくの正面に立った。見下ろす視線が無言の威圧感を放ち、ぼくは上目使いにその顔を見返してしまった。

『信じろとは言わない。おれには、そう言う権利がない』

天井の隅に設置された監視カメラが、ぼくの位置からは羽住の頭に隠れて見えなくなっていた。明らかにカメラの死角を計算して立った長身を、ぼくは黙って見上げ続けた。

『その上で、言う。おまえが黙秘を通したところで、彼らはいずれ追い詰められる。彼らに、彼女を守ることはできない』

想像外の一矢が胸に突き刺さり、一刹那、息ができなくなった。『だが、いまのおまえにはできる』と続けて、羽住はカメラを塞ぐ位置から離れた。

『……それだけだ。信じるも信じないも、おまえに任せる。時間はあまりないが、よく考えろ』

レコーダーの一時停止ボタンを解除し、ドアの方に向かう羽住の気配が伝わった。見透かされている。騙されるな。誰かがしきりに訴える声を聞きながら、ぼくは羽住の背中を目で追った。

羽住にはすべてがわかっている。あの工場で生じた小さな確執が、その正体が見えている。子犬を逃がした時と同じだ。先回りして、大事になる前にひっそり楔を打とうとした羽住教官。無責任に見過ごすことも、誰かに告げ口して悪役に回ることもできない男。どうしようもなく律儀で、自分が貧乏籤を引けばそれでいいと思っている。まるで自分じゃないか、とぼくは唐突に思いついた。〝他人に迷惑をかけちゃダメ〟って姉さんに言われて、ずっと我慢してたぼくと同じなんだ、この羽住って人は。だから他人と距離を置きたがる。関わるのを拒まない代わりに、自分から近づこうともしない。

でも、それでなにが助けられる？　なにが報われる？　逃げてるだけなんだ、結局。決断を先延ばしにして、自分ばかり犠牲にして、報われるのをただ待ってる。大事なものを失い、他人に花を持たせ、バカみたいに口を閉ざし続けている自分のように。自分に報いるのは、自分自身でしかあり得ないのに。

これになんの意味がある。ぼくが犠牲になれば三佳が助かるって保証もないのに、命を捨てる価値がどこにある。そうだろう？　とぼくは一功に呼びかけた。

腹切り場。ここよりうしろには退がれない最終防衛線に、ぼくはまた立っている。〝謹厳実直という名の思考停止〟に逃げ込んで、自分を犠牲にしたってなにも始まらない。その結果について戦う度胸があるなら、感情に従うべきだ。おまえは、ぼくにそう教えてくれた。なにかを守りたいなら、逃げてるだけじゃダメだ。そう言って、それでもためらうぼくの背中を押し出してもくれた。

そして、裏切った。ぼくの感情を。ぼくが望み、手に入れかけたものを奪った。これ以上は退がれない一線で――。

『一尉』

そうと意識する前に口が動き、呼びかけていた。ドアノブにのばしかけた手を止め、こちらに振り向いた羽住と視線を絡ませたぼくは、それきり硬直した。

言葉をなくした口を無為に動かし、逃げるように視線を逸らす。肉体が示したその拒否反応が、最後の抵抗だった。こちらに歩み寄り、机を挟んで腰を下ろした羽住の顔を、ぼくは無理にでも正面に捉えた。

見返した一対の目に、より明瞭になった憐れみの色が浮かんでいた。それがぼくという他者ではなく、自分自身を憐れむ目の色だったと知ったのは、かなりあとになってからのことだ。この瞬間、羽住はすでに数時間後に起こる悲劇を予測し、それでも引き返せない我が身の業を受け入れ、あきらめていたのかもしれない。あくまで律儀な彼は、大義という〝古い言葉〟で自らを騙し通す以外、この局面を乗りきる術を持てなかったのだから。

この時のぼくには、それがわからなかった。憐れみを湛えた目は、こちらの心根を見透かしたがゆえのものと短絡し、なにが悪いと睨み返しさえした。都合のいい嘘にすがりつき、自分を救おうとしてなにが悪い。ぼくだけじゃない。救わなければならないのは彼女だ。ぼくにしかそれはできないと、あなたが言ったんだ。ぼくはそれを信じる。どのような事態がもたらされようとも、信じた結果を受け止めてみせる。彼女を取り戻すためなら、ぼくはあなたの嘘を受け入れる。

三佳と一功と三人でいる時に、たびたび胸をかすめた制御不能の感情。自分で自分の腸を抉り出しかねない、消え去ったあとも身震いするほどの苦味を残す衝動？　そうかもしれない。実際、ぼくは腸を抉り出していた。この行為が、あまりにもみじめな自分への腹癒せであるという自覚もあった。が、それをして、理性をなくしたがゆえの行動だったと言い訳はできない。九ヵ月分の鬱積を爆発させる一方で、ぼくは本能的に羽住を共犯者と見なしていた。彼と共犯関係を結ぶことで、自分の罪が減じられるという打算をきっちり働かせていた。

羽住もそれを理解していたのだろう。急かすことなく、ぼくが口を開くのを待っていた。いいぞ、かまわない。憐れみを湛えた目でそう語り、共犯になることを了承してくれた。それは子犬を逃がした時、ぼくが走り出すのを見守っていた三佳と同じ目で——その瞬間のぼくを受け入れてくれる、たったひとつの目になった。

ぼくは、そちらに近づく一歩を踏み出した。

ざくっと重い音を立てて、踏み出した足が雪原に沈み込む。分厚い雲に覆われた空は白く、口から漏れる息も白かった。山々も白粉をまぶしたみたいになっていて、葉を落としきった樹木がところどころに黒い染みを浮き立たせている。

国道四〇二号線を南下し、越後七浦シーサイドラインを抜けたところで県道に入る。弥彦山の麓で原付バイクを乗り捨て、徒歩で山道を登る気になったのは、どこにいるかわからない見張りを警戒してのことだけど、考えてそうしたわけではなかった。自分がなぜここにいるのか、これからなにをしようとしているのかさえ、よくわかっていなかった。ぼくは闇雲に、憑かれたように歩き続けた。何度も雪に足を取られ、体じゅう粉雪まみれになりながら、とにかく山腹にあるカントリークラブを目指して歩き続けた。

カントリークラブの建設に併せて整備された山道は、そこが閉鎖されたあとも車の往来が絶えず、土地の人間に便利に使われている。ろくに除雪もされていない路上に数本の轍が走り、昨夜から今日にかけて車が行き来したことを教えていたけど、その中に工場のトラックが含まれているかどうかはわからない。昨日、親父さんが口を滑らせてしまった時点で、ここを拠点にする計画は流れた可能性もある。彼らはすでに県外に離脱したのかもしれず、むしろそう考えた方が自然だったけど、もし一時でもここに立ち寄ったのなら、まだ移動はしていない。別の拠点構築のために何人かが先行していたとしても、本隊はここに残っているという予感がぼくにはあった。

北との交渉窓口になる在日浸透組員は、『市内にいる』と一功は言った。接触の便を考えれば、そう簡単に新潟から離れるわけにはいかないのが道理だけど、それだけじゃない。彼らは市ヶ谷のやり方を心得ている。メンタルチェックにかけ、虚偽の反応が検出されれば尋問にかけ、クスリを使ってでも自白を迫る。拷問と同義の尋問に、沈黙を守り通せる者などいないことを知っている。そしてまた、一定の訓練を受けた者の口を割るには、それなりに時間がかかることも知っている。

午後二時十八分。ちらと覗いた腕時計に時刻を確かめ、ぼくはごわごわになったジーパンの足をまた一歩踏み出す。三日も拘束されていた気分だけど、あれからまだ半日と経っていない。尋問が所期の効果を上げるには短すぎる時間だ。ぼくが一功なら、あと数時間はここにいられると判断する。その間に次の拠点を探し、夕暮れ時を狙ってばらばらに移動しようと考える。地元のＡＰの目が及ばない場所、盲点の裏の裏をかき、灯台もと暗しの原則から少しずれた場所を見つけるのは、決して容易な作業ではない。焦って事を急げば、捜索網に引っかかる恐れもある。いまはじっと息を潜めて、対象はもう県内にはいないという空気が濃厚になった頃——捜索陣の緊張が切れる頃合を狙って、一気に動くのが得策だ。

その程度の余裕はある。メンタルチェックで黒の判定が下されたとしても、それくらいの時間は稼いでくれる。なんの疑問もなくそう考え、不意に鋭い痛みが胸に差し込むのを感じたぼくは、バカか、と自分を罵った。拘束を解かれてからこっち、何度もくり返した思考の堂々巡りだった。それは相手に黙秘を通す意志があった場合の話じゃないか。互いに相手を信じ、たとえ反対の立場に置かれても、極限まで沈黙を守ると自分自身に誓える。そういう信頼関係があってこその時間的猶予じゃないか。

現実は違う。あいつはぼくを裏切り、裏切ったことを自覚もしている。親父さんが口を滑らせたのだって、演技だったのかもしれない。ぼくが拘束され、早々に口を割るのを計算に入れた上での演技。ここは陽動に使われただけで、本当の拠点は最初から別の場所にあるんだ。そうに決まっている。それならそれでかまわない、とぼくは内心に呟いた。その方がいい。そうであってほしい。そうでなければ……。

でも、もしそうなら、三佳とはもう会えない。別離の言葉ひとつ交わせないまま、彼女は永遠に手の届かない場所に行ってしまう。堂々巡りが二律背反の壁にぶち当たり、ぼくはぎりりと奥歯を嚙み締めた。

そう、みんながいないことを望む一方で、ぼくは三佳との再会を期待していた。彼女を連れ戻す、救い出すという大義名分で足を動かしている。一功との信頼関係を前提に行動しながら、それを裏切っているんだ。

だから、わからない。なぜここに来たのか、なにを求めているのかわからない。わかることを拒否しているのかもしれない。厳しい寒さは体ばかりか脳まで麻痺させ、気力も反射神経も低下させるものだと訓練で習ったけど、本当だった。自分がなにを考えているのかわからない。ただ、内奥からわき出す衝動が、ぼくに前進し続けろと命じている。立ち止まったら最後だと知る本能が、ぼくをこの場所に導き、とにかく足を動かしている。なにもわかる必要はない、自分に報いるのは自分だけだと疑念をなだめながら。他人に遠慮し続ける人生なんて、なんの意味もないとくり返しながら——。

山道を外れ、灌木の生い茂る斜面を這うように登り続けて小一時間。道路際の藪から顔を出すと、唐突に視界が開け、朽ちかけた看板とともにカントリークラブの駐車場が目に飛び込んできた。その向こうには、フェンスを挟んで宿泊施設らしい建物が聳え、白一色の世界に黒い壁を立ち上がらせている。バブル経済華やかりし頃に建てられ、その衰退に合わせて打ち捨てられたのだろう建物は、壁面の亀裂を恥じるでもなく、屋上やベランダの積雪を寡黙に受け止めていた。まるで世の無常を知り抜き、朽ち果てた已にすっかり馴染んだ森の長老といった風情だった。

藪に伏せたまま、ぼくはその建物の様子を観察した。レストラン、客室、展望風呂。どの窓ガラスも埃で曇っている。ぼろ切れ同然になったカーテンが幽霊さながら垂れ下がるのみで、廃墟特有の薄ぼけた闇に動くものの気配は感じられない。雪に埋もれた駐車場も車一台停まっておらず、正門に続く道路にタイヤの跡が見えたけど、それが敷地内まで乗り入れているか否かは、ここからでは確かめようがなかった。

紺色の防寒ジャンパーを恨めしく思いつつ、ぼくは藪の中を這い進んで正門の方に回った。かなりの大回りになったけど、カーテンの陰に見張りが潜んでいないとも限らない。雪の中では目立ちすぎる紺色のジャンパーを着て、堂々と駐車場を横断する気にはなれなかった。

ようやく正門の前にたどり着き、雪をかぶった灌木ごしに路面を窺うと、轍はどれも門の前を通りすぎていた。ロココ調の瀟洒な門は鎖で施錠され、債権管理会社の名前を記した看板が封印のごとく掲げられている。周囲を見回し、正門から続くスロープと、その向こうに聳える宿泊施設の建物を見上げたぼくは、隠れるのをやめて藪から這い出した。七階建ての建物からは、敷地全体を見下ろすことができる。隠れて接近するのは無理だと判断したせいもあるけど、それだけが理由ではなかった。正門を前にした瞬間、もう隠れる必要はないという直感がわき起こり、考える間もなく体を立ち上がらせたのだった。

門の向こうにあるスロープは、分厚い積雪に覆われていた。近づいて見ると、門に巻かれた鎖にも雪が積もり、少なくともこの冬に出入りした者はいないことを告げている。よくできたカムフラージュを疑う手は残っていたけど、ここには誰もいないと叫ぶ直感の方が強く、ぼくはぽつねんと門前に立ち尽くした。

一陣の風が木々をざわめかして過ぎ、すぐにやんだ。自分の呼吸の音しか聞こえない静寂が舞い降り、ぼくは手袋を外して鎖を直接つかんでみた。積もった雪がこぼれ落ちると同時に、骨まで凍らせるような冷たさが手のひらに伝わってきて、自分の体が火照っていたことにいまさら気づかされた。

ほら、やっぱり。急速に冷えてゆく胸の底に呟き、鎖から手を放す。どうってことない。最初からわかっていたんだ。誰もぼくに期待なんかしていない。信じてもいない。あいつは、ぼくが黙秘を通す不確実性より、危険を押してでも別の拠点を探す確実性を選んだ。あるいは、あらかじめバックアップの拠点を用意していたか。どちらにせよ、裏切ったのはお互いさまというわけだ。これでよかったじゃないか。嘘が顔に出る役立たずでも、陽動の役目を果たすことはできたのだから……。

握りしめた手のひらの中で、結露した冷気がじわりと熱を帯びるのがわかった。突然、体の中でなにかが弾け、ぼくは雪を蹴って柵に取りつき、ひと思いに正門を乗り越えた。膝まで沈み込む雪原をかき分け、カントリークラブの建物に向かう。無駄だ、失望を重ねるだけだと理性は叫んでいたけど、いったん動き出した体は止まらず、ぼくは遮二無二雪原を泳いだ。ここで待ち構えて、誰もいなくたっていい。じきに市ヶ谷が大挙して押しかけてくるんだ。ここで待ち構えて、連中の間抜け顔を笑ってやるのも一興じゃないか。

それに、万一──。その先は言葉にならず、獣のような自分の吐息と、雪原を踏み抜く足音だけを耳に捉えて、ぼくは走った。いる、いない、いてくれ、いるな。一歩ごとに噴き出す思いを汗にして垂れ流し、千々に引き裂かれた胸を抱えて足を動かし続けた。

『朋希くん……』

その声が凍てついた鼓膜を微かに震わせ、ぼくはぎょっと足を止めた。

カントリークラブの建物まで、あと百メートルほどのところだった。黒い壁になって立ち塞がる建物を背に、豆粒大の人影が立っていた。どこから現れたのか、淡いピンクのダウンジャケットを羽織ったそれは、真っ白な雪原に垂らされた一滴の色彩に見えた。雪をかき分け、何度もつんのめりそうになりながら、こちらに向かって走ってくる。

三佳、と搾り出した声が吐息の中に溶け、ぼくは夢中で駆け出していた。

寒さで麻痺した脳が、瞬時に熱を取り戻したようだった。陰鬱な曇天が急に輝度を増し、茫々とした雪原に落ちた一滴の色彩を明るく映えさせる。間違いない、いたんだ。いてくれたんだ。胸中に叫び、ぼくはそれまでに倍する力で雪をはね跳ばした。

前後の事情なんてどうでもいい。三佳がいる。ぼくの名を呼んで、ぼくを見て走っている。記憶の中の横顔じゃない、次になにをするか予測させない、無限の変化と可能性を秘めた生身の顔。それが目の前にある。もう会えないとあきらめかけた三佳が、唯一無二の存在である彼女が、ぼくだけを見て走っている。

他のなにも目に入らなかった。その必要もなかった。二人を隔てる雪をかき分けかき分け、ぼくはありったけの力と想いを吐き出した。嘘だ、出会わなきゃよかったなんて言ったのは嘘なんだ。なんでもする。君のためならなんだってやる。地獄に堕ちたっていい。悪魔に魂を売ったってかまわない。君を救えるなら。君と一緒にいられるなら。好きなんだ。どうしようもないくらい好きなんだ。三佳――。

不意に三佳の足が止まり、上気した顔がこわ張った。

五十メートルあまりの距離を置いて、その視線がぼくをすり抜けて背後に向けられる気配も伝わった。ざわりと背筋を走った悪寒を知覚するより早く、ぼくは反射的にうしろを振り返った。

最初に見えたのは、アーマライト製の防弾ガラスで覆われたゴーグルと、その奥に穿(うが)たれた黒い二つの穴だった。頭から肩まで覆う真っ白なバラクラバ帽は、背景の雪に溶け込んで咄嗟には輪郭がつかめなかった。でも肩から吊したMP―5型の短機関銃(サブマシンガン)と、腰の弾帯にぶら下げた音響閃光手榴弾(フラッシュ・グレネード)は、禍々(まがまが)しい質感を放って網膜に焼きついた。ほとんど白ずくめと言っていいジャケットが、寒冷地仕様のアサルトスーツだということもわかった。

にもかかわらず、それがここに存在する意味がわからなかった。想いも力も吐き出しきった頭と体が、事態を理解するまでに数秒の時間を要した。そしてその間に、ゴーグルの奥にある二つの黒い穴がぎらりと閃(ひらめ)き、アウターミトンの手袋に覆われた手がぼくの首筋を直撃した。

棍棒で思いきり殴られたみたいだった。頭と体を繋ぐ神経が断線し、つっと鼻水が垂れると、力の失(う)せた膝が雪原にめり込んだ。ぼくはそのまま横向きに倒れ込み、雪に頭を押しつける前に意識を失った。

　待て、やめろ。暗黒に呑まれた意識が声を限りに叫び、遠い銃声がそれに応えた。

『――グレネードを使いました。延焼は防ぎましたが、煙が出ています。風も出てきましたし、現状の偽装(カバー)では対処しきれなくなるかもしれません。……ええ、そちらの方はよろしくお願いします』

　誰かが喋っている。まだ言葉の中身を理解する頭は働かず、薄く瞼を開いたぼくは、ひどく低い天井を視界に収めた。次いで血の生臭さに似た機械油の臭いが鼻腔にからみつき、ぼやけた頭に不穏な感触を呼び覚ましてゆく。

　工場の臭いじゃない。訓練キャンプで、実地演習で、何度も嗅いだ臭い。体が手順を覚えるまで反復動作をくり返し、しまいには目隠しされても分解と組み立てができるようになる。鉄にたっぷり油を染み込ませた、銃器独特の湿った臭い――。

『こちらの損害は死者二名、重軽傷者あわせて七名。突発的でした。接敵した途端に、いきなり……。捜索は続行中ですが、装備も人員も不足しています。増援を要請しました。０１３ＳＯＦが合流する予定です』

　低空を飛ぶヘリの音が行き過ぎ、〝状況〟の最中にあるざらついた空気を震わせる。状況――状況ってなんだ？　自問した途端、傍らに流れる声が不意に意味を持ち、言葉のひとつひとつが頭の中で爆発した。損害、接敵、捜索、増援。咄嗟に起き上がりそうになるのを堪(こら)え、ぼくは素早く周囲を見回した。

一方の壁に、無線搬送装置や野戦情報探知装置の端末。反対側には銃架がしつらえられ、黒光りするMP―5Aサブマシンガンと、主に予備拳銃(バックアップガン)として使われるシグサワーP228が数挺、弾倉(マガジン)を装塡(そうてん)した状態でストックされていた。自分が寝かされているストレッチャーの感触を手のひらに確かめ、指揮通信車両のコンテナ内らしい空間を再度見回したぼくは、最後に携帯電話を手にする男の背中を見据えた。

『詳細は不明です。短銃が少なくとも人数分、発煙弾(スモーク)も準備していたようです。いくつか回収しましたが、我々のものでは……。ええ、支部の方でやっています。管内のブローカーをしらみ潰しにしていけば、なんらかの情報は得られるかと』

長身の背中をやや屈めるようにして、知った声がそう言う。目脂(めやに)で白く濁った視界の焦点が定まると、うなじから後頭部のあたりに猛烈な痛みが這い上がってきたけど、ぼくは無視して自分の体の状態を確かめ、銃架までの間合を目測した。手錠の類いはかかっていない。各種装置と銃架が大半を占めるコンテナは狭く、自分と男の他に人の立ち入る隙はない。シェルター型のコンテナは密閉式だから、中の様子が外に知られることもない。

『現在までに確認されているのは五名。674は含まれていません。……ええ、それは大丈夫です。目標の死亡は確認されています』

目標、の一語が頭痛の芯に突き立ち、その瞬間に備える体をひと揺れさせた。敏感に気配を察した男がこちらに振り向くより早く、ぼくは全身をバネにして銃架に手をのばした。

シグサワーの銃把(グリップ)をつかみ取り、ストレッチャーを蹴った勢いで男に体当たりする。男は防御の手を上げる間もなく、振り向きかけた体勢でコンソールに激突した。驚愕に目を見開いたのも一瞬、すぐに冷静な鉄面皮をかぶり直した男と視線をぶつけあったぼくは、その顎にシグサワーの銃口を押しつけた。

だらりと垂れ下がった男の手の先で、(どうした、羽住一尉)と携帯が微かな声を漏らしていた。引き金(トリガー)に載せた指が震えるのを知覚しながら、ぼくは『目標ってなんです』と搾り出した。

『なにをしたんです！　なにを……！』

胸倉をつかみ上げ、もう一度コンソールに叩きつける。羽住は抵抗するでもなく、無言でこちらを見返してきた。説明が必要か？　とでも言いたげに。わかっているはずだ、と言葉より明確に伝えて。もはや憐れむ色はなく、為した罪は受け止める、と決めた目に胸をひと突きされたぼくは、シグサワーを握る手のひらから力が抜けてゆくのを感じた。

嘘をついた罪。嘘と知りながら、それを受け入れた罪。言葉にすればそれ以上のものではなく、まだその全部が理解できたわけではないけど、以後、互いを縛りつけ、うしろめたさを共有することになる〝罪〟のありようを、羽住はその視線ひとつでぼくに突きつけたのだった。車体を叩く風の音が無言の間に降り積もり、ぼくは動作不良を起こした機械さながら、その場に立ち尽くした。羽住は力の失せたぼくの手をシグサワーごとつかみ、顎に押し当てられた銃口をゆっくり遠ざけていった。

乱れた襟元を正し、携帯を耳に当て直すと、『もしもし。……いえ、なんでもありません』と落ち着いた声を吹き込む。もう振り向こうともせず、こちらを意識の外にした羽住の背中からあとずさったぼくは、シグサワーを投げ捨ててコンテナを飛び出した。扉を押し開けるや、雪原の反射光が網膜を焼き、硫黄ともつかない異臭が嗅覚を刺激した。びゅうと吹きつけた冷たい風に押し返されそうになりつつ、ぼくは指揮車の轍に抉られた雪原に足をつけた。傍目には四トン積載の運送トラックにしか見えない指揮車は、カントリークラブの正門前に停まっており、他にも数台のバンやトラックが道路沿いに縦列駐車して、ひそやかな無線の声をそれぞれの車窓から垂れ流していた。

道路工事なり落石事故なりの看板を立てて、山中への立ち入りを封じる措置は万全なのだろう。雪原に溶け込む白いアサルトスーツを着こみ、フル装備で見張りに立つＳＯＦ要員は、ストラップで吊したＭＰ―５Ａを隠そうともしなかった。駐車場の方にも同様の出で立ちのＳＯＦ要員が立ち、抗弾ヘルメットの下の鋭い目を四方に投げかけている。ＭＰ―５Ａのグリップを握りしめ、状況渦中の兵士特有の殺気を漂わせる彼らと視線を合わせたぼくは、逃げるようにその場を離れた。

死亡が確認されたのは五名。その中に６７４――一功は含まれていないと羽住は言った。目標の死亡は確認された、とも。目標……対象ではなく、目標。あらかじめ抹消が決定されているもの。最優先での排除が義務づけられたもの……。

正門をくぐり、スロープを昇る。さっきまで無垢な白を湛えていた雪原が無残に踏み荒らされ、複数の足跡を染みのごとく浮き立たせている。ＳＯＦのものではない。彼らはこんな無秩序であからさまな足跡は残さない。遺体の回収や採証作業、それにいっさいの痕跡を抹消する〝消毒班〟など、事後処理を行う各班がすでに現場入りしている。足跡のひとつひとつに胸を踏みつけにされる痛みを覚えながら、ぼくは雪原を駆けた。進むごとに異臭が強くなり、凍えた空気に灰燼が混ざるようになって、胃酸で爛れきった胃袋がぎりぎりと締めつけられた。

やがて、異臭の源が見えてきた。もっと前から見えていたものが、無視できないボリュームを放って目前に立ち現れたのだった。ぼくは足を止め、曇天を汚して立ち昇る煙を見上げた。それは宿泊施設の建物から噴き上がっていた。正面玄関の自動ドア、ゴルフ場に通じる出入口、ロビーの展望窓。そのすべてが粉々に砕け、火災のものとも、発煙弾のものともつかない煙をたなびかせている。玄関前の床には、爆発が起こったことを伝える焦げ跡が放射状に広がり、飛散したガラス片や空薬莢とともに、突入時の修羅場を否応なく想像させた。

観測ヘリのＯＨ―６Ｄが低空をパスし、雪をかぶった木々をざわめかせて消えた。焦点の壊れた目でそれを追いかけたあと、人影が点々と散らばる雪原を捉え直したぼくは、感覚の失せた足を動かして建物の方に向かった。写真を撮ったり、無線や携帯を手に忙しなく歩き回ったり、人影の大部分は動いているけど、いくつか動かないものもある。動かない影はどれも雪原に横たわり、周囲を取り囲む他の人影たちの足に隠れて、その顔かたちを判別することはできなかった。ぼくは胡乱な目を左右に振り、動かない影のひとつを視界に収めた。『写真を撮ったら回収だ。急げ』と誰かの声があがり、カメラを携えた誰かの背中がその場を離れると、彼らの足もとに横たわる人の顔が一瞬、それと認識できるほどに露(あらわ)になった。

増代さんだった。赤いバッグを脇に投げ出し、同じ色模様の入った白いダウンジャケットを着て仰臥(ぎょうが)している。増代さんにしては派手だな……と思った時には、その体は二人がかりで抱え上げられ、傍らに置かれた死体袋(ボディバッグ)に収められた。腰紐のようなもので体と繋がったバッグも一緒に収められたけど、よく見ればそれはバッグではなかった。引き裂けた脇腹からこぼれ落ち、とぐろを巻いた腸であったことに気づいたのは、ボディバッグのジッパーを閉じる冷たい音が響いたあとだった。

真っ黒なボディバッグの傍らで、白い雪原に染み込んだ赤黒い色が浮き立つ。その鮮やかなコントラストは、増代さんのダウンジャケットと同じ色合いだった。ぼくはなにも考えずに歩き続けた。建物の玄関からも担架に載せられたボディバッグが運び出され、『重機で均(なら)すしかないだろ』『薬莢の回収はまだ終わってないんだぞ』と囁(ささや)きあう声が傍らを通りすぎていったけど、無視して歩き続けた。

彼らだって、ぼくのことなど気にしていない。ボディバッグの中の増代さんたちも、もうぼくに話しかけてくることはない。回線が切れかけている、とぼくは感じた。世界という言葉で認識されるすべてと、ぼくという存在とを結びつける回線が切れかけている。ぼくを認知し、ぼくを形作る他者との関係が失われ、丹原朋希という人間の輪郭がぼやけつつある……。

不意に足が深く沈み込み、つんのめった体が前に倒れた。心につられて体も溶け始めたのかと本気でぞっとしたけど、違った。誰かの足跡に引っかかって、つんのめる格好になったのだった。ぼくは雪にまみれた顔を上げ、正面の建物を見上げた。それはついさっき、意識を失う直前に見上げたのとまったく同じアングルに見えた。違うのは、建物の玄関から黒い煙が噴き出し、陰影のない白一色だった世界を汚していること。そこから少し離れた場所に三つ、四つの人影が立っていること。彼らの足もとに、動かない人影が横たわっていること――。

紺色の作業着の背中が何度となくシャッターを切り、ハーフコートの男が手にしたボディバッグをばさりと広げる。心臓が異常な速度と勢いで脈動し始め、ぼくは走り出していた。

行ってはいけない。確かめてはならない。奥底の声が必死に叫んでいたけど、止まらなかった。ぼくは、無意識にたどっていたぼく自身の足跡――先刻、三佳に駆け寄った時に穿った足跡をたどり、脇目も振らずに走った。それが途切れたあとは全身で雪をかき分け、さっきは埋められなかった距離を夢中で埋めた。ハーフコートの男がこちらに気づき、ぎょっと表情を変えたけど、かまう余裕もなかった。ぼくは立ち塞がる人垣を突き飛ばすようにして、彼らの足もとに横たわる人影と対面した。

思った通り、そこに彼女はいた。でも字義通りの解釈にこだわるなら、対面はできなかった。見知った顔が虚空を仰ぎ、透き通った目に曇天を映していたけど、それはもう顔ではなかったからだ。

頭の一部を銃弾に抉り飛ばされ、流れ出した血が雪原に散らばった髪の毛を固めている。微かに開いた唇は、もう古い言葉も新しい言葉も語りはせず、その瞳がぼくを映すこともない。耳も鼻もその機能を失い、漫然と血溜まりに沈んでいるさまは、単なる肉の塊に見えた。堀部三佳の顔に酷似した隆起を持つ、肉の塊だった。

ハーフコートの男がなにごとか口を動かし、作業服の男がぼくを退がらせようと肩に手をかけてきた。なにも聞こえず、感じられもせずに、ぼくは彼らが仕留めた〝目標〟を見下ろした。雪原に垂らされた一滴の色彩、薄いピンクのジャケットがどす黒い血で汚されているのを見ながら、どうってことないと自分に言い聞かせた。

あらかじめ失われていたものが、いま完全に失われた。それだけのことだ。彼女はいつも一功を見ていた。最初から無縁な存在でしかなかった……。

怒鳴っても反応せず、肩を突いても頑固に立ち尽くし続けるぼくに呆れて、作業を優先させるべきとあきらめたのだろう。ハーフコートの男が指示を出すと、三佳だった肉の塊は二人がかりで持ち上げられた。抱えられた拍子にその頭ががっくりとうしろに垂れ、血で固まった髪の毛も海草みたいに垂れ下がる。砕けた頭蓋から中身がこぼれてしまうと咄嗟に考えたぼくは、両手でそれを受け止めようと、無意識に前に踏み出した。

刹那、三佳の襟元からなにかがこぼれ落ち、ぼくを誘うように揺れた。細い銀色のチェーンがきらりと光り、雪の結晶を象ったペンダントヘッドが風に揺れるのを見たぼくは、うわ、と悲鳴をあげていた。

どうして。その一語が頭の中で爆発し、他の思考を蒸発させた。ぼくはボディバッグの中に移された三佳に近づき、ジッパーを閉めようとした作業着の男を突き飛ばして、ペンダントを拾い上げた。表面に白蝶貝の薔薇を飾ったそれは、間違いなくぼくが贈ったペンダントだった。

この先、少しは自分で自分のことが決められるようになれたら、その時――。三佳の声が脳裏に再生され、どうして、とぼくは再度声にならない声を張り上げた。なんの非もないところで清算の対象にされて、事情もろくに呑み込めないまま連れ出されて、追い詰められて。メチャクチャじゃないか。自分で決められることなんて、なにひとつなかったじゃないか。君の思いも、人生も、無残なまでに他人に振り回され通しだったのに、どうして……。

それとも、だからこそ、だったのか？　なにひとつ思い通りにできない人生だったから、最後にひとつだけ自分の思いを通そうとしたのか？　それがこのペンダントを身につけるっていう、たったそれだけのことだったのか？

だとしたら、ぼくは――。

三佳はなにも答えてはくれず、凍えた瞳を虚空に向けるのみだった。その瞬間、必死に遠ざけていたものが喉元までこみ上げ、ぼくは三佳の頭を夢中で抱き寄せた。自分を維持する最後の留め具が外れ、全身の細胞という細胞が四散する悲鳴を聞きながら、血でごわごわに固まった髪の感触を手のひらに受け止めた。

わかっていた。みんなここに残ってるって、わかってたんだ。親父さんたちは反対しただろう。一刻も早く別の拠点に移るべきと提案しただろう。でも、一功は当初の計画を曲げない。ぼくが一定の時間稼ぎをすると信じて、ここに留まるようみんなを説得する。いま無闇に動き回るのは危険だ。あいつなら限度を心得ている。別の拠点を見つけて、おれたちがそっちに移るまでの間、ちゃんと正気を保って持ち堪えてくれる。そう言って、意地でもここに留まり続けるってわかっていたんだ。

なぜかって？　ぼくだってそうするもの。お互いに感情のしこりがあったとしても——いや、だったらなおのこと、ここを離れるわけにはいかない。相手を置き去りにしてきた以上、それが通すべき節だって思うもの。双方ともに倒れるまで戦い、ついには市ヶ谷さえ根負けさせた二人。友情なんて手垢にまみれた言葉じゃ説明できない、死線を越えた先で結実したぼくたちの関係には、そうさせるだけの重さがあるんだ。帰るべき家も、帰属に値する国家も持ちえないぼくたちにとって、真実はそこにしかない。お仕着せの古い言葉が氾濫する世界で、自分を託すに値する唯一の価値なんだ。

それがあっさり裏切られるなんて、誰が疑う？　疑う自分を赦せるか？　それは、自分自身を裏切ることと同義なのに。ぼくは、それを承知で羽住にこの場所を教えた。君を失いたくなかったから。ぼくが時間稼ぎをする間に、君は遠くに、永遠に手の届かないところに行ってしまう。それが耐えられなかったから。そんな利己的で、卑屈な妬み心に従って、ぼくはすべてを裏切ってしまったんだ。

そして、失った。地獄に堕ちても失いたくないと思ったものを、自ら永遠に手の届かないところに追いやった。失う痛みに耐えきれず、自分の手ですべてを壊してしまった。

ねえ三佳、これはなにかの冗談だろう？　謝るから許してよ。ぼくを見て、なにか喋ってくれよ。こんなはずじゃなかったんだ。君がペンダントをつけてるってわかってれば、こんなこと——。

ごうごうと風が鳴っていた。その嵐のような唸(うな)りが、自分の吐き出す嗚咽(おえつ)の音だと気づくまでに、ぼくは力ずくで三佳から引きはがされた。

ボディバッグのジッパーが閉じられ、三佳の姿がかき消えてゆく。生まれて初めて抱きとめた他人の肌の感触、まだ少しの温もりを残していた肌の感触が急速に薄れていき、ぼくは夢中でボディバッグに追いすがった。

置いていかないで。ひとりにしないで。身も世もなく叫んだ声が風にちぎれ、複数の腕に取り押さえられた体が雪原に押しつけられる。はねのけようと身をよじるぼくの目の前で、三佳を収めたボディバッグは運び去られていった。

引きちぎれたペンダントを握りしめ、なす術なくそれを見送りながら、ぼくは世界と自分とを結ぶ回線が完全に断ち切れるのを感じていた。もう戻れない。取り返しがつかない。自らもたらした終焉(しゅうえん)が全身を押し包み、虚空に溶融してゆく自分を感じ続けた。

自分に報いるのは、自分だけ——。そう、ぼくは自分で自分に報いたのだった。

その後の記憶はすっぽり抜け落ちて、ふと気がついてみると、真夜中の岸壁で独りうずくまっていた。

ひどい事故に遭った人は、その前後の記憶を忘れることがあるという。事故の瞬間はもちろん、そこに至る記憶をもなくして、気がついたら病院にいるのだそうだ。人間の頭にリミッターのようなものがあって、耐えがたい恐怖や衝撃、激しい痛みの記憶をオミットする機構が備わっているのなら、この時のぼくはまさにそれを作動させていたのだと思う。どうやってここまで来たのか、なぜ来る気になったのか、どうしても思い出せない。そう簡単にあの場を離れられたはずはないのに、なにひとつ覚えていない。

海岸沿いを走る国道から少しはみ出た、岬とも呼べない出っ張りのような岸壁だった。雪はやんでいたけど、夜空に垂れこめた雲は分厚く、海も空も闇に閉ざされている。背後の国道をたまに長距離トラックが行き過ぎるものの、ヘッドライトや道路灯の明かりはここまでは届かず、岩礁に砕ける波濤の白だけが朧に浮き上がって見えた。聞こえるのはびゅうびゅうと唸り続ける風音と、寄せては返す波の音。それに、微かに空気を震わせるヘリの羽音。

捜索——追撃と言った方が正確か——はまだ続いている。ぼくは微かに顔を上げ、ヘリの羽音を追って背後に聳える角田山に首をめぐらせた。

標高四百八十メートルを超える漆黒の塊は、その稜線を冷えきった夜陰に半ば溶けあわせつつ、重い量感を放って大地にへばりついている。道路灯ごしに連なる漆黒の隆起を眺め、七人の男女が身を隠すのに十分な闇の質量を確かめたぼくは、捕まえられるもんか、と呟いて海に視線を戻した。

彼らはもうただの逃亡者じゃない。牙を剝いた手負いの獣だ。あらゆる手段を用いて血路を開き、邪魔する者の喉笛を問答無用で嚙みちぎる。羽住が言った通り、原発ジャックだってやらかしかねない危険な凶器だ。狩りを続けるつもりなら覚悟した方がいい。手負いの獣に容赦という言葉はない。殺るか、殺られるか。その二つの選択肢があるだけなのだから。

市ヶ谷がそう仕向けた。彼らを創り、裏切り、癒えない傷を負わせた。彼らは逃げ延びるだろう。暗い怨念を糧にして逃げ延びるだろう。こうなる原因を作った者たちには、今後二度と安眠できる夜は訪れない。闇の中に彼らの気配を感じ、雑踏の中にふと彼らの視線を見出し、怯える日々が続く。あの三人の幹部たちも、その罪を容認した者たちも。そして羽住も、ぼくも——。

ひときわ強い風が吹きつけ、膝を抱えてうずくまる体を揺らした。こんな風が吹く時に、それは起こる。奥底の声がそう囁き、ぼくはもういちど顔を上げた。闇に慣れた視界にふうわりと白い塊が浮かび、風に飛ばされて高く舞い上がってゆくのが見えた。

眼下の海面からわき出してくるそれは、どこからともつかない微かな光を浴び、まるでそれ自体が発光しているかのように幽玄な白を際立たせると、朧な残像の尾を引いて天に吸い込まれてゆく。波の花、ローズダストだ。ぼくは薔薇のようだと言い、一功は綿埃みたいだと言い、三佳は二つを合わせてローズダストと呼んだ。ぼくたちだけに通じる符牒、新しい言葉だ。三佳の言霊を運ぶものたちだ——。波と風と岩、どれが欠けても生まれ得ない、三つの要素が自ずと紡ぎ出す自然の饗宴を、ぼくは飽かず眺め続けた。あの時と同じ場所に腰を下ろし、同じ海と対しながら、失われたものの重さに押しひしがれる痛みを感じ続けた。

そうだ。ここに来れば、なにかが見つかると思った。行き場も帰る場所もなくした体が、唯一落ち着き先を見出したのがここだった。ぼんやり思い出したぼくは、なぜと考える頭を停止させたまま、ローズダストを生み出す暗い海面を見下ろした。夜に閉ざされた海は、ひたすら黒く、冷たく、どうどうとどよもす波濤の音を響かせて、猛(たけ)り狂うかのごとくその身をうねらせていた。そしてその圧倒的な質量と力ゆえに、対する者の気力を萎(な)えさせ、消滅願望を喚起する魔的な引力を放っているように思えた。あそこに行ったら、楽になれるだろうか。ローズダストのひとつになって、ここではないどこかに翔(と)べるだろうか。そんな思いが自然に浮かび上がった時、背後に人の気配が発した。

わずかに顎を上げただけで、ぼくは振り向きもしなかった。その必要がなかった。ぼくが誘われたように、あいつも必ずここに来る。それを期待して、ぼくはここに来たのかもしれない。多分、あいつにしてもそれは同じだろう。

あるいは、ここはあらかじめ現実から切り離された場所で、ぼくたちはそろって幻を見ていたのかもしれない。三佳という幻を。新しい言葉という幻を。そのために奪いあい、傷つけあい、結局は失ってしまった幻を……。

『なぜ、生きている』

すぐうしろで立ち止まり、入江一功はそう言った。戦闘から抜け出てきたばかりの殺気と疲労を滲ませながら、どこか哀しいと感じさせる声音だった。またしても一功の期待を裏切り、失望させてしまったらしいと理解したぼくは、『……殺せ』と搾り出した。

それだけで通じる空気が流れていた。すぐに硬く冷たい感触が後頭部に当たり、撃鉄(ハンマー)を引き上げる金属音を耳元に響かせた。

恐怖はなかった。突きつけられた銃口から重苦しい感情が流れ込み、一功が直面した絶望の大きさを伝播させるのを感じながら、ぼくは暗い海を凝視した。闇の底でうねる黒い海面は、やはりここではない世界に通じる門のように見えた。

どれだけそうしていただろう。すっと銃口が離れ、不意に頭が軽くなった。ぼくは微動だにせず、風に舞うローズダストを見つめ続けた。

『やめた。一生悩んでろ』

ハンマーを戻す音と一緒に、ひどく簡単に一功は言った。ある意味、銃弾より破壊力のある声が鼓膜を突き破り、頭蓋の中ではね回る激痛を甘受したぼくは、一功が次の言葉を繰り出すのを待った。情けない奴と容赦なくなじり、罵倒し、この崖から一歩を踏み出すきっかけを与えてくれるのを待った。

風が勢いを増し、砕けた波をローズダストにして次々舞い上げてゆく。途切れなく昇天するローズダストを見つめるうち、『あいつ……』と呟いた一功の声が風に混ざり、ぼくはほんの少し目を見開いた。

『あいつ、泣いたんだ。SOFを引き連れて、おまえがゴルフ場に来た時。クスリぶち込まれて、なんにもわかんなくなっちまってるんじゃないかって……。こんなことするんじゃなかったって、泣いたんだ』

ごうと風が鳴り、そのあと、なにも聞こえなくなった。予想外の言葉に、ぼくは体が硬直するのを感じた。

『それで、飛び出して行った。止める間もなかった。なにも……なにもできなかった……』
熱を帯びた雫がうなじに当たり、風がそれを冷やした。涙？　わからない。この時、一功は左眉の上に裂傷を負っていたというから、そこから滴った血であったのかもしれない。いずれにせよ、一功の声は濡れていた。わき上がる感情を必死に押し殺し、それでも滲んでくる熱が声に結露していた。そしてその声は、どんな罵倒よりも鋭くぼくの胸を切り裂き、すでに死にかけていたぼくにとどめを刺す結果になった。

『忘れるな。あいつは、泣いてたんだ。自分のためでも、おれたちのためでもない。おまえのために涙を流したんだ』

忘れない。忘れようがない。その瞬間、〝ぼく〟は死んだ。代わりに〝おれ〟が生まれた。自ら命を絶って楽になる道を封じられ、現世に残された肉体を持て余す現在の丹原朋希が。

この時、おれはすでに市ヶ谷に残る決心を固めていたと思う。自分にとっていちばん苛酷な道を選択することで、贖罪とする。叔父を殺して訓練キャンプに放り込まれた時と同じ、一人勝手な気休めと言ってしまえばそれまでだけど、それだけが理由じゃない。そこにいさえすれば、一功の動向をいち早く察知できる。いつか必ず戻ってくる一功と真正面に向き合い、決着をつけるチャンスが得られると考えたのだ。

直感というより、確信だった。ひとり去ってゆく一功の背中に、おれは底暗い怨念の胎動を見ていた。それは市ヶ谷というシステムが創り出した最高の兵器、そのシステムの歪みゆえに傷つき、放逐された魔物の背中であり——遠からず力を蓄え、意趣返しを胸に秘めて再臨することを予見させる背中だった。

赦しが得られるなら、おれはその魔物の背中についていっただろう。四年八ヵ月の後に日本中を震え上がらせ、市ヶ谷と桜田門を発狂させる〝ローズダスト〟の一員になっていたと思う。でもそれはできない。一緒に行くことはできないし、この場で殺してももらえない。おれが重い荷物を背負ったように、あいつもまた生涯下ろせない十字架を背負わされた。それをなくすには、互いにぶつかりあい、肉体ごと相殺するしかない。対消滅こそが残された救済であり、自分にできるたったひとつの償いであることを、おれはこの時、本能的に理解していた。

そして、そこに至る道こそが、自分にとっては最大の責め苦になり、贖罪になるのだということも。だってそうだろう。一功と、親父さんたちと敵対するんだ。勝良や倉下、留美たちと戦わなきゃいけないんだ。これ以上の罰がどこにある？　みんなと殺しあわなきゃならないなんて……。

罪の共有者として、羽住もそんな心理を見抜いていたのだろう。彼の口利きのお陰で、おれはさしたる咎めもなく市ヶ谷に残ることを許された。無論、私的な感情のみで動くほど羽住は単純な男じゃない。その時が来たら、おれを矢面に立て、一功に対するセンサーとして役立てる目算があってのことだろうけど、それもこれもまだ先の話だ。

別離の言葉もなく、一功の気配は闇に溶けていった。背中で見送ったおれは、きつく握りしめていた手のひらを開き、チェーンの引きちぎれたペンダントを外気に触れさせた。

一瞬だけ視界に収めてから、すぐにまた握りしめて立ち上がる。舞い上がるローズダストの群れごしに、暗くうねる海面と向き合ったおれは、そこにペンダントを投じた。銀色のペンダントは光りもせずに闇に呑まれ、波の砕ける岩礁へと消えた。手のひらの温もりが急速に冷め、〝ぼく〟だった頃の名残りを霧散させるのを感じながら、おれは硬化してゆく胸の底にいっさいの痛みをしまい込んだ。

当分、向こうには行けそうにない。その時が来るまで生きていかなくちゃならない。なんとかなりそうだ、と思ったのを覚えている。しまい込んでも痛みはなくならず、深いところで膿んで全身を苛み続ける。この辛苦が永遠について回るのなら、いまだ生き続ける自分を容認するのも難しいことじゃないから……。

そうして繋ぎ止めた命も、じきに尽きようとしている。

ローズダストの身代わり……状況を落着させる体のいい駒にされて。自分には似合いの結末だとあらためて思う一方、肉体は依然としてクスリに抵抗し、発熱を促し続けている。いったいなんなんだと呆れ、朋希は床に横たえた体に寝返りを打たせた。薄暗い天井を舞う雪片は消え去り、マットに覆われた拘置室の壁が朦朧とした視界に映えた。

肉体も精神も、しょせんは自分の思い通りにはならないということか。あの時もそうだった。かつては子犬ほどの価値も自身に見出せず、流されるに任せていた自分という人間が、三佳に対してだけは異常な執着を見せた。そのためならなにを犠牲にしてもいい、すべて失ってもかまわないと思い、実際に暴走した。結果、本当にすべてを失ったのだったが、あれは三佳という触媒に促されての暴走だったのか。あるいは、それ以前に一功との出会いによって引き出され、自分の思いに忠実であれと教えられた自我――エゴが、その本能に従って引き起こした暴走だったのか。

以前の自分なら、已を殺して身を退くという選択肢だってあり得た。いや、そもそも殺すべき己を持たず、三佳に魅かれることさえなかったかもしれない。その方がよかった、と朋希は思う。そうなら、もっと他の展開が……少なくとも、いまよりはマシな展開があっただろうから。

そんなの生きてるうちに入らない。逃げてるだけだと一功は言うだろう。そうした面倒に耐えるのが生きるということだ。衝突を恐れていてはなにもできない。戦わずに手に入れられるものなどないし、守れるものもないと言うだろう。だが、その言葉に従った結果はどうだ？

戦わなければなにも得られない、なにも守れないというのなら、おれはもうなにもいらない。この四年八ヵ月、ずっとそう思ってきた。そうすれば傷つくことも、傷つけてしまうこともない。どだい、もうそんな機会もないだろうし、求める権利も自分にはないとわかっていた。

それが、ローズダストが現れ、並河や恵理と出会い、長らく存在を忘れていた感情の在り処を知らされた時から、なにかが変わり始めた。一功と対消滅することしか考えられなかった頭が、別のなにかに目を向けるようになった。守りたい、と思ったのかもしれない。幻ではない〝新しい言葉〟を。その苗床となる人の生活の温もりを。ほんの短い間だったけど、おれは確かにそれを聞き、感じた。そして、彼らが生きてゆく世界が狂気に呑まれようとしているなら、この体全部を使ってでも引き戻したいと思った。

一功は、あの三人の幹部たちへの復讐はついでのことに過ぎないと言った。彼らをそのように仕向けた思惟の源、それに踊らされるこの国の〝状況〟こそが、ローズダストのファイナル・ターゲットだと言った。四年前、意趣返しを胸に秘めて去っていった魔物は、それを実現するだけの力を蓄えて帰ってきたのだろう。黒幕たる若杉の計画など、ローズダストの養分に使われたのに過ぎない。じきに、東京の空にローズダストが舞う――その言葉の真意がなんであれ、一功は必ずそれをやり遂げるだろう。

まだ誰もそのことを知らない。資料を読んでわかった気になっているだけで、みんなおまえのことがわかってないんだ。だからおれは、若杉に会わなければならなかった。刺し違えたっていい、ローズダストがその本性を現す前に、市ヶ谷や桜田門、永田町にまで張り巡らされた養分を絶つ必要があった。対消滅するためではなく、守るために。どうせ失うものなら、最初から出会わなきゃいいと思っていたものたちのために。バカだよな、本当。おれには、そんな力も権利もないってことを忘れて……。

一度は消えた雪が、またちらつき始めていた。目覚めていられる時間が短くなっている。こんな煩悶もじきになくなり、自分はすべてを忘れてゆくのだろう。四年前の痛みも、幻ではない新しい言葉も。そこに生まれかけた希望も、それを守ろうとした自分も、すべては闇に押し流され、あの黒いうねりの底に——。

「……まだ、出るんだ。涙……」

泣いているらしいと気づき、朋希は乾いた口で呟いてみた。溢(あふ)れる雫は目尻を濡らしてこぼれ落ち、床のマットに小さな染みを滲ませた。

3

（……北朝鮮で、日本を射程とする弾道ミサイル「ノドン」の燃料注入が確認され、海上自衛隊のイージス艦などが日本海に集中配備されたことに対して、北朝鮮国営放送は今日、日本を非難する声明を発表し、人民政府は一連のテロ事件になんら関与していないことを……）

（『日本国内で起こった連続テロが、我々の仕業であるとする報道は悪辣な捏造であり、日本の侵略行為を正当化する浅はかなデマである。ノドンの発射準備は自衛のためのもので……』）

（これに対し、狭山内閣総理大臣は、自衛隊による監視態勢を強化するとともに、内閣危機管理監らと今後の対応を協議。有事に備えて、北朝鮮ミサイル基地への攻撃など、先制攻撃を視野に入れた対応の準備に入ったことを認め……）

雨が降っていた。一昨日の朝から降り始め、片時も休まずに首都圏を濡らし続けている長雨は、いまも目前のフロントガラスを叩いて止むことを知らない。ラジオのニュースを聞き流しながら、並河は雨に滲む窓外の景色を漫然と眺めた。右に左にと動くワイパーごしに、途切れなく行き交う傘の放列、明滅をくり返すネオンと街頭ビジョンの光が映え、夜を知らない渋谷の喧噪を車内に伝えた。

（警察が国会に提出したネット監視法や、先制攻撃を視野に入れた自衛隊法の改正など、一連のテロ対策法案について、違憲であると訴える市民団体が国会前でデモを行いました。代表の榊原和房弁護士は、『憲法の精神が踏みにじられている』と訴え……)

(イージス艦《みょうこう》が入港した新潟港では、今日の午後、入港に抗議する平和団体と、地元住民らが激しく衝突し、逮捕者や怪我人が出るなどの騒ぎに……)

信号待ちを終え、軽くアクセルを踏み込む。東口のバスターミナルに差しかかったところで、高架下をぐって青山通りを前進する。十年選手のカローラが駅前交差点を過ぎ、並河は右折のハンドルを切った。歩道橋と首都高の高架が錯綜する六本木通りとの交差点を抜け、明治通りを直進する。

(国家危急の時に、そんなことやってる場合じゃないでしょって思うけどねえ。この人たち、自分とか家族が殺されそうになっても反対反対ってやってるんでしょうか。ねえ、さやかちゃん。国家危急ってわかる?)

(ん？　空飛ぶやつ？)

(そうそう、ガスで空気をあったためてね、ふわーって浮かぶ……って違うわ。日本がアブないの。危険で緊急なの。それなのに、戦争反対とか言ってなんにもできないのはヤバいでしょ？)

(ヤバいヤバい)

(北朝鮮に核があるとかないとかさ、そんなことは問題じゃないのよ。北朝鮮からミサイルが飛んできて、原発にでも当たったりしたら、お台場テロなんてもんじゃないでしょ。先に発射基地を壊しちゃうとか、こっちにも撃ち返す準備があるって相手にわから

せなきゃ。防いでるだけじゃダメなのよ）

並木橋交差点に差しかかる前に左折し、マンションやテナントビルが林立する脇道に入る。さらに右折と左折を数回くり返すと、関東生命の社名を掲げたビルが視界に入った。二十日ほど前、初めてローズダストと対面した直後に拘束され、尋問漬けの一夜を過ごした場所。自衛官向けの特約保険を商う一方、防衛庁情報局（ダイス）の拠点として機能する保険会社の持ちビルは、少し離れた渋谷の喧噪を引き移すこともなく、取り立てて特徴のない五階建ての建物をしんと佇（たたず）ませていた。

後続車の有無を確かめつつ、並河は車の速度を落としてビルの前を横切り、すれ違う数秒の間に観察の視線を飛ばした。細長いビルの正面玄関はガラス張りで、風除室に業務終了の立て看板が出されている。窓は反射率の高いガラスで塞がれた上、内側からブラインドが下ろされているので、建物内の気配を窺（うかが）うことはできない。通用口は裏手にあるが、通りからは望めず、地下駐車場のシャッターも閉じたままだ。ブラインドから漏れるひそやかな光が、ほとんどすべての部屋に人がいることを伝えてはいる。が、それだけで、他に得られる情報は皆無と言っていい。静まり返った建物を見上げるうち、こちらが見張られているような気分になった並河は、アクセルを踏んでその場を離れた。

バカなことだ、と思う。もう五回も同じことをくり返している。気のせいではなく、すでに要注意車両のレッテルを貼られてマークされているかもしれない。いったいなにをやっているんだ、と胸中に罵（ののし）りながら、並河は六本木通りに合流した。首都高の高架下を走り、車列の流れに任せて渋谷駅前に戻るコースをたどる。道玄坂を昇り、適当なところで左折して再び六本木通りへ。無意識に考えてから、まだ無為なくり返しを続けるつもりでいる自分に気づき、真実うんざりした。

（航空技術やIT部門で顕著だったんですが、日本には優秀な技術力がありながら、アメリカの言うスタンダードに準じてそれを活かせない傾向があった。トロンですとか、三菱が開発しようとしていた国産戦闘機ですとかね。アメリカの圧力に屈して、宝の持ち腐れになったなんて例は枚挙に暇がないのです）

いつからか、若杉の声が車内に流れていた。ラジオを消そうとして思い留まり、並河は憮然とハンドルを握り直した。

（会長は、TPexの導入が見送られた件についても、同様の圧力がかかったとお考えですか？）

（そうは言いません。しかし導入を見送りにした国民感情の源、平和憲法ですとか、核アレルギーですとか、これらはみんなアメリカが戦後日本に持ち込んだ言葉ですから、広い意味で言えばイエスです。そこに日本独自の言葉はない。何年か前に外務大臣が口にしていましたが、意見を言わないことが意見である、と。戦後日本のシステムを構築していく上で、そうするのが最良と考えた先人たちの知恵を否定する気はありませんが、それに慣れすぎて、沈黙を唯一の知恵にした現代日本人の頭は否定したいですね。先人たちは、国土復興のための処世術として親米保守を貫いてきたのであって、これは永遠不変の定理ではない。世界は絶えず流動しており、その中で日本もまた変わっていかなければならない。この変化に対応するというのが本当の知恵です。国家としての戦略を持つということであり、独自の言葉を発信するということです）

ワイパーが扇形に拭ったフロントガラスに、また関東生命の看板が映り込む。いい加減にしろ、と並河は自分を叱り飛ばした。

おまえにできることなんかない。だいたい、あいつがここにいるかどうかさえわからないんだ。さっさと家に引き返して、雨漏りの心配でもしてろ。自爆する度胸もなく、事態から切り離された身を燻らせている男には、それが似合いってものだ。

第一、あいつがここに閉じ込められていたとして、おまえはどうする気だ？　単身殴り込みでもかけようっていうのか？　バカバカしい。なりゆき上、関わりあいになっただけの相手だ。住む世界が違ったんだ、最初から。射殺した勝良の前で立ち尽くしていた顔、人形の目に戻っていた丹原朋希の横顔を思い浮かべ、並河はそんな言い方で自分を納得させようと試みる。が、それはすぐに居候だった頃に見せたいくつかの表情――ぎこちなく笑い、戸惑い、不器用なりに他人と関わろうとする真っ正直な顔に変わり、ボロ家での同居生活を〝一生忘れない〟と記したメールの文面まで思い出させて、この三日間の袋小路に並河を引き戻すのに終始した。

（具体的に、その戦略とはどのようなものにするべきだとお考えでしょう？）

（しょせんは政治家ではなく、ＩＴ商人の戯言だとお断りした上で申し上げますと、まずはテロ問題が試金石になると思っています。ちらかすだけちらかして、なんの解決もせずに対中紛争に突入したアメリカに代わって、いかにテロリズムを封じ込めてゆく指

針を立てるか。現在進行形で危機にさらされている日本には、逆説的にイニシアチブを取れる機会がめぐってきたと考えます）

あの夜から、すでに三日が経つ。合同捜査本部から外され、なにをする気力もなく悶々とし続けた三日間。自宅にこもった身を呼び立てる電話はなく、妻との会話もろくになく、恵理とはまともに顔も合わせられない。漫然とテレビを眺めたところで気晴らしにはならず、昼間から酒を呷って(あお)は、倦(う)んだ思考の澱(おり)をかき回す毎日……。廃人さながらのなにかをしたい、しなければならないのに、その形が見えてこない。

三日間を過ごして、今日の夕方、ほとんど発作的に家を飛び出してきたのだったが、ではどこに行ってなにをするつもりなのかと問われれば、相変わらずわからないとしか答えようがない。防衛庁周辺を意味もなく走り回り、警備の機動隊に目をつけられてからは渋谷に場所を移し、これまた無意味に関東生命ビルの周辺を走り回っている。溜め込んだ衝動が煮詰まるだけ煮詰まり、胸を圧迫しているにもかかわらず、核心に踏み込めずにその周囲を回遊している。

そう、踏み込めないだけで、核心の所在は明白だった。丹原朋希。勝良を殺した時、あいつは人形の目の奥で苦しんでいた。相手以上に自分自身を殺していた。最初に会った時からそうだ。ローズダストが日本に上陸したと知って、おまえはなにを思った？自分を裏切った組織に帰属し、かつての仲間たちと敵対する現実をどう受け止めた？ついに来るべきものが来たっていう絶望か？　それとも、相討ちに持ち込んで共倒れになることへの渇望——死をもって贖罪(しょくざい)が果たせるという希望か？

答はおれが言ってやる。どっちもイエスで、どっちもノーだ。おまえは、まだそこまで自分を把握しきれていない。自分を殺しきってもいない。人間、そうそう簡単に自分の人生を割り切れるもんじゃないんだ、ハナッタレの若僧め。

実際、とても見られたもんじゃなかったよ、おまえは。閑職に甘んじ、ハムの脂身と謗られ、そんな立場を受け入れることで安心してきた自分を見ているようで。この九年間、背中を丸めて生きてきた自分の似姿が唐突に立ち現れ、ツケを支払えと迫ってきたようで、放っておけなかった。結局、おれはおまえに同情し、救ってやる真似事をすることで、自分を救いたかっただけなのかもしれない。背中を丸めていたってなにも解決しない、向き合って背負えと伝えることで、自分の背筋をのばそうとしていたんだ。

そして、手に負えないとわかれば逃げ出した。ようはそれだけのことだ——。

（アクトグループ本社を提供して行われる対テロ閣僚会議ですが、オミットされたアメリカの反発が予想されますし、各国の反応も一律に好意的になるという保証はありません。そのへんについてはどうお考えですか？）

（これまで、常任理事国入りを目指して対米追随を続けてきた日本です。おっしゃる通りの反発はあるでしょうし、他の国々もすぐには耳を傾けてくれないでしょう。しかしきちんと戦略をもって当たれば、可能性はある。たとえば日本は、ドルを支えるためにアメリカの国債を買い続けています。以前、橋口総理がこれの売却をほのめかしたら、途端にアメリカの株が暴落したということがあって、それ以来これに手をつけるのはタブー視されてきたのですが、担保として利用するならどうか。二百兆円を超すアメリカ国債を担保にして、世界中から資金を募り、利益率の高いプロジェクト、シベリア資源開発などに回すというのはどうでしょう？　そして、そこから得た利益を対テロ基金にして、専門の情報機関と抑止力をもった機動部隊を組織する。同盟国内でテロが起こった場合、速やかに現地の軍・警察機関とコミットし、超国家規模で包囲の輪を展開する国際部隊の設立基金にするのです。日本の警察と自衛隊には、その雛型を提供できるだけの人材がそろっていますし、一部の政治家や官僚にしてもそうです。現に対テロ閣僚会議の膳立てを整えられたのですから）

（しかし、それも若杉会長が各国経済界を通じて呼びかけたためで、政府はそれに便乗しただけだという風評もあります。今回の対テロ閣僚会議では、会長は特別委員として開会の言葉を述べられるそうですが、いかがですか。これを機会に、政治の舞台に殴り込みをかけてみては？）

（どうでしょうか。いまは目の前の問題を解決していくのに精一杯で、そこまで考えられないというのが正直なところです。しかし社の貴重な人材をテロに奪われて、結果的にこういうことになっているのですから、まったくあり得ないとは断言できませんね。そうすることが犠牲になった方々への弔いになるのでしたら、それもわたしに課せられた義務として――）

クソでも食らえ。並河は、今度こそラジオを消した。

国家、国益、主権。個人、責任、義務。それらの言葉を明確に定義し、関係づけて語る術を持たないいまま、この狂乱に踊らされている多くの日本人。この先、なにがどう動こうと、本気で受け止める覚悟なんて誰にもありはしないし、流れを食い止める手立てもない。組織の欺瞞を一身に背負って土下座してみせた千束、いまこの瞬間も前線に立ち続ける多くの警官たち、地下水脈でそれぞれの役割を果たす市ヶ谷の工作員たち。そして、日々の生活に追われ、目の前の仕事をこなすので精一杯の大多数の国民たち。しょせんは無力な一個人でしかない身になにができる？　すべての価値観が相対化され、絶対的な正義も道義も見出せなくなった世界で、仕方がないと自分をあきらめさせる以外になにができる？

なにもできはしない。誰だって多かれ少なかれ、自分を殺して生きている。あちらを立てればこちらが立たぬ、そんなもどかしさを淡々と受け流し、変転する世相を受け止めている。袋小路に陥ったら陥ったで、無意識にバランスを取って生きられるのが人間だ。その狡さを呑み下し、つけられない落とし前を抱えて生きるのが人生なんだ。

でも……そうなら、なぜおれはここにいる？

不意に携帯電話が鳴り出し、その先の思考に待ったをかけた。

関東生命ビルの前を通りすぎ、六本木通りに合流した直後のことだった。もう合同捜査本部から呼び出しがかかることはないし、古巣の公四から声がかかるとも思えない。自宅からだろうと思い、並河は送信先の表示も見ずに携帯を耳に当てた。

「もしもし」

（一台はさんだ後方のセダン、〝チヨダ〟です）

知った声がそう言い、予想外の打撃を浴びた心臓がひと跳ねした。並河は、咄嗟に左右のサイドミラーに目を走らせた。

腹に一物を抱えて桜田門に背を向けた身のこと、〝チヨダ〟の監視にさらされるのは織り込み済みで、追尾の車両が入れ替わり立ち替わり背後につく気配は察していた。件のセダンにしても、もう一台と連携して尾行と先回りをくり返し、こちらが大通りに出るたび車列に割り込んでくるのは確認済みだったが、それはこのさい問題ではなかった。

サイドミラーを凝視する。ヘッドライトが逆光になり、並走でもしなければドライバーの顔かたちは判別できそうにない。声の主を探し出すのは不可能と判断した並河は、

「……だったらどうした」と低く吹き込んだ。

（彼らに知られずに会いたい。まけますか？）

冷静な声に返され、並河はもう一度サイドミラーを見遣った。件のセダンを視野に入れつつ、周辺の道路地図を頭に呼び出す。駅前から公園通りに入り、この時間は車道にまで人が溢れる井の頭通りに紛れ込めば、不意をついて引き離すのも難しいことではない。車を乗り捨てる覚悟ならなんとかなるかと考え、すでに声の主と会うつもりでいる自分に気づいた並河は、いいのか？　と自問した。

相手はいったいなにを思い、このタイミングで声をかけてきたのか。考えあぐねる間に、（多分、いまのわたしはあなたと同じことを考えています）と携帯の声が続けて、並河はあらためて絶句させられた。

（信じろとは言いません。その気になったら、いまから言う場所に来てください。一晩でも待ちます）

並河の返事を待たず、声は一方的に会合場所を伝え、電話を切った。携帯を握りしめたまま、並河はしばらくはなにも考えられずにフロントガラスを見つめた。機械的に信号待ちと前進をくり返し、渋谷のガードをくぐったところで携帯の電源を切った。

これで携帯による位置探知はできなくなる。相手の意図は不明、またひっかけられる可能性も大だが、いまさら失うものがあるわけでもない。なにより、これが突破口になるという根拠ゼロの直感には抗いがたく、並河はいま一度サイドミラーを注視した。

セダンがしっかり張りついてくるのが見える。おれはよくよくのバカだと思いながら、カローラを公園通りへと走らせ、行き交う人と車の流れを慎重に見定めた。雨は一向にやむ気配がなく、井の頭通りには無数の傘の花が咲き乱れていた。

二時間後、午後九時四十分。そぼ降る雨の中、指示通りの場所に声の主の車はあった。赤坂の一画、大通りから一本外れた道沿いにある時間貸し駐車場だった。自家用か借り物か、インテグラの運転席に収まった声の主は、その端正な顔立ちとあいまって、怜悧な青年実業家といった風情を醸し出している。こちらはノータイの背広姿にビニール傘を携え、くたびれきった中年サラリーマンを体現する並河は、閑散とした駐車場を横切ってインテグラに近づいていった。

ここに来るまでタクシーと地下鉄を乗り継ぎ、やれるだけの尾行点検は済ませている。濡れそぼったフロントガラスごしに視線を絡ませたあと、並河はもう周囲を見回すことなく助手席に収まった。エアコンが低い唸りをあげ、車内の換気に努めてはいるようだったが、染みついた脂(やに)の臭いはいかんともしがたかった。

「のこのこ外を出歩いていらっしゃるとはな……」

容認構造に則(のっと)った行為とはいえ、黒幕を介して犯行グループと内通し、それが第三者に露見するミスまで犯したのだ。収監とまではいかなくても、僻地(へきち)に更迭するなりなんなり、ほとぼり冷ましの措置が取られるものかと思いきや、都内から堂々と連絡してくるとは。肩の雨粒を払いつつ、並河は開口一番言ってやったが、声の主――羽住克広は意に介する素振りもなかった。「そっくりお返しします」と応じた声には、逆に責めるような色があった。

「尾行を引き連れて、あんなわかりやすいコースを走って……。わたしが気づくのがもう少し遅かったら、市ヶ谷に気取られているところだ」

「なんのことだ」

「言ったでしょう？　わたしとあなたは、同じことを考えている」

正面に向けていた顔をこちらに据え、羽住は言った。即答できる話ではなく、並河は沈黙を返した。いまさら信じられるかという反感と、これが突破口になるという直感。また、自分の行動を見透かし、了解もしている他者がいたという事実に、一抹の救いを感じる心境もないではなく、しばらくはどれにも寄りきれない宙吊りの気分を味わった。

「勝算はあるんですか？」

そんな思いを知ってか知らずか、羽住は冷静に重ねる。並河は視線を逸らし、「……あるわきゃねえだろう」と搾り出した。

「おれは、ずっとしょうがないって言葉で自分をあきらめさせてきた。自分を騙してきたんだ」

こんな男に……と思いながらも、行き場を見つけた言葉がこぼれ落ちるのを止められなかった。羽住は黙って聞いていた。

「生きてりゃ、他にどうしようもないってことは山ほどある。誰かを犠牲にしたり、見殺しにしなきゃなんない時だってあるさ。なら、せめてその負債はちゃんと引き受ける。しっかり背負って、潰されないように歩ききってやるって……。でも、ものには限度ってもんがある。

おれは、もうあきらめたくないんだ。これ以上、背中まるめて生きたかねえんだ……！」

ドアに拳を叩きつけ、並河はこの三日間の鬱積をぶちまけた。あるいは九年分の鬱積が詰まっていたのかもしれないその拳は、鈍い音を車内に響かせたあと、雨の音とエアコンの音にゆっくり冷やされ、饐えた沈黙の時間に呑み込まれていった。

消えてなくなりたい気分だった。吐き出せばすっきりするかと期待したのに、しょせん言葉は言葉。鬱積の所在を確認しただけで、少しも楽にならない。じっとり湿った徒労感を抱いて、並河は雨の被膜に覆われたフロントガラスを見つめた。事件の発端となった赤坂フォルクスビルはここからは望めず、赤い注意灯を瞬かせる高層ビル群がゆらゆらと滲んで見えた。

来るんじゃなかった。そう思い、ドアレバーに手をかけた時だった。不意にタバコが目の前に差し出された。並河は、正面を向いて動かない羽住の横顔をちらと見遣った。羽住がそうするのが二度目なら、禁煙を破りたい気持ちになったのもこれで二度目だった。しばらく迷った末に、並河は今度も顔を背けた。羽住は引っ込めたタバコをくわえ、「ある男の話です」と呟きながら火をつけた。

「その男は、ヘリのパイロットとして将来を嘱望されていました。彼が所属する軍隊……いや、軍隊と呼ぶことさえ禁じられている集団が、初めて実戦的な航空部隊を作ろうとした時には、その指導教官に指名されたほどです」

ドアレバーから手を離し、並河は吐き出された紫煙ごしに羽住の横顔を見つめた。こちらと視線を合わせようとしない横顔は、常以上の無表情に覆われていた。

「FSM……ファースト・ストライク・ミッション。先制攻撃を視野に入れたヘリ部隊です。タンカーに似せた輸送艦で運ばれて、ヘリならではの低空飛行で敵地に侵入。自国に危険をもたらすと判断されたものを無力化、ピンポイントで排除する。自国の国民にはもちろん、部内においても秘匿された部隊です。法を完全に無視した存在であっても、男はその必要性と実効性に疑いを持っていませんでした。国が主権を維持するには力がいる。正面きってケンカできないこの国のツケを、自分たちが支払ってやるぐらいのつもりでいたんです。自分の能力をフルに発揮できる場を与えられて、単純に喜んでいる節もありました」

ダイスの存在を知ったあとでは、驚くに当たらない話と聞こえた。並河は無言で先を促した。

「秘匿部隊であるからには、要員候補もさまざまな者が、さまざまな場所から選定されてきます。彼らの才能をのばし、一人前のヘリパイに育て上げるのが男の仕事でした。そんな中、彼はひとりの女性と出会いました。同じ親元の非公開組織に採用されたあと、才能を見出されてFSMに配置された女性です。まだ少女と言ってもおかしくない年頃でしたが、彼女は非常に優れた素質を持っていました。それでいて、その才能に溺れることなく、自分たちを客観視して、その立ち位置をしっかり見定めようとする感性も持ち合わせていた。だらしない国のツケを支払わされている……ともすればそんな自虐的な気分が蔓延(まんえん)しかねないFSMにあって、彼女は言ったものです。我々はツケを支払わされているのではなく、可能性を守るために存在しているのだ、と」

「……堀部三佳か」

他の推測はなく、並河は言った。〝新しい言葉〟で世界を、未来を語ろうと試みた少女。羽住は微かに口もとを緩め、

「平和国家という可能性。戦争は放棄できると信じた国の可能性。他者から与えられた言葉、言葉だけの言葉であっても、それを守り通すことには意味がある。現実という風がそれを吹き消そうとしているなら、身を挺してかばい、いつかその言葉に血肉が宿る日が来るのを期待する……。望みもしないのに操縦桿を握らされ、敵を殺す訓練を受け続ける中で、彼女は悩み抜いた末にその結論にたどり着いたんだと思います。欺瞞かもしれません。それこそ言葉だけの慰めかもしれません。しかし男にとっては、自分の頭では永遠に思いつかない発想と聞こえたのでしょう。その言葉をきっかけに、男はそれ

までとは違った目で世界を捉えるようになりました。自分たちの存在には意味がある。決まりきった国防の理念なんかじゃない、もっと大きなものにそう言われたような気がして、生き甲斐のようなものを見出せたんだと思います」

男は彼女の才能を愛し、その感性を愛した。堅物かつ生真面目な男のこと、男女の仲にはなりようもなかっただろうが、教官と生徒というだけでは測れない関係があったことは、その表情を見れば容易に察しがついた。羽住は喫いきっていないタバコを灰皿に押しつけ、「しかし結局、FSM構想は破棄されました」と低くした声で続けた。

「理由は知りません。一時でも走り出したのが僥倖で、もともと実現の可能性は万にひとつもない計画だった……それだけのことでしょうから。彼女は原隊に復帰しました。男も古巣の市ヶ谷に戻りましたが、もう以前のようにヘリを飛ばすことはありませんでした。破棄された計画に関わった者は、それまでのキャリアとは無縁な場所に配置される。この業界ではよくあることです。その後、『オペレーションLP』の現場で彼女と再会したのも、単なる偶然ではないでしょう。関係者を中央の目から遠ざけるのに、長期の潜入任務はうってつけですから」

ひとつの計画が頓挫するということは、浪費された資金と時間のツケを、誰かが支払わねばならないということでもある。上層部で責任追及の嵐が吹き荒れる中、隠すように対北潜入工作に埋め込まれた羽住と堀部三佳。さもありなんと思い、並河は嘆息した。

「男にとっては、失意の日々になるはずでした。しかし彼女は、そこでも自分たちの存在に意義を見出そうとした。彼女の存在が、うしろ暗い任務に一縷の光を投げかけた。

9・11が起こらず、平壌宣言もなく、LPが予定通りに実行されていたら、あるいは……。いまとはまったく違う世界、時代の流れが生まれていたかもしれない。彼女の言葉には、そんな夢を信じさせる力がありました。丹原も入江も、その想いはきっと同じだったと思います」

そこから先は、すでに聞いた話だった。「でも、しょせん夢は夢にすぎない」と重ねられた羽住の声を、並河は黙して受け止めた。

「あの〝事故〟が起こって、入江たちが彼女を連れて逃げた時……。男は、丹原の感情を利用して彼らの所在をつきとめました。彼女の命を奪う結果になるとわかっていながら……」

遠い街灯の明かりだけが差し込む薄闇で、ひときわ濃い影が羽住の横顔に浮き出ていた。残酷な質問と承知しつつ、「なぜだ？」と並河は問うた。「取引です」と羽住は静かに答えた。

「水月たち三人の幹部と、アクトグループ……若杉との取引。彼らが〝集まり〟と称する集団の存在を、男は知っていました。彼らの計画を成功させれば、FSMが再び日の目を見る日が来るだろうことも。男もまた〝集まり〟の一員だったからです」

驚愕が吹き抜けたあと、不快な納得がじわりと押し寄せてきて、並河はフロントガラスに視線を戻した。FSMなどというデタラメが一時とはいえ罷り通ったのも、〝集まり〟の先鋭的な思考と、政官財にまたがる闇の力があったればこそなのだろう。その教官に任命された羽住が、彼らと無縁であり続けられた道理はない。

「アクトと大鐘の提携を成功させて、ＴＰｅｘ開発の資金を得る。このシナリオの先には、ＦＳＭ構想の復活も含まれていました。男はそれに賭けた。賭けなければならなかった。入江がどう立ち回ったところで、彼女が助かる可能性はゼロに近い。なら、せめてその死を無駄にするわけにはいかない。その命と引き替えに、この国が持つべき力を持てるなら。ＬＰが中止になった経緯を見ればわかる通り、力を持たない国家の外交はあまりにも無残です。平和国家としての可能性、新しい言葉に繋がる可能性を守るには、ＦＳＭのような影の力が必要とされる。それを手に入れるための犠牲であるなら、彼女だって……。だから、これは仕方のないことだと、自分を騙したんです」

影で塗り込められた横顔に、微かな笑みが浮かんだ。血の滲むような自嘲だった。応じられる言葉も表情もなく、並河は滲むフロントガラスに視線を逃がし続けた。

「でも、それこそ幻想だった。ＴＰｅｘ導入は潰え、ＦＳＭも消えたままです。彼女を失っただけで、得るものはなにもなかった。男も、丹原も、入江も……」

「そして、ローズダストが生まれたってわけか。寝ぼけた国民のツラをひっぱたいて、変わろうとしないこの国の無能と軟弱を討つために」

いつか聞いた言葉を引き移して、並河は言った。羽住は、「幻想の続きです」と自嘲の皺を深くした。

「確かに法的整備は進む。ＦＳＭが公然と組織される日も来るでしょう。でも、それで変えられるものなんてなにひとつない。自分の言葉も、新しい言葉も生まれはしない。他人の言葉に踊らされて、気がついた時には取り返しのつかないことをしている。……

わたしや丹原が犯した罪を、国全体に拡大するだけのことです」

そう言ったのを最後に、羽住は口を閉じた。雨に煙る陰鬱な街を見据えて、その横顔にはもう鉄面皮で押し隠した脆さは感じられなかった。勝算という現実的な言葉で思考の袋小路を切り裂き、並河に決断を迫った時と同様、一種決然とした目の光があった。

気づくのが遅すぎた？　いや、羽住は最初から己の無為に気づいていたのだろう。それでもやるしかないと自らを規定し、若杉らとの内通を続けてきたのだろう。苦界に身を置くことが、犯した罪を償う唯一の方策と信じて。結局、羽住も朋希も、その生真面目さが人を傷つけ、自分を傷つけてきたということなのかもしれない。そんな自分を受け止め損ね、判断停止の九年間を浪費したという意味では、並河もまた……。

雨が激しさを増していた。互いに押し黙り、なすべきことを了解しあう時間を過ごしたあと、「で、どうするんだ？」と並河は口を開いた。

「丹原は、渋谷の関東生命ビルに拘置されています。所定のシナリオに従って、明日中には連れ出されるでしょうが」

「幕引きのシナリオか」

「ええ。生け贄の選定は終わっています。改造モデルガンと、手製の爆弾を所持してるだけのちゃちな過激派ですが、ローズダストに仕立て上げるお膳立てはできています。連中のアジトに丹原を運び込んだ時点で、ガサをかける手筈です。ＳＡＴや管内の機動隊には、もう待機命令が下りている頃合でしょう」

警察が踏み込んだ途端に銃撃戦が始まり、神泉教過激派信者たちは残らず射殺される。

アジトを調べると、ローズダストが使用したのと同じ武器が次々発見されて、事件はひとまず解決。現役の自衛官、しかも併任警察庁職員の遺体が犯人ともども転がっていれば、国民に対する説得力は倍増するだろう。あとは武器調達ルートを手繰り、ロシアマフィアから北朝鮮に繋がる線を見え隠れさせるだけで事は足りる。北に対する敵意と、いつまたテロが再発するか知れない不穏な空気のブレンドで、若杉らが望む〝状況〟は維持されるという寸法だ。

無論、それだけで終わるとは思えない。国家改造計画を推し進めるために、若杉はひとまずの幕引きの前にもう一山、世論を沸騰させるイベントを目論んでいると見るのが正しい。末端の羽住には知らされていないなにか。対テロ閣僚会議を経て、政界に進出する算段を後押しするなにか——。「グズグズしちゃいられねえな」と並河は呟いた。朋希をどうやって過激派のアジトに運び込むのかはともかく、連れ出す時点で遺体にされる可能性も十分にある。

「いまは謹慎中で、わたしのＩＤは失効しています。ビルの中に入るには、少々工夫が必要です」

「どんな工夫だ？」

「知恵が一、体力が四。残りの五は運というところです」

大真面目に言った羽住の顔に、さすがに嘆息が漏れた。「そんなこったろうと思った」とぼやきながら、並河は懐の警察手帳を取り出した。

以後の行動は、警察官としてではなく、個人としてのけじめをつけるものになる。無条件にそんな思考が働くのも、生真面目人間の哀しき業なのだろうが、そのへんを有耶無耶にしたまま行動を起こす気にはなれなかった。もう帳面という隠語も当てはまらない、バッジを挟み込んだ革ケースの重みを並河は確かめた。「待ってください」と羽住が言ったのは、それをダッシュボードの上に放ろうとした時だった。

「SATと機動隊に待機命令が出ていると言ったでしょう？ 事態の詳細を知らされないまま、緊張状態で一夜を過ごしている連中がいるということです」

わけがわからず、並河は目をしばたたいた。羽住はにやりと笑い、言った。

「せっかくの帳面です。使わない手はありません」

※

午後十一時四十三分。警視庁十七階にある中央指揮所で、内線のベルが鳴った。

（渋谷三丁目のビルに、テロリストらしき集団が潜伏中との通報がありました。現場は渋谷三丁目三十番、関東生命渋谷本社ビル）

サミットや皇室行事など、重要警備事案の統合管理を行う際に使われる中央指揮所には、現在、連続テロ特別警備本部が臨時に置かれ、警視庁に寄せられる情報の一元集約態勢が整えられている。テロリストに関する通報は、それが一一〇番受理台で受け付けられたものであれ、合同捜査本部の専用番号にかかってきたものであれ、すべて中央指揮所に通される決まりだった。

件の通報は匿名の男性からで、発信元は現場付近の公衆電話。担当に回すと言った受理台係官の弁を無視し、一方的に喋って電話を切ったという。受理台からの連絡を受けた警備本部付当直員は、手元のチェックシートを参照しつつ、録音された通報の中身を注意深く聞き取った。

日に五百件もある一般通報の中から本物を漉し取るべく、チェックシートには三十項目あまりの非公開情報が記されており、このうち、十以上の項目に該当した通報は緊急情報として関係各部署に通達される。通報によると、目撃されたテロリストの数は三人。通報者が帰宅途中に当該ビルの前を通りかかったところ、地下駐車場に不審な白いバンが入るのを見た。その際、運転席から降りた男の顔がたまたま視界に入り、それが手配写真Bと酷似していたことから、物陰に隠れてしばらく様子を窺った。やがて女性が荷台から降りてきたが、その顔は手配写真Dに似ており、続いて現れた男もやはり手配写真Cに似ていた。三人は作業服のようなものを着ていて、女性は片足を引きずっていたように見受けられた。バンの横腹には設備会社らしき社名が記されていたが、詳細は記憶していない。ナンバーは確か――。

うろ覚えの車番より、片足を引きずっていた、という部分が当直員の注意を引いた。お台場テロの際、手配写真Dの被疑者が右足を負傷した事実は、一般には公表されていない。車番照会も該当はなく、偽造ナンバーの疑いがあると判じた当直員は、これを極めて信憑性の高い《R》関係提報と断定した。

通報者の身元が確認できなかった不安は残るが、とりあえず各部の責任者に一報する必要はある。彼は当直責任者に事の次第を報告し、当直責任者は規定の緊急配備を命じた。指揮盤に緊急配備の表示が灯り、現場付近の警戒班がカーロケーターでピックアップされるまでの間、関係各部署に状況を伝えるのが当直員の仕事になった。

自動的に同報される合同捜査本部はさておき、警視庁麾下の機動隊を掌握する警備一課長と、外国人テロリズムを担当する外事三課長への連絡は必須。交通規制がかかる可能性を考慮すれば、交通部の幹部に一報するのも忘れてはならない。無論、警察庁内の総合対策室にも連絡しなければならないし、公安部指揮所と刑事部対策室への連絡も不可欠だった。当直員たちは規定の連絡網に従って各々の受話器を取り、それからしばらく、警視庁庁舎内のあちこちで内線や携帯電話のベルが鳴り響いた。そしてある者は仮眠中に叩き起こされ、ある者は帰ったばかりの自宅を飛び出して、各部署の責任者が中央指揮所に向かうまでに、現場に急行した警戒班から一報が届き始めた。

（通報のあった公衆電話に急行中。駅前で混雑している。保全要員の派遣を求む）

（遊撃七より警視庁。ただいま現場を確認。ブラインドが下りているが、各階の電気はついている。特に不審な点は見当たらない）

秘匿デジタル回線の無線が慌ただしく飛び交い、同じ情報が即座に各部署に伝達される。その中、先陣を切って中央指揮所に到着した警備一課長は、すかさず駆け寄った管理官の顔を見ることなく、指揮盤のマイクに一声を吹き込んだ。

「所轄に一報。現場付近にパトカーを近づけるな。警戒班各員は指示あるまで待機。秘匿を徹底せよ」

テロリストと思しき被疑者を発見した場合、職務質問は控え、秘匿追尾と監視に専念せよ。お台場テロ以降、全警察官に厳守が命じられたその通達は、責任者たる幹部の胸にこそ重くのしかかっている。一斉に引き締まった当直員たちの顔を見回し、規定の緊急配備要領が遵守されていることを確かめてから、警備一課長は都内全図の道路網を振り仰いだ。

所轄は渋谷、三方面。関東生命とかいう保険会社のウラはこれから取るとして、もしそこに《R》が潜伏しているなら、想定される混乱は計り知れない。逮捕に抵抗した被疑者が反撃に転じ、大量の武器を携えて繁華街に逃げ込みでもしたら、お台場テロの二の舞どころではなくなる。まだガセの可能性も十分にあることは承知の上で、警備一課長は顔から血の気が引いてゆくのを自覚した。来るべきものが、来た。そう感じさせる不穏なタイミングの一致が、この通報にはあったからだ。

明日中になんらかの動きがあると思うから、そのつもりで——。今日、自室に自分を呼びつけた警備部長は、定例の業務連絡のあとにそんな言葉を漏らした。すれ違いざまにぽんと肩を叩くような、なんの緊張も感じ取れない声だった。しかし北朝鮮工作員の犯行が喧伝される一方、神泉教関係の内偵が進められている現状に鑑みれば、その言いようにはただならぬ重みがあった。

時計を見る。午後十一時五十二分。すべての機動隊に口頭で通達を出し、〝明日〟に備えて内々に臨戦態勢を整えさせてから十二時間あまり。時刻はまだぎりぎり今日の範疇に入るが、〝明日〟が字義通り、午前零時を期して始まるものだとすると……。

「待機中の機動隊は出動準備。三方面の他にも応援部隊を募って、どれだけ出せるか現状を確認しろ。合同の方はまだなにも言ってきてないな？」

「指示は出ていません」と応じた当直要員は、即座に受話器を取ってダイヤルボタンを押し始めた。仮眠明けの頭がずきずき鳴る音を聞きながら、警備一課長は脂汗の滲む額を拭い、あらためて警戒班各車両の位置を表示する道路網を見上げた。

この特別警備本部は、各防護対象施設に置かれた現地対策本部を統括する他、警備計画の立案と実施、事件発生の際の一次対応に当たる遂行機関。言うなれば手足に過ぎず、警視庁、警察庁、防衛庁からそれぞれ人員が派遣されている合同捜査本部こそが、事件対策オペレーションの頭脳に相当する。その頭脳が、いまだなにも言ってこないのはなぜか。この通報をガセと断定して、こちらに対処を一任しているからか。あるいは正面きって動けない事情があるからか。前者ならいい、と警備一課長は思った。後者だった場合、自分に課せられた責任は極めて重大になる。

警備部長は、あくまで内密に〝明日中に動きがある〟ことを伝えてきた。書面ではなく、口頭で。わかるな？　と言外に付け足して。その意味するところは、ひとつしかなかった。シナリオが動き出している。犯人逮捕、送検という通常の手続きが望みようのない、煎じ詰めれば国家の恥に収斂する《R》事案を、いかなる手段を用いて終息させるか。そのための合意が上層部間でなされ、幕引きのシナリオが現実に動き出したのだ。

十一年前の神泉教事件の時もそうだった。それはおそらく、現場においては突発的事態になって立ち現れる。事件に急転直下の進展をもたらす匿名の通報――たとえばこの唐突かつ硬度の高い目撃情報のように。そこから先の筋書きは皆目不明だが、その時、現場責任者の判断の拠り所になるのが、上司のさりげない目配せであり、それとなく漏らされた言葉の断片だった。いざ事を目前にした時には、緊急対処で動け。すべて現場裁量で事の収拾に当たり、上に判断を持ち込むような真似はするな。警備部長が漏らしたひと言には、それだけの因果が含まれていたのではなかったか。

指示と確認がくり返される無線の喧噪を聞き流し、警備一課長は指揮盤の上に置かれた電話に視線を落とした。もしそうなら、即座に機動隊を出動させねばならない。勇み足でも現場を包囲し、シナリオに〝乗ってみせる〟必要があるが、違っていたらどうする？　警備部長の携帯を鳴らして、確かめた上で動いた方がいいのではないか？　ちらと考え、受話器に手をのばしかけてから、すぐにそれを引っ込めた。

それではガキの使いと一緒だ。防衛庁と、彼らが裏に秘める非公開情報機関が入り込み、まっとうな解決も期待できないこの事件では、発言ひとつが命取りになることもある。指示ひとつ、通達ひとつが揚げ足取りの材料になり、弱り目を見せた途端に一斉にババを押しつけられもする。それを防ぐには、身内同士で固まり、常以上に阿吽（あうん）の呼吸を発達させてゆくしかない。警備部長は、その自明の共通見解に則ってあのような物言いをしたのだ。

その程度の判断もつけられず、いちいち伺いを立てるような真似をしたら、自分の評価はそれに準じたものになるだろう。察しの悪い男と誹られ、以後の昇進は望めなくなる――いや、下手をすれば詰め腹を切る役が回ってくるかもしれない。警察官僚の熾烈（しれつ）

な出世レースをくぐり抜け、目下、勝ち組の一端に加わっていると自任する警備一課長は、過去の経験と伝聞に基づいてそう判断した。事実、そうした瞬間瞬間の判断が勝敗の分かれ目となり、盛衰を定めるのが警察官僚の世界だった。

とにかく、準備だけはしておく必要がある。まだ課長クラスはひとりも到着していない中央指揮所を見回し、警備一課長はひとまずそう結論した。警察庁による管理権の絡みがあるので、自分の独断ではSATは出せない。まずは三方面管轄の第三機動隊を展開させ、銃器対策部隊を前線に配置する。同時に周辺道路に交通規制をかけて——。

（遊撃七から警視庁！）

刹那、ひときわ大きい無線の声が響き渡り、警備一課長はぎょっと顔を上げた。

（現場にて、発煙筒らしき白い煙を視認！　玄関脇の植え込みから噴き上がっている）

ほんの一瞬、中央指揮所に冷たい沈黙が舞い降り、直後に爆発した。他の車両への現場急行指示、各局から返ってくる応答、周辺建物の状況確認と在館者を把握する算段。白い煙は毒ガスの類いではないのか、消防には連絡するのかしないのか。当直員たちが口々に指示を飛ばし、殺気立った無線のやりとりがくり返される中、警備一課長も咄嗟に怒鳴っていた。

「遊撃七は至急その場を離れろ！　付近のＰＣと連携して、現場一区画の道路を封鎖。機動隊の到着を待て」

指揮盤に取りつく当直員たちの顔がこわ張り、その視線が一斉にこちらに向けられる。瞬間、逸りすぎたか？　という思いが背筋を冷たくしたが、後悔する暇はなく、またその必要もないと警備一課長は自らに言い聞かせた。

発煙筒らしき白い煙が視認されたからといって、そこに《R》がいる確証にはならない。が、なんであれ、ガセでは済まされない状況が目の前にある。その対応に警察の、自分自身の行く末がかかっている。幕引きのシナリオはすでに始まっているのだ。勝ち残るには、自分に与えられた役割をやりおおせるしかない。頭のわずかな隙間で考え、警備一課長はいま出せる唯一の指示を口にした。

「……出動だ」

当直員たちが一斉に動き出し、無線や電話に指示の言葉を伝達する。警備一課長は椅子に腰を下ろし、汗で額に張りついた前髪を手で払った。

午後十一時五十八分。本庁警備第一課の出動命令を受け、第三機動隊と銃器対策部隊の車両群が渋谷へと急行した。交通機動隊の白バイとパトカーに先導され、明治通りに乗り入れた灰色の車両群は、日付が変わって数分と経たずに現場を目前にしていた。やまない雨の下、抗弾ヘルメットと防弾チョッキで身を固めた機動隊員が続々と警備車から降り立ち、濡れたアスファルトを蹴って各々の配置につく。現場ビルから主要道に抜ける道はバリケードで封鎖され、区画内の道路にも二重三重の阻止線が張り巡らされてゆく。小振りなオフィスビルが軒を連ねるばかりで、付近にマンションのひとつも存在しない地勢が、現場を封鎖する上で良好に働いた。現場に噴き上がっていた白い煙はとうに消え、植え込みの中から発煙筒本体も回収されたが、周辺ビルの検索と残留者の避難誘導も併せて行われた。深夜という条件が幸いし、ビル管理の守衛と数人の残業社員らを避難させるのに、さほどの手間はかからなかった。

すべてはひそやかに、雨音に紛れるようにして行われた。現着から十五分、零時二十分には、現場一帯の封鎖と主要道の検問態勢が整った。唯一、被疑者が潜伏していると見られる関東生命ビルだけが、いまだ内情を把握できない五階建ての建物を佇(たたず)ませ、ブラインドの隙間から照明の光をこぼし続けるのみになった。

奇妙な造りのビル——。第一線を張る銃器対策部隊の指揮官として、指揮班長らとともに指揮通信車に陣取った隊長の警部は、暗視カメラが捉えた関東生命ビルにそんな感想を紡いだ。銃器対策部隊は、その名の通り銃器を使用した犯罪に対応する部隊で、原子力発電所などの重要防護施設の警備警戒を行う他、ＳＡＴと連携して重大事件発生時の一次対応を任されている。言わばＳＡＴ投入前の前座のようなものだが、装備はやや劣るとはいえ、隊員の士気と能力はＳＡＴに引けを取らないと警部は確信していた。

事実、いま現在も複数の隊員が夜陰に紛れ、関東生命ビルを巧妙に包囲・監視しているのだが、そうして細部が明らかになればなるほど、一見ではわからないその奇妙な造りが際立ってくる。ありふれたオフィスビルのはずが、偵察行動を阻害するあらゆる要件を備えているとわかるのだ。

正面玄関は普通と変わらないガラス張りだが、内壁がせり出しているのでロビーの奥まで見通すことができない。反射率の高い窓は残らずブラインドで閉ざされており、仮に昼間であっても、外からでは様子を窺えそうになかった。偵察を困難にするのは立地条件も同様で、隣接するビルは軒並み当該ビルより低く、地下駐車場の入口と通用口のある裏手は別の道路に面しているので、上から監視された場合、気づかれずに接近するのはかなり難しい。左右を挟むビルとの間に人が通れるほどの隙間があるが、そこに面する壁は窓がなく、通風孔も三階以上の高さにある徹底ぶりだった。

残るは地下、下水道からの侵入だが、本部に要請したビルの青写真はまだ送られてこない。一帯の埋設図面もいまだ届かず、そのへんの手際の悪さも隊長の不審を増殖させていた。通常なら、国土交通省のネットワークにアクセスして、数秒で呼び出せる情報なのに。玄関脇の植え込みで焚(た)かれた発煙筒が、誰の手で、なんの目的で仕掛けられたにせよ、守衛のひとりも顔を出さない沈黙ぶりも異常としか言いようがない。被疑者潜伏の真偽は別にしても、これをただの保険会社の持ちビルと見るのは無理があった。

結局、三分ほど静観を続けたあと、警部は仕掛ける腹づもりを固めた。渋谷署の署長も自宅からおっつけ到着するという話だったが、待ってはいられなかった。被疑者潜伏が事実なら、従業員が人質に取られている可能性もある。敵に先手を取られ、お台場の悪夢を再現することだけは阻止しなければならない。都内でもとりわけ目立つ場所に機動隊を展開していれば、マスコミが殺到するまで間がないという切実な問題もあった。万一の際は即時撤退、ＳＡＴの到着を待つという条件付きで、警備本部は警部の具申を受け入れた。警部は早速、制圧検挙班の班長に行動を指示した。

間もなく、向かいのビルから正面玄関を捉えた暗視映像に、ボディアーマーを着込んだ班長の背中が映り込んだ。短機関銃(サブマシンガン)は携帯せず、腿(もも)のホルスターに自動拳銃(オートマチック)ＵＳＰを突っ込んだ軽装の背中が短い階段を昇り、夜間来訪者用のインターホンに手をのばす。散弾銃を携えた班員が玄関の死角にうずくまり、バックアップに入ったのを確認しながら、警部は無線ごしに聞こえる音声に耳をそばだてた。

（警察の者です。警備の責任者の方はおられますか？）

（なんのご用件でしょう）

（お宅のビルの前で発煙筒が焚かれたのはご存じですか？　念のため、この一帯のビルの立ち入り調査を実施しています）

（発煙筒の件は、うちとは無関係ですが）

（ですから、それを確認します。ここを開けてください）

インターホンの声がいったん途切れ、（いま、上の者に確認を取ります。少しお待ちください）という声が流れた。それまでの平坦で無機的な声音が、微かに戸惑いを覗かせたようだった。（事は緊急を要します。急いでください）と班長が押しかぶせるのを待たずに、警部は「現本より工作班」と無線のマイクに吹き込んだ。

建物の側面に梯子を立てかけ、通風孔や窓ガラスから小型ＣＣＤカメラを挿入する工作班の他、向かいのビルでは外事課所属の傍受班が監視機材の設置を終えている。「状況を送れ」と重ねた警部は、雨音に混じって聞こえるヘリの羽音を捉え、小さく舌打ちした。

ＳＡＴの先遣機か、あるいはマスコミか。防衛庁が噛んでいるからには、陸自の特殊作戦群の線も考えられる。いずれにせよ、自分たちが一線を張っていられる時間はそう長くない。手のひらが汗ばむのを警部は自覚したが、工作班と傍受班が送って寄越した報告は、そんな焦りを吹き飛ばすのに十分なものだった。

(ドリルがガラスを貫通しない。アーマライトかと思われる)

(サーモグラフィックも反応なし。熱反応を遮断する建材で建物が覆われている模様)

(屋上に設置されたセンサーと監視カメラを多数確認。多重無線用と思われるパラボラも複数設置されている)

傍らに立つ指揮班長はもとより、無線車内にいる全員が絶句する気配が伝わった。自身、あんぐり口を開けたくなる心境を堪えて、警部は「ビルの資料はまだ届かないのか」と通信班員に呼びかけた。「来ていません」と応じた通信班員の顔色も、先刻より青ざめているように見えた。

「なんなんだ、このビルは……」

思わず、そんな呟きが漏れた。偵察行動を封じる建物の造り、立地条件に加えて、物理的・電子的干渉を完全に遮断する構造。奇妙なんてものではない。これではまるで基地か要塞——。

「隊長、本部から有線です。警備一課長とおっしゃっています」

指揮班長が受話器を差し出し、警部は不穏な想像を押し殺してそれを受け取った。警備本部からの有線連絡、しかも警備一課長直々の電話とは尋常でなかったが、相次ぐ異常を前に深く考える神経は働かなかった。

(即刻、その場から引き上げろ。現場のビルには手出し無用だ)

そして、とどめとも言える異常が受話器から噴き出してきた。警部はつかのま声をなくし、「どういうことです」とようよう搾り出した。

（窓は強化ガラス、通風孔も金網で閉ざされていて、ＣＣＤを入れる隙間がありません。おまけに熱感知も遮断されて、すべての偵察行動が不可能です。このビルは明らかに普通じゃない。撤収しろとおっしゃるなら、理由を説明してください）

銃器対策部隊長を務める警部の声に、上司に対する遠慮はなかった。「その必要はない。すぐに引き上げろ。これは命令だ」とくり返しながら、警備一課長は背後にちらと目をやった。

三々五々中央指揮所に参集した警備部、交通部の幹部たちと、合同捜査本部の連絡員たち。一様に冷たい視線を投げかける彼らの背後では、指揮盤に取りつく当直員たちが所在なげな顔をこちらに向ける。そのどれもが、致命的な判断ミスを犯した自分を非難し、憐れみ、冷笑しており、警備一課長はすぐに視線を前に戻した。

冗談ではない、と口中に毒づく。同じ立場に立てば、誰だって同じことをしていたはずだ。防衛庁情報本部の非公開施設？　いったい誰が想像できたというんだ。よりにもよって、そんな地雷を踏む羽目になるなんて……。

「通報は誤報と判明した。そこに被疑者はいない」

目眩がするほどの怒りと絶望を呑み下し、一課長は辛抱強く押しかぶせた。機動隊出動の一報が警備部長に届き、烈火のごとき叱責の電話がかかってきたのは五分ほど前。

その後、各部署から抗議と問い合わせの電話が続々と入り、踏んだ地雷の大きさを警備一課長に認識させていった。

これは〝明日中に起こるなにか〟ではない。合同捜査本部を始めとする上層部の沈黙は、原因究明と事実確認に狂奔していた結果でしかなく、彼らは機動隊の展開など望んではいなかった。一部の幹部のみが存在を知悉する防衛庁の非公開情報機関、その拠点のひとつに被疑者が潜伏中とのでたらめな通報は、誰がなんのために仕組んだものだったのか。警察と防衛が互いに腹を探りあい、牽制しあう時間が判断の空白を生んだのであって、その間に現場が動くとは想像すらしていなかったのだった。

発煙筒が焚かれたにしても、いきなり機動隊を出すとは早計に過ぎる。そう言った警備部長は、無能の極みだな、と付け加えて電話を切った。あんたのせいだろう、とは口が裂けても言えず、事態収拾を急ぐしかないのが警備一課長の立場だったが、（誤報とおっしゃるなら、その根拠を教えてください）と怒鳴り返した警部が、そんな事情を斟酌できる道理はなかった。

（このビルはまるで要塞です。中を調べる必要があります）

「その権限は我々にない。とにかく……」

（権限がないとはどういうことです。在日公館だとでも言うのですか、ここが）

警察の権限が及ばないということは、すなわち日本の法律が及ばないことを意味する。余計な言質を与えてしまった苦味を嚙み殺した一課長は、「……想像に任せる」と低く呻いた。ここで自棄を起こし、機密事項をぶちまける権限こそ自分にはない。そう考える警察官僚の頭が、本能的に作動させた自制心だった。

「とにかく、君たちがそこにいるだけでも問題なんだ。すでにマスコミも動き出している。囲まれる前に引き上げ……」

（少しお待ちを）と遮る声が発し、電話の音が途絶えた。「おいどうした、もしもし!?」と怒鳴った警備一課長をよそに、沈黙は数秒続き、やがて（課長）と落ち着いた警部の声が耳朶を打った。

（公安の本部要員が現本に来ています。彼はこのビルに《R》が入ったのを目撃したと言っています）

「公安？　どこの誰だ！」

（警部補の並河と名乗っています）

聞き覚えがある、というのが最初の印象だった。「並河……？」と聞き返した途端、合同捜査本部の連絡員がぎょっとした様子でこちらに振り向き、物言いたげな目と目を見交わした一課長は、不意に電流が体を駆け抜けるのを感じた。

そうだ、並河警部補。合同捜査本部に出向した防衛庁職員の目付役として、お台場テロの時も現場にいた公安要員。たまたま現場に居合わせた娘をかばい、被疑者に発砲した姿が防犯カメラに映っていたとかで、映像を入手したマスコミと一悶着あったと幹部の誰かが漏らしていた。それだけではない。三日前、アクトグループ本社に賊が押し入った時にも、その名前を耳にしたではないか。

すわ《R》か、と色めきたったのも一瞬、上層部から得体の知れないカーテンが垂らされた、若杉襲撃の一報は誤報との通達が徹底されたのだが、人の口に戸は立てられないものだ。確保された被疑者の身柄は防衛庁に預けられたとはいえ、現場に居合わせた警護官らは被疑者の顔と名前を目撃しており、箝口令（かんこうれい）の壁ごしに切れ切れの噂を垂れ流していた。〝あれ、出向で来てた防衛の奴だったよな？〟〝最初から《R》と内通してたって話だ〟〝公安の誰かと組んでたな。確か、並河とかいう〟〝ハムの脂身か。あいつも今度こそおしまいだな〟……。

「電話に出せ、早く！」

　その並河が、現場にいる。《R》が関東生命ビルに入ったのを目撃したと、でたらめな通報を裏づける発言をしている。それがなにを意味するのかは考えられないまま、警備一課長は叫んだ。いま代わります、と応じた警部の声が遠くなり、再びつかの間の沈黙が訪れると、一課長は深呼吸して頭の整理に努めた。しかし殺気立った声と物音が電話口を騒がせ、（おい、行かせるな！　取り押さえろ）という警部の声がその中に混ざれば、落ち着いた思考を巡らせるのは不可能になった。

「どうした⁉」

（並河警部補です！　現場に飛び出していって……）

　怒鳴り返した警部の声は、電話の向こうの混乱した空気に押し流され、最後まで伝わらなかった。中央指揮所に同報される無線のやりとりも俄（にわ）かに殺気を帯び、居合わせた他の幹部たちがなにごとかという顔をこちらに向ける。すべてが制御を離れ、混沌に呑み込まれてゆく予感に、一課長は呆然と立ち尽くした。その瞬間には同僚（ライバル）幹部たちの視線も気にする余裕がなく、夢中で怒鳴っていた。

「行かせるな！　全力で取り押さえろ！」


その、少し前。関東生命ビルの玄関前に立つ銃器対策部隊の制圧検挙班長は、自動ドアのガラスごしに二人の男と向き合っていた。

「通報があったんです。確認は義務です。やましいところがないなら、中に入っても問題はないでしょう」

のらりくらりを断ち切る硬い声音を出し、ともに三十代前半といった年格好の男たちを交互に睨みつける。取り立てて特徴のない背広姿の二人は、呼びかけに応じて玄関まで降りてきたものの、責任者がいないの一点張りで頑としてドアを開けようとしない。抗弾ヘルメットにボディアーマーを装着した警察官を前にすれば、気後れのひとつもしそうなものだが、ガラス戸から一定の距離を空けて立つ二つの顔に、脅えや萎縮の色は窺えなかった。

「ですから、もういちど上と連絡を取ってくださいと言ってるんです。誤解だということがすぐにわかりますから」

それどころか、暗い目でじっとこちらを見据え、冷静に言い返してくる。あらゆる偵察行動を封じたこのビルの造りといい、こいつらは明らかに堅気ではないと班長は確信していた。暴力団や外国マフィアという雰囲気ではないが、ただの保険屋でないことは間違いない。「誤解かどうかは我々が判断します」と重ねて、班長はホルスターのH&

KモデルUSPにさりげなく手を置いた。

「とにかくここを開けなさい」

警邏時代に培った目と声で、言い放つ。玄関脇の死角には、十二口径の散弾銃を携えた班員の他、突入用の破城槌を抱えた扉破壊係も待機している。自動ドアが強化ガラス製であっても、六トンの破壊力を持つラムに耐えられるとは思えない。場合によっては力ずくで押し入る、という気迫と覚悟を前面に立て、班長は二人の顔を見据えたつもりだったが、男たちは相変わらず怯む素振りを見せなかった。二組の目がそろってすっと細まり、上辺の表情を消し去るのを見た班長は、むしろこちらが気圧されるのを感じた。

（現本より全局！）

刹那、耳元のイヤホンが騒ぎ出し、班長は咄嗟に耳を押さえた。

（公安部の本部要員が無断で現場に侵入した。発見次第、取り押さえろ）

二人組に対していた顔をうしろに振り向け、ビル前の通りを素早く見渡す。街灯の光が雨の筋を浮かび上がらせるばかりで、視界の及ぶ範囲に人の姿は見えない。どのみち、死角に潜む班員たちが取り押さえてくれるだろうが、それにしてもどこのバカが飛び入りを目論んでいるのか。ちらと考え、すぐドアの方に向き直った班長は、二人組のひとりが不自然に顔を背けているのを見た。

左手を口の前に掲げ、なにごとか囁いている。袖口にマイクが仕込んである？　視線に気づいた男が腕を下ろし、こちらに顔を向けた拍子に、左耳のうしろに這わせたスケルトンのコードも微かに見え、班長は無意識に一歩あとずさっていた。

秘匿回線を使った通信が傍受され、目前の二人組に中継されている。なんだ、こいつら？　その思いが戦慄を呼び覚ます直前、「玄関前の奴、退がれっ！」と野太い男の声が発した。

玄関口から少し離れ、通りの左右を見渡すと、雨の中を全力で突進してくる男の姿が目に入った。その背後には数人の機動隊員が続き、走る男を捕まえようとしている。玄関脇に潜む班員たちが反射的に身構えるのを横目に、班長は必死の形相で走るずぶ濡れの背広姿を注視した。あれが現場に乱入した公安のバカかと思う間もなく、「そこから離れろっ！」と男の声が再び弾けた。

「そいつらは銃を持ってるぞ！」

班長を始め、その場にいる制圧検挙班全員の目が玄関の方に向いたのは、条件反射のなせる業だった。それゆえ、彼らは、走ってくる男の次の挙動を見逃してしまっていた。玄関が視界に入ったところで、その男――並河は、上着の裾を払うようにして左腰に手をやった。自動ドアのガラスごしに立つ二人の男の目に、その挙動は腰の拳銃を抜き放つ動作に見えた。警察無線の傍受で並河の名前を聞いていれば、その印象は疑いようのないものとして二人に植えつけられた。

同時に、火薬の爆ぜる音が連続して弾け、静まり返ったビル群に反響して轟いた。植え込みに仕掛けられた大量の爆竹が爆ぜたのだったが、瞬間の判断を迫られた男たちの耳に、その音と銃声の違いを峻別するだけの余裕はなかった。

二人組の男は腰のグロック17に手をのばした。有事の際は身をもって拠点防衛に努めと教育された身の、これも条件反射の行動だったが、その挙動はガラス一枚隔てて立つ班長に目撃されることになった。一秒の何分の一かの時間、ひとりと二人は自動ドアを挟んで互いの目を覗き込み、訓練された犬同士の悲哀を確かめあうこともなく、ほとんど一斉にその場から飛びすさった。

班長は庇を支える柱の陰に、男たちは風除室の向こうに退避する。並河はその場に伏せ、爆竹の音を銃声と勘違いした機動隊員たちも濡れた地面に体を押しつけたが、班長の意識がそちらに振り向けられることはなかった。

いま重要なのは、ビル内の二人が銃を所持している事実でしかない。班長は、喉に這わせた骨伝導マイクに叫んでいた。

「一より現本！　館内の対象は短銃で武装している。指示を」

（シャッターが閉じる！）と班員の声が無線に割り込み、班長は玄関の方を見た。風除室の向こうに退避した男たちが、壁の装置に手をのばしている。自動ドア手前の壁に埋め込まれたシャッターレールを見、開閉装置が作動する音を聞き取った班長は、「阻止しろ！」と夢中で怒鳴った。

待機していたブリーチャーが即座に反応し、太い両腕にラムを抱えて玄関前に立つ。班長はUSPを引き抜き、援護の態勢を取ったが、二人組は防弾ガラスごしにグロックを撃つ愚は犯さず、通路の奥へと後退していった。

その間に、ブリーチャーはラムをシャッターレールに直撃させた。城門破壊用の丸太を小型化し、前後に把手をつけたといった形状のラムは、六トンの破壊力を打撃面に集中させ、壁に埋設されたシャッターレールを一撃でひしゃげさせた。シャッターは床から一・三メートルほどの位置で下降を阻まれ、空回りするギアの音を悲鳴のごとく響かせた。ブリーチャーは続いて自動ドアを打ち壊す態勢に入り、防弾スクリーンのバイザーごしに彼と視線を交わらせた班長は、いま必要な唯一の声を無線に吹き込んだ。

「現本、突入許可を！」

（館内の防火扉が閉まる。突入許可を、早く！）

（なにが起こっている!? 状況を送れ。即刻その場を離れろ）

一方は無線、一方は有線からの怒声が耳をつんざき、立ち尽くす体をひと揺れさせる。指揮班長らの督促の視線にさらされながら、銃器対策部隊を束ねる警部も決断を迫られていた。

銃器の所持が確認された以上、シャッターの下降を阻止したところまでは、現場の緊急避難的判断として容認され得る。しかしそこから先、ドアを破壊しての強行突入となると、明確な意思の介在がなければ実施し得ない。いったん後退してＳＡＴの到着を待つという選択肢もあるし、内部状況が皆目つかめない中での突入自体、指揮官の資質を問われかねない愚行だ。封じ込める態勢は整っているのだから、持久戦に持ち込んだ方が得策という考え方もある。ましていまは、連続爆弾テロ事件と本件との関連が否定され、本部から撤収命令が出ている時だ。

が、目前に、不法に拳銃を所持した者たちがいる事実に変わりはない。ＳＡＴと連携しての一次対応という、銃器対策部隊本来の目的に沿って考えるなら、突入路の確保は必須であり、現状が目的達成の如何を問う分岐点上にあることも確かだった。ここで退くと事態は長期化し、長期化は混乱から立ち直る時間を犯人に与え、反撃を促す結果になりかねない。なにより、かくも異常な事態を前にして、撤収とくり返すことしかしない特別警備本部に対する不審が、警部を一方の選択に傾けていた。

服部邸警護の時も、お台場テロの時も、上層部の不透明な指示が現場に混乱をもたらし、結果的に多数の警察官を死に至らしめた。犯行を阻止するに足る能力を持つ者たちが、それを発揮することを封じられたまま、無念の死を遂げていったのだ。爆風で手足をもぎ取られ、壊れたマネキンのように転がっていた殉職警官たちの姿を、自分は生涯忘れないと警部は思う。ここで退いて、同じ過ちをこれ以上くり返すわけにはいかない。たとえ捨て石になったとしても、後続のために血路を開いておく必要はある。

ほんの二、三秒の思考だった。警部は、警備一課長の繰り言を運び続ける有線電話を切り、ヘッドセットをかぶり直した。

「……突入を許可する。行け」

一撃目で蜘蛛の巣状にひびが入り、二撃目でひびの網の目がさらに細かくなる。爆薬を仕掛けるより、ラムで連打した方が早いと踏んだ班長の判断は、間違っていなかった。ブリーチャーが三撃目を打ち込むと、自動ドアの強化ガラスは細かな粒になって砕け散った。同時に音響閃光手榴弾が投げ入れられ、一・五秒の沈黙の後、爆発的な音響と閃光を関東生命ビルの玄関に膨れ上がらせた。

交互に内壁がせり出しているため、その閃光と衝撃が一気に通路を吹き抜けることはない。しかし爆散した強化プラスチック製の破片は壁にめり込み、百七十四・五デシベルの音響は閉鎖した防火扉を激しく振動させた。衝撃でスプリンクラーが作動し、落ちた照明の代わりに非常灯が点灯するようになれば、辛うじてロビーに逃げ込んだ二人組――ダイス渋谷支部に詰める保安要員たちも、これが容易ならざる事態であることを認める他なかった。

ビルの電源を落とした銃器対策部隊は、続けて金属を打ちつける派手な音を通用口の方で響かせている。ドアの隙間に差し入れたプライバーを、ハンマーで叩きつける音。プライバーの鋼鉄の爪が鉄扉に食い込み、梃子の原理の力でドアをこじ開けようとしているのだった。防火扉の方でも同様の音が響き始め、二人の保安要員はそろって固唾を飲み込んだ。

じきに扉が破壊され、武装した隊員が大挙してなだれ込んでくる。一階は放棄するしかなく、二階のセキュリティセンターを中心に防備を固めることになるが、保安要員を含め、せいぜい三十人足らずの戦力でどれだけ持ち堪えられるか。地下の自家発電装置の防備は固く、各種警備装置のメンテナンスはもちろん、有事に備えた訓練も定期的に行われているとはいえ、訓練はどこまでいっても訓練に過ぎない。しかもそれは、外敵の侵攻を想定した冷戦時代のマニュアルに準拠したもので、実行されたためしは一度もないのだ。

ローズダスト対策の一環で警備レベルが引き上げられ、保安要員の常駐数が増えたとはいっても、実際に白兵まがいの戦闘が起こるとは誰も信じていない。この十年、電子的防備に腐心はしても、物理的攻撃に対する防備は置き去りにされてきたのが実情だった。まして、同じ宮仕えの者たちに襲撃される可能性など——。

ドアをこじ開けんとする轟音はいよいよ激しく、ヘリのローター音も先刻より近くなっている。今頃は機動隊の各車両が投光器を閃(ひらめ)かせ、関東生命ビルを前後から照らし出しているに違いない。二人は目で頷きあい、エレベーターの手前まで後退した。やるしかない。桜田門からは撤退命令が出ているが、傍受されることを当て込んだ芝居かもしれない。この騒動の原因がなんであれ、どさくさ紛れに機密を漁(あさ)られる可能性もないではなく、いかなる状況、いかなる相手であっても、ここを死守するのが彼らに与えられた任務だった。グロック17を両手保持しつつ、二人は敵の侵入予測方向に体を向けたが、

〈S(シエラ)1より各局。ガスを使用する。一階は放棄。各員は担当の機密処理を実施したあと、SCに集合。送れ〉

セキュリティセンターにいる当直幕僚から通信が入り、二人はいったんグロックを下ろした。了解のサインに無線の送信ボタンを二度押し、二基並んだエレベーターの箱にそれぞれ乗り込む。ガス——致死性のものも含めて数種類あるが、ガスと呼称した場合は催涙ガスを指す——でロビーを満たす際には、エレベーターの箱を上層階に固定し、シャフトを閉鎖するのが定められた手順だった。当直幕僚の断が下った以上、戦闘態勢

への移行に異論はなく、二人はマニュアルに従って各々の担当区域に向かった。防衛秘密に類する書類、パソコン内の資料はハード、ソフトを問わずに破棄し、すべてのネットワークを遮断しなければならない。上空のヘリから突入要員が降下してこないとも限らず、処理作業は迅速に行う必要があった。プラスチック（コンポジション）爆弾で窓を爆破され、ワイヤーを使ったラペリング降下で一斉に突入してこられたら、機密処理の完遂は絶望的になる。

二人を乗せたエレベーターの扉が閉じて間もなく、センターからの操作でロビーの照明が落とされ、空調用ダクトに設置されたボンベがガスの散布を開始した。それはたちまちロビーを満たし、白い煙幕を通路にまで浸透させた。防火扉をこじ開けた銃器対策部隊の隊員たちは、扉から溢れ出したガスに足踏みしたものの、ガスマスクを着用して突入するまでに十秒以上の時間はかけなかった。ＭＰ―５Ａサブマシンガンに装備された小型ライトが閃き、銃口の動きと同期した光線が闇に包まれたロビーを走査する。四人で一班を形成する制圧検挙班の班員たちは、壁沿いに移動し、互いの死角を補いながら、訓練通りに室内検索（クリアリング）を消化していった。

その間、ガスはこじ開けられた防火扉から外に流れ出し、ガスマスクを持たない機動隊員たちに軽いパニックを引き起こした。雨が効果を弱めてくれたものの、ガスの流出速度は予想より早く、玄関近くにいた隊員たちに目と喉の痛みをもたらした。すぐに後退の号令が出され、関東生命ビル前の通りは怒号と警笛、移動する車両の音が渦巻く狂騒の坩堝（るつぼ）になった。紺色の出動服がひしめきあい、回転する赤灯がめまぐるしく光を交錯させる中、二つの背中がガスの渦巻く玄関に飛び込んでいったのだが、ほとんど誰も気づかないほどの混乱ぶりだった。

現場に乱入した公安要員を拘束するなどという、枝葉末節を記憶している者は誰もいなかった。玄関に飛び込んだ二つの背中は、背広にガスマスクという異様な風体のまま、クリアリングが済んで間もないロビーへと走った。戸口に立つ制圧検挙班の班員がそれに気づき、銃口と一体化した小型ライトをそちらに向けたが、二人は止まらずに走り続けた。

ひとりが警察バッジを提示し、制止する班員の脇をすり抜けると、あとに続く長身の男もロビーに乗り込んでゆく。採証班が動くには早すぎると思い、班員がその背中を追おうとした時には、二人の姿は闇に紛れ込んでしまっていた。

ライトの光輪をロビーの四隅に当て、その班員は二人の闖入者を捜した。滞留する白いガスごしに、倒れた観葉植物やソファ、エレベーター、受付机が次々に浮かび上がり、最後に非常階段口の前に集う複数の背中を照らし出す。解錠にかけては部隊一の腕前を持つ班員がドアに取りつき、階段口の扉を開けようと奮闘中だが、その脇ではプライバーを携えたブリーチャーが待ち構えている。あと五秒で開かなかったらブリーチャーの出番になる。ふと思い、ライトの光を階段口に留めた刹那、二つの黒い影が闇から抜け出した。

ちょうど鍵が解除の音を響かせた瞬間だった。その班員が注意を促す間もなく、二つの黒い影は班員たちの背後に近づき、ブリーチャーの背中に覆いかぶさるようにした。

ブリーチャーが身を捩った時には遅く、そのポーチから抜き取られた音響閃光弾が床に転がり、ごとんと乾いた音を立てていた。

全員が息を呑む音がはっきり聞こえた。伏せろ、と誰かが叫び、一同は咄嗟にその場にうずくまった。きつく目を閉じ、抗弾ヘルメットの上から耳を押さえて、膨れ上がる閃光と音響に備えたが、三秒待ってもそれは起こらなかった。代わりに、開いたドアが閉じられる微かな音が発し、班員たちはそろそろと顔を上げた。

安全ピンがついたまま転がった音響閃光弾の向こうで、閉じられたドアが内側から固定される音が続いた。班長がすかさずドアノブをつかみ、力任せに引っ張ったが、内側の把手に閂状の物体が仕掛けられたらしいドアは、もうびくともしなくなっていた。二人の闖入者はまんまとドアの向こうに入り込み、班長らは間の抜けた顔で目をしばたたくしかなかった。

その後、即座にプライバーによるドアの破壊が命じられた。一杯食わされた制圧検挙班の怒りは尋常ではなく、先刻以上に鋭い音がロビーに響き渡るようになったが、それで作業時間が短縮されるものではない。SATならチューブ爆薬による切断が選択されただろうが、銃器対策部隊にはその装備がなかった。大使館並みに強固な建物のドアをこじ開けるために、地道で原始的な作業がしばらくは続いた。そしてその一分弱のタイムラグが、二人の闖入者たちにとっては重要な意味を持っていた。

ガスマスクを勢いよくぬぎ捨てると、並河と羽住は階段を駆け上がり始めた。踊り場ごとに設置された監視カメラをスプレーで潰し、一段抜かしで上層階を目指す。運と体力、それに少々の知恵をまぶした作戦が、いまは全面的に体力に依存する局面だった。

※

天井から見下ろすレンズにスプレー缶の塗料を吹きつけ、三階に続く階段に足をかけた時だった。非常階段口がいきなり蹴り開けられ、グロック拳銃を手にした男が踊り場に立ち塞がった。

威嚇を念頭に置いて銃口を向ける連中ではないし、そういう状況でないこともわかっている。並河は両手を上げ、男の背後にちらと視線を流した。男はつられて視線を動かすようなドジは踏まなかったが、つられまいと身構え、並河の方に意識を集中しすぎるミスは犯してくれた。

その一瞬の隙をついて、ドアの陰に潜んでいた羽住が背後から襲いかかる。男が振り向くより早く、グロックを真上からつかんで下に向けさせると、素早く動いたもう一方の手が男の首を押さえ込む。反射的に引き金が引かれたのと、羽住が男の頭を壁に叩きつけたのはほぼ同時だった。

非常階段に響き渡った銃声の余韻が、頭蓋と壁がぶつかる鈍い音をかき消す。続けて繰り出された羽住の肘が男の顎の付け根を直撃し、男はその場に昏倒(こんとう)した。階段から転げ落ちそうになったその体を支え、踊り場にそっと横たえるまでに、男のグロックは羽住の掌中に渡っていた。

「先に行って。警備システムを止めたらわたしも行きます」

弾倉（マガジン）をスライドさせて残弾数を確認しつつ、羽住は並河と目も合わせずに言う。ぞっとするほど鮮やかな手際より、長身を包む背広が少しもヨレていないことに気づいた並河は、返す言葉をなくしてその背中を見つめた。さんざん雨に打たれた上、ガスや粉塵（ふんじん）が渦巻く修羅場を駆け抜けてきたというのに。いや、羽住自身が発する精気が背広の皺をものばし、ぴんと張った空気を漂わせていると言った方が正確か。

合同捜査本部で顔を突き合わせていた時は、もっとくたびれた印象しかなかった。これがこの男本来の姿かと少し気圧されながら、「ひとりでやれるのか？」と並河は応じた。羽住は戸口際の壁にぴたりと身を寄せ、

「システムを止めない限り、ここから先には進めない。セキュリティが解除されたらすぐに連れ出してください。下の防戦に手一杯で、見張りは出払ってるはずです」

二人で来たのはなんのためだと言わんばかりに、早口でまくし立てる。両手保持したグロックを床に向け、ドアの隙間から外の様子を窺う横顔は、やはり警察官とは種類の異なる緊張を生きてきた男のものと見えた。「急いで。ＳＡＴが到着したら本当の戦闘になる。これ以上、犠牲は出したくない」と続いた声を聞いた並河は、物思いを封じて階下に目をやった。

工事現場さながら、ハンマーでプライバーを打ちつける轟音が間断なく響いてくる。空のマガジンをドアの把手に挟み込み、閂代わりにしてきたとはいえ、ドアは間もなく破壊される。なだれ込んできた機動隊とダイスの保安要員が衝突し、混乱が頂点を極め

た時点で離脱するというプランは、両者の力がある程度拮抗してくれなければ成立しない。SATが現場に投入されたら、力の均衡は崩れ、両者ともに全力での戦闘を余儀なくされるだろう。その場合、死者が出る確率は一気に跳ね上がり、隙を見ての脱出も困難になる。

それ以前に指揮系統が立て直され、この混乱も収拾がつくと思いたいが、うしろ暗い幕引きのシナリオをめぐり、警察も防衛庁も疑心暗鬼という事情がある。互いの謀略を疑って上層部が口を閉ざし続ける間に、現場の暴走が加速する危険性は十分にあった。時間との勝負を再認識した並河は、「わかった。無茶はすんなよ」と応じて残りの階段を駆け上がった。

「もうしてます」と憎まれ口を残し、羽住もひと息に戸口へ滑り込んでゆく。並河は事前の手はず通り、そのドアの把手に空マガジンの閂をかけてから、上の階を目指して走り始めた。あつらえたようにぴったり把手にはまる空マガジンは、すべて羽住が用意したもので、あとひとつがポケットの中に収まっている。児戯に等しい時間稼ぎだが、非常態勢でエレベーターが封鎖され、館内の人間がセキュリティセンターに集中している いまなら、保安要員の展開を防ぐ有効な算段になるはずだった。

とはいえ、緊急用の昇降手段はあるだろうし、こちらの目論見を見透かされ、拘置室の防備が固められていないとも限らない。三階と四階の中間にある踊り場に足をつけた時、なにひとつ武器を持ち合わせていない我が身に思い至り、並河はちょっと足が竦む気分を味わった。

引き返して、気絶した男の体を探ってみるか？　そんな思いが頭をよぎったが、武器が見つかったとしても使いこなせる自信はなく、羽住と別れた途端に臆したと認めるのも悔しい。息を詰めて四階に昇りきった並河は、踊り場の監視カメラにスプレーを噴きかけ、非常口に最後の閂をかけて五階を目指した。階下から届くハンマーの響きが、立ち竦みそうな体を追い立ててくれるのがこの際ありがたかった。

五階に到着すると、屋上ごしに轟くヘリのローター音が腹を揺さぶり、ハンマーの音を後方に退けるようになった。心臓が喉までせり上がり、呼吸を圧迫する感覚があったが、それが階段を駆け上がってきたせいか、恐怖のせいなのかは判然としなかった。並河は息を殺して非常口に耳を寄せ、ロックが解除される瞬間を待った。

羽住が警備システムを止められなければ、ここから先はどん詰まりになる。祈る思いで待ち続けて三十秒と少し、カチリと小さな音が響き、並河はそっとドアの把手を押し下げた。強固なスチール製の扉が呆気なく開き、階段口と同様、非常灯の陰鬱な赤に塗り込められた廊下が眼前に広がった。

人の気配はなかった。監視カメラの位置を確かめ、作動灯が消えているのを見て取った並河は、片手に握ったスプレー缶を拳銃よろしく構え、ひと息に廊下を走り抜けた。五階の一区画を占める拘置室は、セキュリティセンターの機械管理下に置かれており、常駐の見張りはいない。付近に機密に類する物品も存在しないから、機動隊の突入が始まれば最初に無人になるはずだ——。羽住の言葉を唯一の安心材料にして、無闇に入り組んだ廊下を進む。拘置室は三つあり、目的の部屋は非常口から見ていちばん奥、建物の中央寄りと聞かされている。手書きの通路図を参照しつつ、赤色灯で満たされた迷路のような空間をたどった末に、並河はようやく拘置室区画を目前にした。鉄格子が嵌められているわけでもなく、クリーム色の鉄扉が整然と並ぶ光景は、それまで見てきた廊下と変わるところがない。ただ、把手の部分にテンキーを備えた電子錠が取りつけられ、覗き穴と食事の差し入れ口がそれぞれ上下に設けられたドアは、間違いなく拘置室のそれと知れた。一階の非常口がついに破られたのか、階下の混乱が激しさを増す音を聞きながら、並河は拘置室の前に立った。

警備システムがダウンすると、テンキーに暗証を打ち込むだけで解錠できると羽住は言っていた。電子錠のテンキーに顔を寄せ、通路図に走り書きした数字に目を落とした並河は、小さく舌打ちして胸ポケットから老眼鏡を取り出した。もっとでかく書いておけ、と一時間前の自分を罵ってから、テープでフレームを補修した老眼鏡をかける。番号は——。

刹那、背後に殺気を覚えた。硬直したのも一瞬、並河は振り返り、視界が定まるのを待たずにスプレー缶のボタンを押し込んだ。

異常の只中にある体が過敏に反応したのか、自分でも思いもよらない行動だった。スプレーから塗料が噴き出し、ぎょっとするほど近接していた男の顔面を直撃する。思わずというふうに左手で顔をかばい、よろけるようにあとずさりながらも、男は右手に握ったグロックを並河の方に突き出してきた。

銃口の黒い穴を目の前にした途端、頭の中でなにかが弾けた。並河はグロックをもぎ取ろうと手をのばし、男の手首をつかんだ勢いで体当たりを仕掛けた。背広の上からも屈強な体軀が窺える男は、壁に背中を打ちつけてもグロックを握る手の力を緩めず、すぐに体勢を立て直して並河の襟首をつかみ上げた。スプレーで潰された目の痛みを堪え、憤怒の形相を浮かべた顔面が視界一杯に迫る。あっと思った時には遅く、男の頭突きが並河の鼻梁を直撃し、ベチッと鈍い音を立てていた。

ひしゃげた老眼鏡が肌にめり込み、噴き出した涙と一緒に床に落ちる。前後左右の感覚を失い、よろけた並河の襟首を引きずり上げた男は、立て続けの膝蹴りを鳩尾に打ち込んできた。腹の底で痛みが爆発し、たまらず腰を折ったところに、今度はこめかみを狙った衝撃が突き抜ける。もはや蹴られたのか殴られたのかもわからず、並河はなす術なく壁に叩きつけられた。

手放したスプレー缶がからからと乾いた音を立てて転がり、拘置室のドアにぶつかって止まった。男は顔にへばりついた塗料を片手で拭い拭い、グロックの銃口を再度こちらに向けようとする。並河は必死でそれに食らいつき、両手で男の手首をつかんだ。引き金が引かれ、閃光と轟音が間近で弾ける。飛散した火薬が灼熱の粉になって顔にふりかかり、飽和した聴覚がすべての音を遠くにする。床に穿たれた弾痕は見ずに、並河はありったけの力を込めて頭突きを男の腹に見舞った。

男が体勢を崩し、尻もちをつく。そのまま上にのしかかろうとして、バネのような男の腕に喉輪をつかまれ、両手でそれを外そうとする間に形勢は逆転した。並河は床に倒され、すかさず馬乗りになった男の膝に右の二の腕を押さえ込まれた。残された左手で喉を絞めつける男の手首をつかみ、無為に足をばたつかせる以外、並河にできることはなくなっていた。

男の体重が喉輪を絞める手にかかり、わずかに残った気管の隙間も潰されてゆく。酸素が途絶え、すっと明度が落ちた視界に塗料まみれの顔面が映え、男の右手に握られたグロックの銃口がそこに重なる。足を蹴り上げれば男の体勢を崩せるかもしれないが、そうすれば確実にグロックの銃口が火を噴く。これまでか……という実感が唐突に浮かび上がり、並河は抵抗の気力が萎(な)えるのを感じた。そしてそのあと、自分でも意外なほど腹が立ち、噴きこぼれる涙の被膜ごしに男の顔を睨み据えた。

まただ。またあきらめようとしている。これまでさんざん妥協をくり返し、なにもかも失ってきた男が、性懲(しょうこ)りもなくあきらめようとしている。取り戻すべきものが、ドア一枚隔てた向こうにいるというのに――。並河は目を押し開き、遠のきかけた意識を律して周囲を見回した。揉(も)み合っている時に蹴倒したのか、床に転がった消火器を視界の端に捉えてから、すぐに正面に目を戻した。

塗料で潰された目を固くつぶっている男は、消火器の存在に気づいていない。左手をのばせばなんとか届くだろうが、喉輪を絞める男の腕を放せば、その瞬間に喉が完全に潰される恐怖があった。並河は痺(しび)れ始めた左手の爪を男の手首に立て、声にならない声を潰れかけた喉から搾り出した。

おれは、もうあきらめるわけにはいかない。じわじわ死んでゆくか、自殺に等しい愚拳と引き替えになにかを得るか。内奥の絶叫と同時に選択した並河は、男の屈強な腕を放した。途端に喉への圧迫が倍加し、神経が音を立てて寸断される薄明の中、無我夢中で消火器に手をのばした。

※

なにかが倒れるくぐもった音が発し、朋希は目を開けた。

重い眠りから引き上げられつつあった意識が、その音で完全に覚醒したようだった。床に横たえた体を起こす気力はなく、朋希は目だけ動かして拘置室の薄闇を窺い、壁や床ごしに聞こえる得体の知れない喧噪に耳を澄ました。

金属を打ちつける音、複数の人の足音、ヘリのローター音。いつからか周囲を押し包むようになった不穏な喧噪は、刻々と激しさを増し、いまでは建物全体を鳴動させている。なにごとかと考えようとして、こみ上げてくる吐き気に思考を封じられた朋希は、頭を使うのをやめて目を閉じた。

熱ですっかり傷んだ脳は、使おうとすると吐き気を催し、二日酔いに似た目眩をもたらす。寝返りを打つのもだるく、いっさいの物音を意識の外にしようとした朋希は、しかし電子錠が解除される小さな音を鼓膜に捉え、再び目を開けた。

微かに軋む音を立て、拘置室のドアが押し開かれてゆく。戸口から差し込む非常灯の暗い赤を見、なぜ廊下の照明が消えているのかと思う間もなく、開け放たれたドアからゆらりと人影が現れた。

　非常灯を背負って立つ人影は、片手に消火器をぶら下げ、もう一方の手を戸口に添えて、ふらつく体をどうにか立たせていた。逆光で影に塗り潰されていても、ちぎれかかった上着の袖や、ぼさぼさに乱れた髪は判別できたし、その顔が血まみれであることも察しがついた。床に横たわったまま、朋希は戸口に立ち尽くす人影を呆然と見上げた。

　人影は無言でその視線を受け止め、足を引きずるようにして一歩こちらに近づいてきた。

「さっさと起きろ。行くぞ」

　思いのほか静かな声で、並河は言った。その手から消火器が滑り落ち、床に当たって硬い音を響かせる。転がった消火器の向こうに、仰向けに横たわる人の足を見た朋希は、あらためて並河の顔を見上げた。

　なぜ。その言葉が浮かび上がるより先に、「早くしろ！」と怒声が弾け、弛緩しきった心と体をびくりと震えさせた。

「すぐに追手がくる。ＳＡＴがなだれ込んでくる前に、ここからずらかるんだ」

　並河の手がずいと突き出され、一緒に吹き込んだ外気が拘置室の空気をかき混ぜた。戸惑いを通り越して、ほとんど恐怖に近い感情にとらわれた朋希は、外気を避けるように身を縮こまらせた。

　澱んだ空気の底に沈み、腐るに任せていた身には、あまりにも清涼でありすぎる外気だった。死体同然の自分を見られるのは辛いし、差し出された手のひらを見返すのも辛い。やめてくれ、と叫んだ声は声にならず、朋希はきつく目を閉じた。

なんだってこんなことをした。ここを抜け出して、それからどうするつもりだ。早晩、捕まって引き戻されるに決まっている。その時は並河も道連れだ。これ以上、自分のために誰かを犠牲にしたくはない。背負いきれない責任を、罪を増やしたくはない。助けられるほどの価値も資格もないんだ。おれには――。

「必要なんだ、おまえが」

その声は、予想外に穏やかな響きをもって拘置室の空気を震わせ、閉ざしたつもりの胸をひと揺れさせた。朋希は思わず目を開き、並河を見た。

「おまえは、ローズダストって言葉の意味を知ってる。人を、自分を傷つける痛みも知ってる。おまえなら、この国がイカれきっちまうのを止められる」

差し出された手のひらの先に、こちらを見つめる一対の目があった。声を荒らげもせず、無理やり引き起こそうともせず、ただそこで待っている目。それ以上のことはできないし、するつもりもないと言っている目に直視され、必要、と言った声を胸中にくり返した朋希は、首をめぐらせて並河の目を正面に捉えた。

『お二人の意見を総合してみました』

ふと、遠くに三佳の声が聞こえたような気がした。昔、波の花を三人で見に行った時に聞いた声。そう、あの時、おれは薔薇のようだと言い、一功は綿埃みたいだと言い、三佳は二つを合わせてローズダストと言った。たったそれだけのことだけど、それが？

『だから新しいんじゃない』

異なる二つの感性を包み込み、繋ぎ合わせて、新たな認識を導き出す言葉？

『私たち、下手に言葉を知りすぎてるのよ』

現実をあるがままに受け止めている限り、現象はただ現象として目の前を通りすぎ、その先にあるなにかに触れることはないから。

『なんで始める前からあきらめなくちゃいけないの？』

人も、意見も、思想も、個から発したものは個に帰るしかなく、触れあい、鍛えられあってこそ高められるものなのに。

『それをこれから考えるの。〝新しい言葉〟を』

そうして新しい言葉を見つけ出していけば、人も国も次のステージに立てるのだと、そんな希望を呼び起こしてくれる。それが新しい言葉――。

『ローズダスト、か』

ごうと風が鳴り、一功の呟き声を吹き消すと、瞼の裏にちらついていた雪片もかき消された。やっと思い出した？　と三佳が笑ったような気がしたが、それも一瞬のことだった。なんだ、なにをしているんだ、おれは。途端に明瞭になった頭の中に自問し、朋希は夢から醒めた思いで目をしばたたいた。

まだなにも終わってはいない。終わらせてはいけない。そう感じる自分がいて、それを必要だと言ってくれる人が目の前にいる。こんな自分でも。こんな自分だからこそ。

「助けろ、おれを。みんなを」

差し出した手のひらを微動だにさせず、並河が言った。それは、一功の声でもあるように朋希には聞こえた。

腹に力を込め、床に投げ出した腕を持ち上げる。骨が軋むほど重く感じられたが、朋希は歯を食い縛って手をのばし、並河の手のひらをつかんだ。

確かな温もりを持った手が、しっかり握り返してくる。そこからどうどうと力が流れ込み、朋希は自分の足で立ち上がった。

※

銃器対策部隊の突入が始まって、二十分弱。事態に気づいた警察庁と防衛庁のトップが収拾に乗り出し、関東生命渋谷本社ビルの混乱は一応の終息を見た。いったん行動に出た部隊を撤収させるのは容易なことではなく、市ヶ谷本部の直命を受けたダイス側が降伏をし、突入部隊に状況を制圧させるという段取りを経ての決着になった。警察側は花を持たされる格好になったわけだが、現場で一進一退を続ける者たちには彼岸の事柄でしかなく、混乱はしばらくのあいだ続いた。

非常口の鉄扉を破った銃器対策部隊は上層階に攻め上り、ビルの各所で音響閃光弾のスパークと轟音を爆ぜさせた。他方、闖入者の手で警備システムを遮断されたダイス側は、人力での対抗を余儀なくされ、机やロッカーを積み重ねてバリケードを構築しては、後続の機動隊がこれを撤去する乱戦を繰り広げた。

死者が出なかったのは、同じ宮仕えという意識がダイス側にはあり、極端な反撃行動がためらわれたからに他ならなかった。関東生命ビルは怒号が渦巻く修羅場と化し、一時的とはいえ、東部方面本部を長年サポートしてきた渋谷支部はその機能を喪失した。

混乱の最中、拘置中の職員一名が外に連れ出され、行方をくらましたとの一報が本部にもたらされたのは、事態収拾の目途がついて十分以上も経過してからだった。

ビル周辺に展開していた機動隊員らの目撃情報によると、被拘置者を連れ出した男は二名。ひとりは警察バッジを持っており、彼らは毛布に包んだ被拘置者を車に乗せ、なに食わぬ顔で現場から走り去っていった。その頃には私服の捜査員も多数出入りして、救急車など消防車両も詰めかけていたので、負傷者の搬送と聞かされた警官たちは彼らをノーチェックで通した。それどころか、進路の邪魔になる警察やマスコミの車両を脇に寄せ、早く現場から離れられるように誘導までしてやったのだという。

あとの祭りと呼ぶには、あまりにも無様な失態だった。その後、警備一課長を始め、現場指揮に携わった警察側の責任者はことごとく更迭・査問の対象になり、この夜の失態は痛み分けで処理されたが、ダイス側にとっては慰めになる話ではなかった。警察庁のトップらも顔色を失い、各監視システムをフル稼働させる他、〝チヨダ〟を総動員しての捜索態勢が即座に実施された。しかし被拘置者らの行方はようとしてつかめなかった。

現場からそう離れていない場所で、彼らが乗り捨てた車が発見されたが、それだけだった。三人の所在に繋がる情報をなにひとつ得られないまま、混乱の一夜は明けようとしていた。

（下巻へ続く）

初出

「週刊文春」2003年５月１・８日号～2004年12月23日号

単行本

2006年３月　文藝春秋刊

なお、本書は単行本刊行時に大幅に改稿、さらに
〈FINAL Phase〉、〈After〉を加筆いたしました。

文春文庫

オペレーション
Op. ローズダスト 中

定価はカバーに
表示してあります

2009年2月10日 第1刷

著者 福井晴敏（ふくいはるとし）
発行者 村上和宏
発行所 株式会社 文藝春秋

東京都千代田区紀尾井町3-23 〒102-8008
TEL 03・3265・1211
文藝春秋ホームページ http://www.bunshun.co.jp
文春ウェブ文庫 http://www.bunshunplaza.com

落丁、乱丁本は、お手数ですが小社製作部宛お送り下さい。送料小社負担でお取替致します。

印刷・凸版印刷 製本・加藤製本

Printed in Japan
ISBN978-4-16-776302-2

文春文庫　最新刊

背負い富士　山本一力
一力版「清水の次郎長」。義理と人情の痛快傑作

沖で待つ　絲山秋子
恋愛ではない男女の友情を描いた、芥川賞受賞作

Op.ローズダスト　上中下　福井晴敏
連続爆弾テロのリーダーと防衛庁官僚の、因縁の対決

壮心の夢　火坂雅志
石田三成、荒木村重など秀吉に関わった十四人の男たち

木もれ陽の街で　諸田玲子
昭和二十六年の東京を舞台に、若く初々しい恋人たちを描く

あきんど　絹屋半兵衛　上下　幸田真音
経済小説の名手が描く、伝説の幕末近江商人と幻の湖東焼

凸凹デイズ　山本幸久
たった三人の弱小デザイン事務所に、一大チャンスがやってきた

十一番目の志士　上下〈新装版〉　司馬遼太郎
高杉晋作に剣の技を見込まれ、刺客に仕立てられた男の物語

ブランドのデザイン　川島蓉子
サントリー「伊右衛門」などのロングセラーはどう作られるか

楽しく使える故事熟語　石川忠久　監修
「綸言汗の如し」「危急存亡の秋」など約三〇〇を一語一頁で紹介

ほんまもんでいきなはれ　「ごま豆腐天下一」の庵主さん一代記　村瀬明道尼
事故で半身不随になりつつ、精進料理で名をはせた人生ドラマ

時事ネタ　とり・みき
小泉政権からワールドカップまで「失われた十年」を漫画でたどる

新平等社会　「希望格差」を超えて　山田昌弘
混迷する格差社会で生き残るためには、何が必要なのか？

超・格差社会アメリカの真実　小林由美
富の6割が5％の人に集中し、国民の3割が貧困という実態

スパムメール大賞　サエキけんぞう
日々膨大に来るスパムメールを読んでみたら、何と面白い！

マイ・ビジネス・ノート　今北純一
グローバル社会で成功するための、ビジネス入門書

ジョージ君の養生訓　東海林さだお
ニンニク注射から風船ダイエットまで、抱腹絶倒の健康法

オルフェウスの卵　鏡リュウジ
注目の心理占星学者が、東西の神話をテーマに綴るエッセイ

アドルフに告ぐ〈新装版〉3・4　手塚治虫
戦争をはさんで運命が変転した、ヒットラーと二人のアドルフ